« C'est à son habileté à créer un narrateur convaincant qu'on peut juger du talent d'un écrivain, et Lori Lansens y est parvenue non pas une mais bien deux fois dans son remarquable roman. »
Arthur Golden *(Geisha)*

« *Les Filles* glisse comme un rêve peint à l'aquarelle, puisant sa poésie à même le quotidien. Grâce à son écriture délicate et ouverte, Lansens fait de ces deux jeunes filles une sorte de mariage parfait, harmonieux et éternel. »
The New York Times

« Ce n'est pas un livre sur le grotesque mais un livre sur l'amour, sur ce que c'est que d'être attaché à un être et d'accepter la situation avec grâce. »
San Francisco Chronicle

« Le meilleur livre publié cette année au Canada, peut-être même dans le monde. »
NOW magazine

« Un livre bouleversant, qui dépasse de loin l'exploitation du sensationnel. »
VOIR

« Un merveilleux roman, empreint de grâce. »
ELLE Québec

DU MÊME AUTEUR

La ballade des adieux, Belfond, 2004 (J'ai lu, 2006)
Un si joli visage, Alto, 2011

Lori Lansens

Les Filles

Traduit de l'anglais (Canada)
par Lori Saint-Martin et Paul Gagné

Alto

Les Éditions Alto remercient le Conseil des Arts du Canada
pour son appui financier.

Nous remercions le gouvernement du Canada
de son soutien financier pour nos activités de traduction
dans le cadre du Programme national de traduction
pour l'édition du livre.

La publication de cet ouvrage a été rendue possible
grâce à l'aide financière de la Société de développement
des entreprises culturelles (SODEC)
et du ministère du Patrimoine canadien
par l'entremise du Programme d'aide au développement
de l'industrie de l'édition (PADIÉ).
Gouvernement du Québec – Programme de crédit d'impôt
pour l'édition de livres – Gestion SODEC.

Titre original : *The Girls*
Éditeur original : Knopf Canada
ISBN original : 0-676-97795-2

Illustration de couverture : Matte Stephens (www.matteart.net)
représenté par le Studio Lila Rogers (www.lilarogers.com)

ISBN : 978-2-923550-66-4

Pour ma mère et mon père

RUBY ET MOI

~

Je n'ai jamais regardé ma sœur dans les yeux. Je n'ai jamais pris mon bain toute seule. Je n'ai jamais tendu les bras vers une lune ensorceleuse, la nuit, les pieds dans l'herbe. Je ne suis jamais allée aux toilettes dans un avion. Je n'ai jamais porté de chapeau. On ne m'a jamais embrassée comme *ça.* Je n'ai jamais conduit une voiture. Ni dormi d'une seule traite du soir au matin. Je n'ai jamais eu un entretien en privé. Je n'ai jamais marché en solitaire. Jamais grimpé dans un arbre. Je ne me suis jamais perdue dans une foule. Tant de choses qui ne me sont pas arrivées et pourtant j'ai été aimée, ô combien aimée. Et si l'occasion m'en était donnée, je vivrais mille vies comme celle que j'ai vécue pour être aimée de façon aussi absolue.

Ma sœur Ruby et moi, produits d'un seul et même ovule fertilisé, aurions dû nous scinder en deux, mais, par accident ou par miracle, nous sommes plutôt restées attachées l'une à l'autre, nos têtes jumelles jointes par une plaque de la taille d'une assiette à pain. Pour le corps médical de la planète, nous sommes les plus vieilles jumelles craniopages survivantes (nous avons vingt-neuf ans) et, pour des millions de nos contemporains dont l'intérêt pour les gens comme nous n'est pas que sporadique, nous sommes les jumelles conjointes Rose et Ruby Darlen du comté de Baldoon. On nous a traitées de tous les noms : phénomènes, horreurs, monstres, démons, sorcières, attardées, prodiges, merveilles. Aux yeux de la plupart, nous sommes de simples curiosités. Mais, dans la petite ville de Leaford, où nous vivons et travaillons, nous sommes « les filles », sans plus.

Levez la main droite. Appuyez votre paume contre le lobe de votre oreille droite. Couvrez votre oreille et écartez les doigts — c'est par là que nous sommes unies l'une à l'autre, ma sœur et moi, nos visages pas tout à fait côte à côte, nos crânes liés par une suture de forme circulaire qui s'étend de la tempe jusqu'au lobe frontal. Au premier coup d'œil, vous croiriez peut-être vous trouver en présence de deux femmes qui s'étreignent, en tête-à-tête, l'une appuyée contre l'autre, comme des sœurs.

Ruby et moi sommes de vraies jumelles et nous aurions effectivement une apparence identique, avec le front haut de notre mère et sa bouche large et charnue, si ce n'était que les traits de Ruby sont plutôt harmonieux (en fait, elle est très belle), tandis que mon visage à moi est difforme et franchement grotesque. Mon œil droit s'incline abruptement vers l'endroit où mon oreille droite se serait trouvée si la tête de ma sœur n'y avait pas poussé à sa place. Mon nez est plus long que celui de Ruby et j'ai une narine plus évasée que l'autre, étirée vers la droite par rapport à mon œil brun incliné. Ma mâchoire inférieure oblique vers la gauche, d'où ma diction pâteuse et ma voix rauque. Des plaques d'eczéma colorent mes joues, tandis que Ruby a la peau claire et sans défaut. Nos cuirs chevelus s'épousent au milieu de nos têtes unies, mais mes cheveux frisottés ont des reflets auburn, tandis que ceux de ma sœur sont bruns, fournis et lisses. Ruby a au menton une profonde fossette que les gens trouvent attachante.

Je mesure un mètre soixante-cinq. À la naissance, mes membres étaient symétriques, proportionnels au reste de mon corps. À l'heure actuelle, ma jambe droite fait presque huit centimètres de moins que ma jambe gauche, et j'ai la colonne vertébrale comprimée, la hanche droite saillante. Tout ça parce que je trimballe ma sœur comme un bébé depuis que je suis toute petite : les minuscules cuisses de Ruby battent mes hanches, mon bras soutient son postérieur et son bras entoure depuis toujours mon cou. Ruby est ma sœur. Et aussi, bizarrement, indéniablement, mon enfant.

Notre situation n'est pas toujours sans désagrément. Ruby et moi souffrons de douleurs tantôt bénignes et tantôt aiguës au cou, aux mâchoires et aux épaules, et nous suivons des traitements de physiothérapie trois fois par semaine. Mon corps est soumis à une tension constante : je supporte le poids de Ruby, je la promène sur ma hanche, je la retourne avec effort dans notre lit et je reste perchée sur le tabouret de la salle de bains pendant ce qui me semble des heures. (Ruby a toutes sortes de problèmes intestinaux et urinaires.) Nous sommes limitées dans nos mouvements, certes, et en proie à l'inconfort, parfois, mais ni Ruby ni moi ne qualifierions notre fusion de douloureuse.

Il est difficile d'expliquer notre façon de nous déplacer. Elle s'est forgée à partir de notre naissance, au moyen de grognements, de gestes et aussi, je suppose, d'une forme de télépathie. Il y a des jours où, un peu comme tout le monde, nous sommes maladroites et manquons de coordination. Notre symbiose naturelle est moins prononcée lorsque l'une d'entre nous (Ruby, en règle générale) est malade, mais, en gros, nous dansons en toute harmonie. En revanche, nous avons horreur d'agir à l'unisson, par exemple de répondre oui ou non en même temps. Nous ne finissons jamais les phrases l'une de l'autre. Nous ne pouvons ni secouer ni hocher la tête au même moment (et nous ne le ferions pas, même si nous en étions capables, pour la raison que je viens d'indiquer). Pour déterminer qui prendra l'initiative à tel ou tel moment, nous disposons d'une sorte de mécanisme d'arbitrage tacite, voire inconscient. Conflit. Compromis.

Ruby et moi partageons le même sang. Du côté gauche de mon cerveau, il circule normalement, mais, du côté droit (celui de la soudure), il passe dans le côté gauche du cerveau de ma sœur ; pour elle, c'est le contraire. Selon des estimations, nous avons en commun, outre les os crâniens, un enchevêtrement d'une centaine de veines. Nos tissus cérébraux s'imbriquent les uns dans les autres, nos systèmes vasculaires sont aussi emmêlés que des ronces, mais nos cerveaux sont distincts et fonctionnels. Mes pensées n'appartiennent qu'à moi ; les pensées de Ruby n'appartiennent qu'à elle. Nos moi se sont battus furieusement pour être uniques et, de fait, nous sommes plus différentes l'une de l'autre que la plupart des vrais jumeaux. J'aime le sport, mais aussi la lecture, tandis que Ruby, très féminine, préfère la télé. Quand Ruby est fatiguée, je n'ai presque jamais envie de me coucher. Il est rare que nous ayons faim en même temps, et nos goûts sont diamétralement opposés : je préfère les plats épicés, alors que ma sœur a un penchant suspect pour les œufs.

Ruby croit en Dieu, aux fantômes et à la réincarnation (elle refuse de spéculer sur sa prochaine incarnation, cependant, comme si, en s'imaginant différente, elle craignait de nous trahir). Pour ma part, je suis d'avis que les morts n'ont rien à espérer, sinon être évoqués de loin en loin, par le truchement d'une note de musique entêtante ou d'un passage dans un livre.

Je n'ai jamais posé les yeux sur ma sœur, sauf dans des miroirs et sur des photos, mais je connais ses gestes, le mouvement de ses muscles et de ses os aussi bien que les miens. J'aime ma sœur comme je m'aime. Et je la hais de la même façon.

Je raconte ici l'histoire de ma vie à moi. Elle s'intitule *Autobiographie d'une jumelle conjointe.* Mais comme ma sœur soutient que le récit ne peut, en principe (« en principe » est son expression fétiche de l'heure), être considéré comme une « *auto*biographie » et qu'elle s'oppose à ce que je raconte ce qu'elle considère comme *notre* histoire, j'ai accepté de la laisser écrire certains chapitres de son point de vue. Je vais tenter de raconter mon histoire avec franchise, même si j'admets que ma vérité risque d'être légèrement différente de celle de ma sœur et que l'écrivain est parfois obligé de boucher les trous.

Ce que je sais de l'écriture, je l'ai appris dans les livres et de ma tante Lovey qui, avec l'aide d'oncle Stash (né Stanislaus Darlensky, à Grozovo, en Slovaquie, en 1924), nous a élevées, ma sœur et moi. J'ai été admise au programme de littérature anglaise d'une université voisine, mais Ruby a refusé tout net d'y aller. Je le savais d'avance, mais j'ai malgré tout fait une demande d'admission, à seule fin d'être plainte et absoute. Ruby boudant à côté de moi, j'ai tendu la lettre d'acceptation à tante Lovey.

— Comment est-ce que je peux devenir écrivain sans étudier la littérature ? Comment est-ce que je peux devenir écrivain sans diplôme ?

S'il y a une chose dont tante Lovey a horreur, c'est l'apitoiement sur soi-même.

— Pas la peine de t'en prendre à ta sœur si tu ne deviens pas écrivain. Moi, par exemple, je ne sais pas comment pisse un piston, mais ça ne m'empêche pas de conduire une auto.

Le lendemain, tante Lovey m'a offert un livre intitulé *Aspects du roman* d'E. M. Forster. Elle l'avait emballé dans un reste de papier de Noël et avait collé dessus une marguerite du jardin, même s'il s'agissait d'un livre de la bibliothèque à rendre deux semaines plus tard. Puis, elle m'a emmenée au K-Mart, où nous avons acheté un paquet de dix crayons et une pile de blocs de papier jaune. Pendant que nous nous garions devant le magasin, Ruby a vomi par la fenêtre, ce qui a un peu gâché le moment. Tandis que tante Lovey nettoyait le flanc de l'Impala, j'ai ouvert *Aspects du roman* au hasard et lu à voix haute un passage long et compliqué où il était question de la mort et de son traitement romanesque. Tante Lovey m'a gratifiée d'un large sourire, comme si j'avais moi-même pondu ces lignes. Ruby a gémi, mais je ne saurais dire si c'était à cause de la maladie ou de l'envie.

Dès le début, Ruby a détesté ce que j'écrivais. Elle jugeait inutiles les portraits de personnages et m'accusait de tricher lorsque mes poèmes ne rimaient pas. Après avoir lu l'une de mes nouvelles, elle m'a un jour demandé :

— Pour qui est-ce que tu écris au juste, Rose ?

J'ai été piquée au vif. Pour la simple et bonne raison que je n'en savais rien. Or, j'étais persuadée que j'aurais dû le savoir. Mon amour de la lecture nous avait éloignées l'une de l'autre, ma sœur et moi. Ruby n'a jamais pris plaisir à lire, mis à part les livres pour enfants et les magazines hollywoodiens devant lesquels elle s'extasie dans les salles d'attente de médecins.

Mon amour des livres m'est venu de tante Lovey, même si je me plais à penser que ma mère biologique était d'une nature studieuse, elle aussi. On voyait rarement tante Lovey sans un livre à la main ou ouvert sur le bras de son fauteuil inclinable en vinyle brun. Elle avait transformé en entrepôt rempli de livres le solarium qui jouxtait le garde-manger, au fond de la vieille maison de ferme où nous avons grandi. Cette pièce, nous l'appelions « la bibliothèque », même si elle était dépourvue de la moindre tablette. Que des piles et des piles de livres de poche, 784 en tout, qui retenaient le froid dans les lattes et l'enduit de plâtre des murs. À la mort de tante Lovey, nous avons fait don des livres à la bibliothèque de Leaford, où, par le plus grand des hasards, nous travaillons toutes les deux. Je m'occupe du tri et du classement, tandis que Ruby fait la lecture aux élèves des écoles — pour des raisons évidentes, nous ne travaillons jamais toutes les deux en même temps. (Au cas où vous vous poseriez la question, chacune est rémunérée en fonction de ses propres heures de travail.) Tante Lovey répétait que, pour écrire, je devais trouver ma voix.

— Lis, disait-elle. Si tu as une voix d'écrivain, elle criera tôt ou tard : « Je suis capable d'en faire autant. »

Ma voix a crié, mais je ne parierais pas qu'elle a affirmé être capable d'en faire autant. D'aussi loin que je me souvienne, je n'ai jamais eu une telle confiance en moi. Si ça se trouve, ma voix a dit : « Il faut que j'en fasse autant. » Quand j'étais en huitième année, un de mes poèmes, intitulé *Lawrence*, a été publié dans le « Coin des poètes » de l'album-souvenir de l'école. Je l'avais soumis de façon anonyme ; il était donc exclu que les responsables l'aient retenu par pitié pour l'une des

« filles ». Après la publication de *Lawrence* (même si je n'étais qu'une enfant et qu'il s'agissait simplement de l'album-souvenir), j'ai déclaré du haut de mes quatorze ans que mon œuvre suivante serait une autobiographie. En faisant claquer ses doigts, tante Lovey s'est écriée :

— Appelle-la *Deux pour le prix d'une.* Ça serait amusant, non ? Ou encore *Double casse-tête.*

J'ai soumis soixante-sept nouvelles (l'une d'elles est parue dans *Prairie Fire*) et plusieurs centaines de poèmes (onze ont été publiés dans le *Leaford Mirror,* un dans le *Wascana Review* et le cinquième d'un autre — ne me demandez pas pourquoi — dans *Fiddlehead*). Cette autobiographie, je la compose dans ma tête depuis quinze ans, mais ce sont les premiers mots que je couche par écrit. Si on me demande un jour combien de temps j'ai mis à l'écrire, je serai bien embêtée.

Depuis longtemps, nous avons conscience, ma sœur et moi, d'être rares et peu banales, même si je ne me souviens pas d'un déclic particulier, d'un jour où j'aurais eu une illumination : « Tiens, les frères et les sœurs ne sont pas tous attachés les uns aux autres. » Je garde en revanche le souvenir d'une lutte. Nous devions avoir environ trois ans — j'ai fait jouer la scène dans ma tête des centaines de fois.

Elle se déroule comme suit... Dans le séjour de la vieille maison de ferme, il y a les fibres orange brûlé de la moquette aux longs poils. Ma petite main disparaît entièrement dans l'épaisse toison. La pièce sent le désinfectant et la poudre à la lavande de tante Lovey. Tante Lovey nous a déposées au centre de la pièce, Ruby et moi. Je suis sur mon séant. Ruby s'accroche à moi, se tient sur ses drôles de petites jambes ou les enroule autour de ma taille, tandis que je m'arc-boute pour la soutenir. Ruby est toujours à côté de moi. J'ai conscience d'être *moi*, mais aussi d'être *nous*.

Tante Lovey s'avance sur la moquette, chaussée de ses vieilles pantoufles roses, et pose une poupée *Baby Tenderlove* à l'autre bout de la salle de jeu, devant le radiateur argenté. Cette poupée est à moi. Tante Lovey m'en a fait cadeau le matin même, après avoir donné à Ruby sa poupée *Kitty Talks a Little*. Elle nous a regardées jouer avec elles pendant quelques minutes, puis elle nous les a enlevées sans se laisser troubler par nos sanglots. Revoici ma poupée. Seulement, elle est loin. Je tends les bras. Et je m'étire. Je sais que je n'atteindrai pas la poupée de cette manière, mais c'est ma façon de m'exprimer. Le geste signifie : « Je veux ma poupée. » Je bats des pieds, je crie. Je vois tante Lovey et oncle Stash nous observer depuis la porte. Tante Lovey dit : « Allez, Rosie. Va chercher ton bébé. Va chercher ta poupée. » Je regarde oncle Stash dans les yeux. *S'il te plaît. S'il te plaît, oncle Stash. S'il te plaît.* Il ne peut rien nous refuser, à Ruby et moi. Il s'élance, mais tante Lovey le retient. Je hurle de plus belle. Et trépigne. Ruby gémit, frustrée et contrariée. Elle se demande où est passée sa poupée à elle. En signe de protestation, je recommence à taper sur le sol et je trépigne, puis soudain, sans le vouloir, j'avance. Je m'arrête aussitôt. Je recommence à me trémousser. Rien. Je bats des pieds et je sautille en même temps. J'avance. J'arrête de pleurer. Même manège. Je saisis ma sœur par la taille et, à grand renfort de battements de pieds et de trépignements, je l'entraîne avec moi. Nous avançons. Je rectifie ma trajectoire, je corrige le rythme de mes mouvements, je pousse avec ma main libre, j'accélère sur la moquette orange pelucheuse. Ruby signifie sa réprobation en poussant des cris perçants, serre ma taille entre ses jambes, tire sur mon cou, tente de me ralentir parce qu'elle n'est pas encore prête pour ça. Moi, je le suis. J'atteins la poupée.

Le lendemain, tante Lovey nous met au même endroit. Cette fois, c'est la poupée de Ruby qu'elle a posée devant le radiateur argenté. Et c'est au tour de Ruby d'apprendre à aller chercher ce qu'elle veut. Pour elle, cependant, le défi est beaucoup plus grand. Selon tante Lovey, elle a mis six mois à me convaincre de traverser la pièce. Peu de temps après, tante Lovey a déposé nos poupées respectives aux deux extrémités de la pièce. Un simple observateur l'aurait peut-être jugée cruelle, mais tante Lovey avait pour nous d'autres ambitions que la seule survie.

Lorsque nous avions neuf ans, elle nous a emmenées à la bibliothèque de Leaford choisir des livres où il était question de notre état. (Qu'espérait-elle trouver, au juste ? *Bienvenue dans le merveilleux monde des craniopages?*) Ruby souffrait et souffre encore du mal des transports. Elle ne tolère pas toujours les médicaments antinauséeux. Dans plus de la moitié de nos déplacements, même sur de courtes distances, elle est malade. Parfois très malade. L'affection de Ruby a limité nos vies, déjà très sédentaires. Dans mes valises, même pour les balades d'une journée, j'emporte toujours de nombreux vêtements de rechange pour nous deux. En arrière-plan de la plupart de mes souvenirs de voyage, il y a l'odeur de l'haleine de Ruby, qui sent le fromage en poudre préemballé.

En route vers la bibliothèque de Leaford, Ruby vomit deux fois ; à notre arrivée, je portais mes derniers vêtements propres. Ruby avait l'habitude d'être malade en voiture, mais, dans ce cas particulier, je savais que la façon de conduire de tante Lovey n'était pas seule en cause. (Le lendemain, Ruby avait la varicelle — incidemment, j'ai été épargnée.)

Tante Lovey fut déçue de constater que dans le coin des enfants, à l'étage, il n'y avait aucun livre sur les jumeaux réunis par le crâne ni d'ailleurs sur d'autres formes de fusion. En route vers l'ascenseur, elle s'arrêta pour dire à la vieille femme assise au comptoir que la bibliothèque de Leaford aurait intérêt à revoir sa collection pour enfants et à y inclure un ou deux livres sur *les anomalies congénitales et les trucs du genre.*

— Surtout, ajouta-t-elle, qu'il y a des jumelles craniopages ici même à Leaford.

La vieille dame, une certaine Roz, à en croire le nom qui lui barrait la poitrine, portait un pull de jeune femme en laine angora mauve. Elle nous dévisagea, ma sœur et moi. Comme la plupart des habitants du comté de Baldoon, elle avait seulement entendu parler des rares jumelles conjointes. Elle sembla moins étonnée que la majorité de ceux qui posaient les yeux sur nous pour la première fois. Peut-être parce qu'elle connaissait quelqu'un d'aussi exceptionnel que nous, quoique de façon différente. Elle convint que les enfants de Leaford devaient être éclairés et nous escorta jusqu'à l'ascenseur. Je sentis Ruby devenir toute molle pendant la courte descente et je compris qu'elle s'était endormie. Sa fièvre montait, et je faillis dire à tante Lovey qu'il valait mieux rentrer, mais la vieille dame au pull angora nous avait conduites jusqu'à un livre de photographies (du musée Mütter de Philadelphie), rangé sur une haute tablette dans la section des adultes. Pas question que je parte sans y avoir jeté un coup d'œil.

Sur la jaquette de l'énorme album, on voyait un daguerréotype de Chang et Eng Bunker, jumeaux de l'ancien Siam, les célèbres siamois originels qui, réunis par la poitrine, exécutaient des acrobaties de cirque. Après avoir diverti les cours d'Europe, les frères, au milieu du XIXe siècle, s'étaient établis en Caroline du Nord, où ils avaient épousé des sœurs non jumelles et engendré vingt et un enfants ! (C'est la plus stricte vérité.) Sur la photo, les jumeaux, vêtus de costumes sombres identiques conçus pour dissimuler la bande de chair qui les soudait l'un à l'autre à la hauteur du thorax, avaient l'air distingué. Ils vécurent jusqu'à soixante-trois ans. Un soir, Chang mourut d'une rupture de la rate. Les dernières paroles de son frère auraient été : « Je crois que je vais y aller, moi aussi. »

Tante Lovey transporta ce gros album et quelques livres plus petits vers une grande table discrète nichée au fond de la salle de lecture. Le corps endormi de Ruby était lourd à porter. Chaud. Je m'installai avec soin sur un banc étroit et je retins mon souffle pendant que tante Lovey, de sa main constellée de taches de son (à la voir, on n'aurait pas dit que ma tante avait du sang amérindien), ouvrait le livre. La première photo, en noir et blanc, présentait crûment un squelette humain gravement déformé. Tante Lovey lut la légende à voix haute :

— Squelette d'un fœtus de sept mois atteint de spina-bifida et d'anencéphalie.

Elle s'est raclé la gorge avant de passer à la page suivante, où s'exhibait une femme nue. L'étonnement venait moins de la pâle nudité de cette personne que de l'incurvation de sa colonne vertébrale, qui la forçait à se plier à la taille, comme une lettre *r* ambulante. Je demandai à tante Lovey de lire le texte, mais elle préféra passer à la page suivante. Là, on voyait un homme d'âge moyen portant une chemise blanche amidonnée et une cravate à l'ancienne. On aurait dit qu'une énorme tumeur couleur prune avait flanqué la frousse à son œil droit, qui avait trouvé refuge au milieu de son front et décentré son nez. J'aurais aimé m'attarder un moment sur cette image, mais pas tante Lovey. À la page suivante, sur un arrière-plan en velours, figuraient les restes de bébés jumeaux conservés dans le formol, des craniopages qui, de façon incroyable et spectaculaire, étaient attachés non pas par le *côté* de la tête, comme Ruby et moi, mais par l'*arrière* du crâne, de sorte que l'un regardait devant et l'autre derrière. Les bébés flottaient dans un énorme bocal en verre, les yeux exorbités, la bouche ouverte. Sur la gencive inférieure du plus gros, on voyait l'esquisse d'une dent. Dos à dos. Postérieur à postérieur. Épave à la dérive. Çà et là, d'infimes tiges de métal apparaissaient. Avant de les enfoncer dans le bocal, on leur avait fait prendre la pose. Ils se tenaient la main. Ruby laissa entendre un sanglot, ce qui me surprit, car je ne l'avais pas sentie émerger du sommeil. Tante Lovey, les joues cramoisies, referma violemment le livre et alla le remettre à sa place.

Ruby renifla dans le mouchoir à carreaux qu'elle gardait, comme les vieilles femmes, dans sa manche. J'ouvris un petit livre rouge sans illustrations et je lus une histoire qui me hante encore, comme de la musique. C'était celle de Minnie et de Marie. Elles étaient nées attachées par la poitrine (ce qui faisait d'elles des jumelles thoracopages), au pays de Galles, en 1959. À la naissance, les deux sœurs avaient un poids combiné d'un peu plus de trois kilos. À un an et demi, elles avaient passé plus de temps à l'hôpital qu'à la maison. Minnie et Marie étaient de magnifiques bébés à la peau de porcelaine et aux épaisses boucles noires, et elles riaient plus qu'elles ne pleuraient. Souvent, elles s'embrassaient et se serraient l'une contre l'autre, mais il leur arrivait aussi de se battre furieusement. Les infirmières étaient parfois obligées de les contenir. Les petites sœurs mirent du temps à parler, mais elles communiquaient facilement entre elles. Pour une raison inconnue, elles s'appelaient l'une l'autre « Marie », mot qu'elles prononçaient « Mi[1] ». En adoration devant les petites, les médecins et les infirmières utilisaient le même nom. Minnie et Marie étaient normales à tous les points de vue, sauf qu'elles partageaient un unique cœur qui, à l'approche de leur deuxième anniversaire, commença à donner des signes de défaillance.

On fit appel à des spécialistes, des chirurgiens cardiologues, thoraciques et vasculaires, qui proposèrent tous de sacrifier le bébé le plus mal en point, Marie, en cédant le cœur partagé à sa jumelle, Minnie. Prise de panique, leur mère, pressée par le temps et par les médecins qui soutenaient que l'inaction entraînerait la mort des deux petites, donna son consentement. Elle embrassa Marie une dernière fois en priant pour que le cœur commun continue de battre dans la poitrine de la petite Minnie. Il le fit, mieux que les médecins ne l'avaient espéré. Lorsque, quelques jours après l'intervention, Minnie ouvrit les yeux, les infirmières et les médecins qui s'entassaient dans la chambre applaudirent spontanément. Elle les imita, puis, se tournant vers sa sœur pour l'embrasser, elle fut effrayée et décontenancée de ne pas la trouver à côté d'elle. Elle parcourut la

---

1. Mi ou *me,* en anglais, c'est-à-dire « moi ». (*N.d.t.*)

pièce des yeux. « Mi ? » murmura-t-elle. Les infirmières et les médecins se turent. La petite regarda une fois de plus autour d'elle. « Mi ? répéta-t-elle sur un ton suppliant. Mi ? » Puis, elle baissa les yeux et, soudain, sembla comprendre qu'on l'avait amputée de sa sœur. « Bobo », gémit-elle en touchant les pansements blancs. Elle trouva les yeux de sa mère, qui pleurait à chaudes larmes. « Mi », dit Minnie encore une fois, puis elle ferma les yeux et mourut à son tour.

À cette époque lointaine, tante Lovey me conseilla d'écrire mon histoire sans me laisser freiner par la peur, de dire les choses un peu comme elles sont, un peu comme elles pourraient être, de parler non seulement en tant que sœur conjointe, mais aussi en tant qu'être humain et femme. Bien des années plus tard, c'est exactement ce que je me propose de faire.

— Écris, m'a-t-elle conseillé, comme si tu avais la certitude de ne jamais être lue. De cette façon, tu diras la vérité.

Mais je tiens à être lue, moi, j'y tiens. Je veux faire connaître ma vraie histoire, je veux la partager avec vous.

LA NATURE DE NOTRE MÈRE

~

Le jour où nous sommes nées, Ruby et moi, une tornade s'abattit sur le comté de Baldoon. Selon des témoins oculaires, la furie, après avoir plané au-dessus de vingt hectares de maïs de semence du côté de Jeanette's Creek, toucha terre et cueillit Larry Merkel (âgé de quatre ans) et sa bicyclette bleue dans l'allée en gravier de sa maison, puis, ravageant des champs de maïs et de betteraves à sucre, s'envola vers le sud, en direction du lac, avec son trophée. La tornade ne rejoignit cependant pas le plan d'eau ; à Cadot's Corners, elle changea brusquement de cap, comme si elle venait de se rappeler son chemin. On l'aperçut dans trois autres cantons, puis plus rien. Le petit Merkel disparut à jamais, mais on retrouva sa bicyclette bleue à peu près intacte sur le toit d'une maison, trois rangs plus loin.

Autrefois, le petit bolide au cadre avant légèrement gauchi trônait au musée de Leaford, derrière un cordon, flanqué, à gauche, d'antiques accessoires agricoles et, à droite, d'une congrégation de papillons monarques épinglés à un panneau de liège. Comme le musée faisait face à notre maison de ferme, de l'autre côté de la route rurale n° 1, Ruby et moi nous y rendions fréquemment. Nous connaissions bien les collections, et Ruby finit même par devenir une précieuse collaboratrice. Outre les papillons, il y avait des balles de mousquet de la Guerre de 1812 et une blague à tabac qui aurait appartenu au grand chef indien Tecumseh. D'abord limitée, la collection d'objets attribués aux Indiens neutres grandissait à vue d'œil, puisque ma sœur découvrait chaque année des dizaines de pièces dans les champs des environs. En face de la collection d'art indien, on voyait deux photos plus grandes que nature de ma sœur et moi, prises lorsque nous avions trois ans et demi.

J'aimais entendre tante Lovey et parfois oncle Stash lire les légendes écrites à la main qui décrivaient les richesses et les merveilles de Leaford. Sous notre photo, on lisait : « Rose et Ruby Darlen, jumelles réunies par la tête nées le jour de la tornade — le 30 juillet 1974 — à l'hôpital St. Jude's de Leaford. Rose et Ruby comptent parmi les cas les plus rares de jumeaux conjoints, soit les craniopages. Ayant une veine essentielle commune, elles ne pourront jamais être séparées. Malgré leur situation, les filles mènent une vie normale et productive, ici même, à Leaford. Photo prise par Stash Darlen, l'oncle des filles. » (Tante Lovey m'a dit que, au départ, on avait utilisé l'expression « fâcheuse situation » pour décrire notre fusion. Elle avait forcé les responsables à biffer le mot « fâcheuse ».) Sous la bicyclette bleue gauchie de Larry Merkel, on avait indiqué : « Bicyclette d'enfant. Trouvée sur le toit de Don Charbonneau après la tornade du 30 juillet 1974. La tornade, qui a dévasté le comté de Baldoon et les régions avoisinantes, a fait deux morts et des dizaines de blessés. On a estimé les pertes matérielles à plus de trois cent mille dollars. Des vents de près de cent cinquante kilomètres à l'heure ont charrié la bicyclette sur une distance de plus de six kilomètres. » Le garçon mort (dont le corps n'a jamais été retrouvé) n'était pas nommé. Et on ne faisait pas allusion à sa pauvre mère endeuillée.

L'hôpital St. Jude's, lieu de notre naissance, n'était pas équipé pour faire face à pareille catastrophe naturelle ; après le passage de la tornade qui emporta le petit Larry Merkel, les membres du personnel se sentaient complètement dépassés par les événements. La plupart des blessés étaient des ouvriers agricoles originaires des Antilles. Lorsque le vent avait commencé à rugir, bon nombre d'entre eux, pris au piège, avaient eu la mauvaise idée de chercher refuge dans une grange en ruines. L'hôpital, brun et trapu, comptait dix-huit chambres ; à quatre heures trente de l'après-midi, soit une demi-heure après le passage de la tornade, elles étaient toutes occupées. Quelques dizaines d'hommes couverts de bleus et de sang s'entassaient dans la salle d'attente qui sentait le renfermé, et d'autres s'étaient installés dans le couloir aux carreaux glissants. Les moins touchés attendaient dehors en fumant et en plaisantant dans leur patois des îles, heureux d'avoir un prétexte pour s'absenter de la ferme. La mère du petit Larry disparu, Cathy Merkel, femme pâle aux cheveux blancs, déambulait au milieu des blessés, arpentait les couloirs à la recherche de son fils emporté, s'arrêtait de temps à autre, en état de choc, immobile, semblable aux branches de bouleau que la tornade avait disséminées aux quatre coins du canton.

Je dois m'arrêter ici pour préciser que les détails concernant la tornade et notre naissance me viennent de tante Lovey qui, pour ses collègues de l'hôpital St. Jude's, était « garde Darlen » et, pour Ruby et moi, notre unique soutien. Tante Lovey, à peine un peu ronde à l'époque, ses boucles toujours plus blondes que grises, son visage couvert de taches de son à peine ridé, était en service au moment de notre naissance. Vous lui auriez donné quarante ans. Elle en avait cinquante-deux.

Bien sûr, mes « souvenirs » de notre naissance diffèrent du récit de tante Lovey puisqu'ils ont été passés au peigne fin par ma mémoire et façonnés par mon imagination. De la même façon, les souvenirs qu'a gardés ma sœur du récit de tante Lovey, comme ses souvenirs propres des événements de notre vie, ne ressemblent pas du tout aux miens.

Mais revenons à notre histoire. Selon tante Lovey, le jour de la tornade, le Dr Richard Ruttle fils, en voyant son établissement envahi par des travailleurs migrants blessés, obligea l'auteur de ses jours, le Dr Richard Ruttle père, à sortir de sa retraite. Des infirmières de quelques localités voisines apparurent, armées de boîtes de fournitures, et quelques femmes de la Ligue des églises catholiques apportèrent de la nourriture : des nouilles mélangées à de la soupe aux champignons en boîte, des tranches de fromage Kraft sur du pain blanc, de la salade de poulet avec des morceaux de céleri, des carrés aux céréales réfrigérés.

On demanda tante Lovey à l'interphone. C'était oncle Stash, mais elle ne pouvait pas venir lui parler. À l'aide d'un stylo bleu qui fuyait, une employée surmenée griffonna le message au dos d'une serviette en papier portant le logo du Poulet Frit Kentucky. Il disait simplement : « Toi. » Oncle Stash, qui rendait visite à sa vieille mère dans l'Ohio, avait raté la tempête. En apprenant la nouvelle, il avait téléphoné à St. Jude's et appris, à son grand soulagement, que sa femme était saine et sauve. « Vous lui dire juste "TOI" », avait-il insisté avec son lourd accent slovaque. Puis, quand la femme avait dit ne pas comprendre, il avait épelé le mot, T-O-I. « Toi », mot d'une parfaite singularité que tante Lovey et oncle Stash avaient utilisé sous toutes ses formes tout au long de leur vie de couple. Il signifiait *Je t'aime* et quantité d'autres puissants clichés du même acabit. *Tu* es tout pour moi. Je me suis fait du souci pour *toi.* Si je *t'*ai fait du mal, je *te* prie de me pardonner. S'il *t'*arrivait quelque chose, j'en mourrais. *Tu* es toute ma vie. Oncle Stash appelait aussi tante Lovey « *moja milá* », « ma chérie » en slovaque. Tante Lovey éclatait de rire.

— Une Darlen[1] pure laine, disait-elle.

Avec des noms comme Lovonia Tremblay à la naissance et Lovey Darlen après le mariage, il faut avoir un sens de l'humour à toute épreuve, disait-elle. En tant que jumelle craniopage, je la comprenais parfaitement.

---

1. Jeu de mots sur « *darling* », qui veut dire « chérie ». (*N.d.t.*)

Après avoir glissé la serviette porteuse du précieux message bleu codé dans son soutien-gorge humide de sueur, tante Lovey observa pendant un moment le chaos qui l'entourait. Elle gratta sa tête blonde et, pour sa peine, se sentit ridicule. Leaford n'avait pas connu de tornade depuis plus de quarante ans et jamais une tempête d'une telle intensité. Lorsque avait retenti la sirène située derrière le château d'eau du parc bordant la rivière Thames, tante Lovey s'était simplement dit (même si elle savait que le pays n'était pas en guerre) qu'on bombardait Leaford. La nouvelle de la tornade l'avait secouée et, paradoxalement, elle avait été déçue de ne pas ressentir les effets de la tempête meurtrière de façon plus directe.

Tante Lovey sentit la serviette en papier bouger dans son soutien-gorge. Puis, une femme enceinte entra d'un pas chaloupé dans le service des urgences. Et l'électricité fut coupée.

Le soleil n'était pas encore couché. Dans la salle, la panique n'augmenta donc pas de façon sensible. Chacun se disait que le courant serait bientôt rétabli. Dans l'immédiat, on y voyait encore plutôt bien. Tante Lovey donna à l'une de ses collègues l'ordre d'apporter de l'eau à un vieillard ayant subi des blessures superficielles à la tête, puis se dirigea vers la femme enceinte, secouée par ses contractions, en plein couloir.

La femme, notre mère, avait dix-huit ans. Petite et jolie, elle avait de longs cheveux ondulés et une bouche large et charnue. Elle portait un caleçon pour homme, genre boxeur, accroché au bas de la montagne que faisait son ventre et une robe de grossesse rose à ruches, pas tout à fait assez longue, sans soutien-gorge. Un *popsicle* de couleur violette avait fondu sur le devant de sa robe rose, taché ses lèvres et sa langue. Le vent avait emmêlé ses cheveux. Ses yeux, barbouillés de mascara noir, étaient terrifiés. Elle était grosse, même pour une femme enceinte, l'une des plus grosses que tante Lovey ait jamais vue.

— Des jumeaux? risqua-t-elle en détectant une odeur de tabac dans l'haleine de la patiente.

La jeune femme remarqua alors les hommes noirs blessés qui débordaient de la salle d'attente. À l'autre bout du couloir, une femme aux cheveux blancs, au regard vide et tourmenté (Mme Merkel), l'observait. Notre mère se mordit la joue pour ne pas pleurer, mais elle avait peur et mal. Elle-même n'était encore qu'une enfant. Tante Lovey obligea la fille à sortir de la lueur crépusculaire du couloir et l'entraîna dans le grand placard qui lui servait de bureau. Après avoir cherché l'interrupteur à tâtons dans l'espoir d'un miracle, elle demanda :

— D'où tu viens, ma jolie?

Notre mère fut incapable de répondre. Lorsque la douleur parcourait son épine dorsale, elle avait du mal à reprendre son souffle.

Tante Lovey savait déjà que la fille n'était ni de Leaford ni des environs.

— Je dirais que tu viens de Windsor, dit-elle en la détaillant de la tête aux pieds.

Notre mère profita d'un moment de répit entre deux contractions pour déchirer la cellophane du paquet de cigarettes qu'elle avait déniché dans son sac en macramé sale.

— Une envie de nicotine, expliqua-t-elle avant de contempler le ciel qui s'assombrissait. Vous n'avez pas de génératrice ?

Tante Lovey montra un écriteau indiquant qu'il était défendu de fumer.

— Nous avons une génératrice, répondit-elle sur un ton irrité. Bien sûr que nous en avons une.

Notre mère sembla rassurée, mais frustrée à cause de l'interdiction de fumer. Elle mâcha une mèche de ses cheveux humides.

— Un docteur m'a dit au début que j'attendais des jumeaux, mais je ne l'ai pas vu depuis un moment et…

Elle se laissa tomber dans un fauteuil pivotant jaune.

— Je me suis garée à un endroit où c'est marqué « Réservé ». Est-ce qu'on va remorquer ma voiture ?

La fenêtre était grande ouverte et le vent soufflait encore violemment. Sur le tableau en liège de tante Lovey, les papiers se soulevaient, semblaient donner le rythme. Notre mère battait la mesure avec ses jambes, tandis que tante Lovey observait ses yeux en se disant qu'ils étaient trop grands, comme des bottes empruntées ou le pull d'une sœur aînée.

— Comment tu t'appelles? demanda tante Lovey en tenant le poignet de notre mère pour compter les battements de son cœur.

— Liiiizzzz, répondit celle-ci de façon si lente et si hésitante qu'elle mentait forcément.

— Bon, Liiiizzzz, dit tante Lovey en tendant la main vers son brassard de tensiomètre, je dirais sans savoir que c'est ton premier bébé. Ou plutôt tes premiers bébés. J'ai mis dans le mille?

Notre mère hocha la tête d'un air sombre.

Tante Lovey vérifia l'éclairage du couloir. Toujours rien. Elle interrogea le ciel du regard. Il restait au mieux une heure de clarté. Il y a sûrement un problème avec la génératrice, se dit-elle. Car nous en avons bel et bien une.

— Tu connais la date prévue de l'accouchement, ma jolie?

Notre mère haussa les épaules.

Tante Lovey donna à notre mère une écritoire à pince et un stylo en lui demandant de remplir le formulaire de l'hôpital, puis une infirmière poussa jusqu'au service du triage le lit d'un homme blessé à la jambe. La jeune fille put ainsi poursuivre son travail en toute intimité dans la salle nº 1. Lorsque tante Lovey récupéra l'écritoire à pince pour examiner les réponses à la lueur de la chandelle, elle constata que, sous la rubrique « Nom », la fille avait dit s'appeler Elizabeth Taylor. Et, sous « Adresse », elle avait écrit : Hollywood, Californie. Le reste du document était couvert de gribouillis en forme de spirales et de carrés.

Quand tante Lovey et le Dr Ruttle fils entrèrent dans la pièce, notre mère grillait une cigarette près de la fenêtre, à califourchon sur une chaise, et suait à grosses gouttes. Tante Lovey s'avança vers elle sur le carrelage en damier, lui prit la cigarette et la jeta par la fenêtre. (Comme la chambre était au rez-de-chaussée, le geste manqua quelque peu d'éclat.) Notre mère était incapable de protester ou encore elle se dit qu'il était préférable de se tenir coite. Elle laissa le Dr Ruttle fils et tante Lovey la soulever de la chaise et la poser sur le lit, où elle resta allongée, effrayée et en proie à une terrible envie de nicotine.

Tante Lovey ouvrit grand les rideaux. On y voyait à peine. Dans vingt minutes, il faudrait des chandelles et des lampes de poche.

— Je n'ai pas trouvé ton formulaire, dit tante Lovey en faisant claquer sa langue. Il faudra en remplir un autre.

Notre mère hocha la tête et observa les vagues que produisaient les bébés sous sa chemise d'hôpital bleue. Le Dr Ruttle fils se pencha pour la remonter, mais l'ourlet était coincé sous le postérieur moite de la jeune femme. Il fallut procéder à quelques manœuvres embarrassantes pour enfin mettre à nu la peau du ventre de Liz Taylor, tendue à se rompre.

— Comment vous appelez-vous ? demanda le Dr Ruttle fils. Où est son dossier ?

— Dans le couloir, répondit tante Lovey. Elle s'appelle…

Elle laissa à notre mère le temps de se présenter, mais cette dernière regardait ailleurs en flattant la *linea nigra* sur son ventre enflé.

— Elle s'appelle Elizabeth. Elizabeth Taylor, comme l'ancienne vedette de cinéma. C'est drôle, hein, docteur ?

— Très drôle, en effet, garde Darlen.

Puis, pour la toute première fois, le médecin regarda sa patiente dans les yeux. Il souriait gentiment.

— Qui vous a conduite ici, Mlle Taylor ?

Notre mère fondit en larmes.

— Le père a été retenu par la tempête, mentit tante Lovey.

— C'est bête de m'empêcher de fumer, sanglota notre mère.

Le Dr Ruttle fils posa ses petites mains sur l'énorme bosse et nous palpa sans ménagement.

— Des jumeaux. Engagés tous les deux.

— Engagés ? répéta notre mère en reniflant et en clignant des yeux.

— Les bébés ont la tête en bas, expliqua tante Lovey. C'est bien.

Le docteur enfila des gants en latex, écarta les genoux de notre mère, fit glisser sa main entre ses jambes couvertes de chair de poule. Peu après, il la retira et, laissant la fatigue envahir son visage, se pinça le nez avec ses doigts lubrifiés. Vite conscient de la bourde, il s'empara d'un mouchoir en papier.

— Quatre, dit-il.

— Quatre ?

Notre mère semblait horrifiée.

— Les jumeaux ne sont que deux.

— Centimètres, expliqua tante Lovey. Ton col est dilaté à quatre centimètres, ma jolie.

Tante Lovey lui tapota l'épaule.

— Premier accouchement. Des jumeaux. On en a pour un bon moment.

Je me plais à penser que notre mère savait ce que « dilaté » voulait dire. Je me plais à penser qu'elle n'a pas été terrorisée par l'intrusion des doigts du Dr Ruttle. Je me plais à penser que, avant de sortir de la chambre en coup de vent, il a pris le temps de la rassurer, de lui dire qu'il avait mis au monde des centaines de bébés et des dizaines de jumeaux, que tout irait bien. Le plus probable, c'est que notre mystérieuse mère a subi ses contractions dans le noir en mourant d'envie de fumer.

Le courant ne fut pas rétabli. La génératrice, s'il y en avait une, ne se mit pas en marche. Les lampadaires ne s'allumèrent pas, non plus que les lumières de Leaford. Notre mère, jeune, effrayée et suant sous sa chemise d'hôpital bleue, est restée seule pendant son travail. Elle avait demandé des magazines de cinéma, mais, avec seulement deux chandelles pour éclairer la chambre, elle n'arrivait pas à lire. Tous les quarts d'heure, tante Lovey ou une de ses collègues entrait lui faire boire un peu d'eau au goût marécageux, s'excusait de ne pas avoir de glaçons à lui faire sucer, lui donnait l'assurance quc, une fois venu le moment de pousser, on apporterait des lampes au kérosène.

Vers dix heures, la plupart des travailleurs migrants avaient été soignés et renvoyés à la ferme pour dormir dans leurs baraques de fortune. Quelques hommes avaient été conduits à Chatham en ambulance. Trois adolescents qui avaient failli se noyer — l'embarcation qu'ils avaient volée s'était renversée sur le lac démonté — avaient été cueillis par leurs pères respectifs, qui leur avaient promis une bonne raclée. Et l'hôpital (avant notre arrivée, s'entend) n'en avait que pour le Dr Ruttle père qui, dans un exploit que certains qualifiaient d'héroïque, avait réussi à extraire l'éclat de bois arraché à une clôture en lisse qui avait empalé un jeune travailleur de l'automobile, père de quatre enfants. Le Dr Ruttle fils, en aidant son père à retirer l'énorme éclisse de la poitrine du pauvre homme, s'était souvenu du jour où, à six ans, il avait dévalé Rondeau Road à vélo, assis derrière son père, et avait songé que l'homme était un géant.

Mme Merkel aux cheveux tout blancs restait assise seule sur une chaise en vinyle orange, d'où elle voyait la porte principale et celle du service des urgences. Serrant dans sa main une photo de Larry (cheveux blancs coupés ras, yeux gris plissés, sourcils froncés), elle rêvait de sa petite bicyclette bleue en train de tourbillonner dans le vortex de la tempête. Pas furtifs et murmures dans l'obscurité. Au bout du couloir, le halo dansant d'une lampe de poche.

À onze heures trente-trois, les Stone, une famille de mennonites du rang 11, entrèrent en titubant dans le sombre hôpital. Quinze d'entre eux, atteints de blessures bénignes ou graves, selon le cas, avaient mis des heures à s'extirper des débris de leur cave, qui s'était effondrée. Leurs chevaux avaient pris la fuite, et ils avaient fait à pied les huit kilomètres boueux qui séparaient leur ferme de l'hôpital. Deux hommes qui boitaient et saignaient abondamment en traînaient un troisième, qui semblait mort. Six jeunes enfants, des éclats de bois accrochés à leurs chauds bonnets de laine, flottaient derrière. Tante Lovey fut soulagée de constater que la plupart des enfants semblaient plus ou moins indemnes, jusqu'à ce que la petite fille qui se trouvait au centre s'écroule et cesse de respirer. Le Dr Ruttle père s'agenouilla et entreprit des manœuvres de réanimation.

La plupart des bénévoles étaient déjà rentrés à la maison, emportant avec eux les lanternes et les lampes de poche supplémentaires. Dans l'obscurité retentissaient des cris. On réclamait de la lumière, de l'eau, de la lumière, des pansements, de la lumière, de la solution saline, de la lumière, de la lumière, de la lumière. L'homme mort qu'on avait emmené, ressuscité par l'agitation, se mit à hurler en voyant sa fille effondrée. Au service des urgences, il y avait tant de bruit autour de la petite fille qu'on tentait de réanimer et des autres membres de la famille à qui on administrait des soins que personne n'entendit notre mère gémir ou peut-être rugir, pousser des cris animaux, rauques et bas. Personne, sauf Mme Merkel qui, malgré l'inquiétude qui la rongeait et le deuil auquel elle se préparait, suivit le flot des hurlements jusqu'à la chambre no 1, tâtonna dans les ténèbres et trouva notre mère à genoux, appuyée sur une chaise, le front posé sur le rebord de la fenêtre. (Tante Lovey est d'avis qu'elle voulait sortir par la fenêtre pour récupérer sa cigarette.) À l'extérieur, les chandelles qui avaient éclairé la pièce gisaient sur le sol, éteintes. (On peut penser que notre mère avait tenté d'éclairer l'herbe dans l'espoir de récupérer cette fameuse cigarette.) Quoi qu'il en soit, elle avait été terrassée par la contraction la plus longue et la plus douloureuse qu'elle avait connue jusque-là ; avant qu'elle n'ait eu le temps de se redresser et moins encore celui de regagner son lit, d'autres vagues de douleur avaient suivi, et d'autres encore.

Même dans l'obscurité absolue, Mme Merkel, qui, par accident, avait posé les mains sur le ventre palpitant de la femme, comprit que c'était celle qu'elle avait aperçue plus tôt.

— À l'aide, suppliait notre mère. Oh mon Dieu, aidez-moi !

Mme Merkel cria dans le couloir.

— Garde ? Docteur ? Il y a une femme qui accouche ! Le bébé arrive ! Il est là ! Au secours ! À l'aide !

Mais personne ne vint. Mme Merkel, qui avait eu un seul enfant, n'avait rien d'une sage-femme, mais elle eut la présence d'esprit d'offrir quelques mots de réconfort, de trouver le lavabo et de se laver les mains en vitesse. Notre mère produisit un son, un cri horrible, comme si on venait de lui amputer les bras par surprise. Elle hurla de nouveau. Cette fois, on lui avait arraché les jambes. Mme Merkel se dirigea vers la porte, mais fit aussitôt demi-tour.

Les manches retroussées jusqu'aux coudes, Mme Merkel glissa la main entre les cuisses de ma mère et toucha la lune aux cheveux poisseux qu'était ma (notre) tête.

— Mon Dieu, murmura-t-elle. Dieu du ciel.

Étant donné notre fusion, notre tête, évidemment, était presque deux fois plus grosse que celle d'un bébé normal. Notre mère grogna et poussa.

De l'anus. Au clitoris. Ses tissus se déchirèrent.

On pourrait croire que notre mère poussait des cris, mais ce ne fut pas le cas.

— Mon Dieu, murmura Mme Merkel. La tête est sortie.

Elle entendait le robinet du lavabo fuir dans son coin. La main sur nos têtes couvertes de sang, incapable de voir le bébé à deux visages que nous étions, Mme Merkel, transportée, prit une profonde inspiration.

Et soudain, tante Lovey apparut, armée d'une lampe à kérosène. La lueur vacillante éclaira la scène qui se jouait sous la fenêtre, juste assez pour permettre à l'infirmière d'apercevoir l'énorme tête qui était sortie des entrailles d'Elizabeth Taylor et de constater qu'elle avait deux visages distincts. Deux visages crispés pas tout à fait parallèles et qui se partageaient une épaisse tignasse de cheveux foncés. Tante Lovey, ni choquée ni dégoûtée, se rapprocha, la tête inclinée, en proie à une véritable fascination.

Cathy Merkel poussa un cri.

Quelques secondes plus tard, les Drs Ruttle fils et père arrivèrent à leur tour, suivis d'une ribambelle d'infirmières portant différentes formes d'éclairage d'appoint — une chandelle, une lampe à kérosène, une lampe de poche — qui toutes illuminaient le même objet : la chose qui était nous.

Il fallut une bonne minute avant que quelqu'un ne songe à faire sortir Mme Merkel, qui hurlait toujours.

Les Drs Ruttle fils et père s'entendirent rapidement pour ne pas tenter de bouger la patiente, toujours à quatre pattes, conscients qu'il s'agissait sans doute de la posture idéale pour laisser le passage aux premiers jumeaux conjoints de Leaford et peut-être même du pays. Le Dr Ruttle père se campa à gauche et le Dr Ruttle fils à droite : ensemble, à l'aide de forceps, ils nous tirèrent du sein de notre mère. Ainsi prit fin notre internement en elle et débuta notre internement en nous.

Notre venue au monde fut accueillie non pas par des hoquets de stupeur, mais bien par le recueillement tranquille de vrais professionnels. Sans se donner la peine de nous couvrir, quelqu'un nous emporta vers la table d'examen. Nous étions couvertes de *vernix caseosa* glissant, tachées, mauves, tremblantes. À l'unisson, les médecins et les infirmières s'approchèrent pour mieux nous voir gigoter sur le papier froissé. Pendant combien de temps nous regardèrent-ils avant que l'un d'eux ne brise le silence ?

À la naissance, notre poids combiné était de 4,7 kilos. Moi, qui étais la plus grande, j'avais des jambes parfaitement formées, un tronc plus court que la normale et, pour cette raison, des bras qui semblaient trop longs. Les jambes de ma sœur pendaient mollement à ses hanches, deux pieds bots fixés à ses fémurs abrégés. La partie supérieure du corps de Ruby était normale, quoique très petite. Voici la scène telle que je l'imagine : en baissant les yeux sur nous, les membres du personnel de l'hôpital St. Jude's, bouche bée, virent nos têtes soudées l'une à l'autre, mon visage difforme regardant d'un côté, le joli minois de Ruby regardant de l'autre.

À propos de la suite des événements, j'ai entendu de nombreuses versions, mais je m'en tiens à celle de tante Lovey. Il y eut une série d'exclamations étouffées : « Mon Dieu », « Doux Jésus », « J'aurai tout vu ». Tante Lovey murmura :

— On dirait que la petite est la poupée de l'autre.

Le Dr Ruttle fils, sans jamais nous quitter des yeux, réclama un appareil photo, puis il ordonna à tante Lovey de communiquer avec l'Hôpital pour enfants de Toronto. Avant que celle-ci n'ait eu le temps de s'exécuter, le chariot sur lequel s'entassaient les instruments se renversa près de la porte. Les personnes présentes ne se retournèrent pas immédiatement, comme elles l'auraient fait en d'autres circonstances. Quand elles pivotèrent enfin sur leurs talons, l'une après l'autre, armées de leur lampe, de leur chandelle ou de leur lampe de poche, elles ne furent guère étonnées (après ce dont elles avaient été témoins, plus rien ne les surprendrait jamais) de trouver le Dr Ruttle père affalé sur le linoléum, un scalpel en équilibre sur le front, de comique façon, terrassé par une crise cardiaque à l'âge de soixante-dix-huit ans.

Je cessai abruptement de pleurer et, suivant mon exemple, l'assistance observa un moment de silence. Les têtes tournaient et pivotaient, émerveillées par l'extraordinaire naissance, vaincues par la mort subite. Le Dr Ruttle fils se dirigea vers son père. Il ne tenta pas de le réanimer. C'était inutile. Après avoir remis un cheveu blanc rebelle à son auguste place sur le crâne du vieux médecin, le fils redressa le chariot. Tranquillement, calmement, il récupéra le sac de solution saline, les forceps, les clamps et les autres objets qui jonchaient le sol, replaça les scalpels et révisa leur position à deux reprises en se disant que son père bien-aimé était mort pendant ce qui avait sans doute été le plus beau jour de sa vie. Mes cris de nouveau-née reprirent de plus belle.

Enfin, le Dr Ruttle fils recommença à se concentrer sur les jumelles craniopages, tandis que tante Lovey et deux hommes qui s'étaient faufilés dans la pièce (le concierge et un mennonite intrigué par le tohu-bohu) hissèrent le corps du vieux médecin sur une civière et l'emportèrent.

Notre mère, épuisée par le travail et rassurée par le son de mes miaulements (Ruby restait muette), ne posa aucune question. Elle ne chercha pas de confirmation. « Des jumeaux ? » Elle ne manifesta aucune curiosité. « Filles ou garçons ? » Elle ne réclama même pas une cigarette. Elle laissa des infirmières la conduire jusqu'à son lit, où tante Lovey l'aida à expulser le placenta. Mais cette délivrance déclencha une hémorragie, et la pauvre jeune fille perdit assez de sang pour être complètement crevée, mais pas assez pour justifier une transfusion.

Moins de deux heures après notre arrivée, Ruby et moi étions en route vers l'Hôpital pour enfants de Toronto, dans une ambulance où prenait aussi place l'infirmière-chef Lovey Darlen. Notre mère, Elizabeth Taylor, laissée derrière, resta alitée en silence pendant une semaine, le regard perdu dans le vide. Elle refusait de divulguer son vrai nom (Mary-Ann Taylor) et de manger, mais elle parvint à mettre la main sur quelques cigarettes. En l'absence de tante Lovey, les autres membres du personnel, par sympathie pour la situation de la pauvre mère, n'avaient pas le cœur de faire observer le règlement qu'elle avait édicté avant de partir. Le matin du dixième jour, notre mère, par mégarde ou par exprès, mit le feu à la chambre n° 1. Avant que la fumée ne se dissipe, quelqu'un dit l'avoir vue se diriger en titubant vers la Mustang jaune et déglinguée garée dans la zone interdite. On ne la revit jamais.

Je suis d'avis que notre mère a perdu la raison en nous donnant naissance. Je pense que toute femme normalement constituée aurait pété les plombs en mettant au monde des sœurs conjointes comme nous. Et notre mère n'était encore qu'une jeune fille, célibataire de surcroît, dans le sud de l'Ontario, en 1974. Ruby pense que c'est le fait qu'on lui ait retiré ses bébés sans aucun égard qui a incité notre mère à s'enfuir, et non notre naissance. D'une certaine façon, Ruby déifie notre mère. Pour ma part, je ne me berce pas d'illusions.

NOTRE MÈRE LA NATURE

~

Larry Merkel fut la première victime de la tornade. Disparu, présumé mort. Leaford imputa également à la tempête la mort du Dr Ruttle père : le stress aurait provoqué un foudroyant infarctus. Un troisième décès, qui ne figure dans aucun compte rendu officiel, est peut-être aussi imputable à la tempête, du moins en partie. Si notre mère n'avait pas été coincée dans la tempête, si elle nous avait eues dans une autre ville, alors que son amant marié attendait anxieusement dans le couloir, les choses auraient peut-être tourné autrement. Elle nous aurait peut-être gardées. C'est du moins une possibilité.

Au contraire de ce que colportent certains sites Web, notre mère ne sauta pas par la fenêtre en constatant que Ruby et moi étions réunies par la tête. (Après tout, la chambre était au rez-de-chaussée.) Elle mourut seule à Toronto, emportée par une septicémie, dans son appartement poussiéreux, au troisième étage d'un immeuble sans ascenseur, huit semaines après l'accouchement. Selon tante Lovey, notre mère était sans doute atteinte d'une déficience mentale. Comment expliquer, sinon, qu'elle ait subi l'infection sans se faire soigner ? Oncle Stash soutenait pour sa part qu'il suffit parfois d'être jeune pour faire une bêtise. Pas besoin d'être fou.

Quand nous étions petites, nous parlions souvent de notre mère. En vieillissant, beaucoup moins. Tante Lovey tolérait le culte que nous vouions à la femme qui nous avait abandonnées, mais uniquement parce qu'elle était morte. Elle encourageait Ruby à dessiner notre mère (Ruby a beaucoup de talent) coiffée d'un diadème orné de diamants, pourvue d'ailes d'ange et vêtue d'une robe blanche, à cheval sur des nuages. Pour ma part, j'écrivais des poèmes et des nouvelles à son sujet, mais je gardais pour moi les portraits peu flatteurs. Quand nous en avions assez de dessiner et d'écrire, l'une de nous (en général Ruby) déclarait :

— Jouons !

L'autre comprenait sans peine qu'il s'agissait du jeu dans lequel nous appelions notre mère *Liz* et la confondions volontairement avec la vraie Elizabeth Taylor. Ruby faisait semblant que nous vivions à Hollywood, et les autres nous trouvaient plus intéressantes que bizarres.

Lorsque nous avions douze ans, tante Lovey était si accablée par nos questions sur notre mère biologique qu'oncle Stash eut l'idée de faire appel à un détective privé. Pour Ruby et moi, cette semaine-là fut particulièrement excitante : tous les jours, oncle Stash rapportait de nouvelles bribes d'information dans la maison de ferme en briques orange de la route rurale n° 1. Notre mère, je l'ai dit, s'appelait Mary-Ann, et non Elizabeth. Elle vivait à Toronto, mais elle avait des amies à Windsor. Elle avait travaillé à temps partiel dans une librairie d'occasion, où elle était appréciée de ses collègues. L'une d'entre elles révéla à l'enquêteur que notre mère était une lectrice vorace et qu'elle mettait de l'argent de côté pour aller à l'université (je fus enchantée de l'apprendre). Elle s'intéressait aux Autochtones (pour la plus grande joie de Ruby), et elle avait fait partie d'un groupe de jeunes chrétiens (ce que ni ma sœur ni moi ne réussîmes jamais à nous représenter).

Peu avant notre quatorzième anniversaire, oncle Stash prit une journée de congé (il travaillait comme boucher chez Vanderhagen's Meat, où ses collègues l'appelaient Stan). Tante Lovey et lui nous emmenèrent à Toronto, où nous devions voir le médecin pour les problèmes gastro-intestinaux de Ruby — nous en profiterions aussi pour en apprendre un peu sur notre mère biologique. À Toronto, nous garâmes la vieille Duster rouge dans Sherbourne Street, devant l'immeuble à logements où avait habité notre mère, en face d'un parc et non loin d'un hôpital. Nous restâmes immobiles devant la banale bâtisse en briques (oncle Stash s'était acheté un journal du samedi bien épais) pendant une bonne heure, jusqu'à ce que Ruby décrète que nous pouvions partir. Tandis que mon attention se portait malgré moi vers les jeunes magnifiques et dangereux qui traînaient dans le parc, ma sœur ne quitta pas des yeux l'immeuble en briques rouges, certaine que les inconnus qui allaient et venaient avaient tous été les loyaux confidents de notre mère et qu'ils avaient des détails essentiels à nous apprendre. Ruby se mit à bouder quand oncle Stash nous interdit de les aborder, puis elle refusa de manger le pique-nique que tante Lovey avait préparé le matin (des sandwichs au jambon glacé au miel et des carrés aux dattes).

— Pas d'histoires, Ruby. Tu manges, un point c'est tout, trancha tante Lovey.

Après le repas que nous prîmes dans la voiture étouffante (tante Lovey n'entendait pas offrir ses filles à la vue des jeunes magnifiques et dangereux qui traînaient dans le parc), nous nous dirigeâmes vers le cimetière Mount Pleasant pour déposer des œillets roses (les fleurs préférées de Ruby) sur la tombe de notre mère. La pierre tombale, que nous trouvâmes grâce au plan dessiné par le détective privé, était en granit rose, tachetée d'écarlate et d'ambre. On y avait gravé : « Mary-Ann Taylor. Fille bien-aimée. Née le 10 janvier 1956. Morte le 21 septembre 1974. » La vue de la tombe nous procura un certain réconfort, exactement comme l'avait prédit tante Lovey, un soir, à l'occasion d'une dispute que j'avais surprise entre elle et oncle Stash.

Devant la pierre tombale en granit rose, je sentis Ruby dire tout bas le nom de notre mère. *Mary-Ann, Mary-Ann, Mary-Ann.* J'avais de la peine pour ma sœur. En même temps, je me demandais pourquoi elle articulait en silence *Mary-Ann, Mary-Ann* et non *Maman, Maman.* Ruby me pressa de m'agenouiller. Ainsi, nous serions plus proches de la tombe. J'y consentis, même si je trouvai singulièrement inconfortable de m'accroupir dans l'herbe qui recouvrait la terre qui recouvrait le cercueil qui recouvrait la dépouille de Mary-Ann Taylor, et j'étais embarrassée. Il n'y avait que quelques personnes dans le cimetière (aucune d'entre elles n'était prostrée sur la tombe d'un être cher), et elles nous dévisageaient toutes. Évidemment, elles nous dévisageaient parce que nous étions des sœurs conjointes, mais aussi parce que nous nous donnions en spectacle.

Après avoir entendu Ruby marmonner *Mary-Ann, Mary-Ann* pendant cinq ou dix minutes, je commençai à être sérieusement irritée. Je n'avais pas comme elle la nostalgie de notre mère. À cause de mon absence de sentiment, je me sentais coupable et désorientée. Je demandais à Ruby si nous pouvions partir. Chaque fois, elle répondait : « Encore quelques minutes », et j'attendais patiemment. Bientôt, elle se mit à pleurer avec abandon. *Mary-Ann, Mary-Ann, oh Mary-Ann.* Les membres d'une famille qui se trouvaient quelques rangées plus loin s'approchèrent.

Je peux compter sur mes doigts les fois où j'ai physiquement dominé ma sœur — où je l'ai emportée contre son gré —, mais, à ce stade-là de notre visite au cimetière, tandis que la famille de curieux s'avançait vers nous et que ma sœur beuglait *Mary-Ann, Mary-Ann*, je ne voyais pas d'autre solution. Je me levai, serrai ma sœur dans mon bras droit et, malgré ses tremblements de stupeur et ses protestations, je l'emportai vers la voiture. Peu après, oncle Stash arriva avec les clés. Ses mains tremblotaient et il évitait mon regard. Quels qu'aient été les sentiments de notre oncle, tante Lovey les partageait à coup sûr, en trois fois plus fort.

En route vers le restaurant, personne ne dit rien, sauf Ruby, qui déclara qu'elle refuserait de manger. Malgré la menace de tante

Lovey, elle n'avait pas touché à son repas du midi, et elle aurait sûrement été malade si elle avait aussi sauté celui du soir. J'étais inquiète (quand Ruby est malade, je suis singulièrement limitée dans mes mouvements), et je voyais bien que tante Lovey l'était aussi. Elle coula un regard vers oncle Stash qui, tout de suite après, produisit les notes du détective et annonça que nous irions manger au Lindy's Steak House, dans Yonge Street, « où votre mère travaillait comme serveuse ! » Ruby battit des mains, comme une enfant de trois ans. Crédule. Vulnérable. À ce moment-là, j'éprouvai pour elle un amour démesuré, même si nous ne nous adressions toujours pas la parole.

Tante Lovey et oncle Stash s'offrirent une salade du chef et un bifteck d'aloyau. J'optai pour le hamburger de luxe et Ruby pour le poisson. (Elle avait le pressentiment que notre mère préférait le poisson. Soupir.) Évidemment, on nous observait. Partout où nous allions, nous étions objet de curiosité, y compris à Leaford, où nous avions grandi et fréquenté l'école, et où nous travaillions. Le journal local nous avait même (à notre grand dam) affublées du titre de « mascotte » de la ville. (Que l'on nous coiffe d'un tel titre était déjà humiliant, mais l'emploi du singulier dépassait franchement les bornes.) Dans notre vie, on nous avait si souvent fixées de la sorte que nous en étions presque venues à trouver cela normal. En fait, nous remarquions uniquement les gens qui ne nous regardaient pas. (Je me suis souvent demandé si les belles femmes éprouvent le regard des autres de la même manière que Ruby et moi.

Oui, ils me regardent. Ils me regardent, évidemment. Non, mais… pourquoi est-ce qu'ils ne me regardent pas?)

Ma sœur garde peu de souvenirs de notre pèlerinage sur la tombe de notre mère. Elle ne se rappelle ni le repas pris chez Lindy's, ni le cimetière, ni la nuit que nous avons passée dans la chambre exiguë d'un hôtel situé au bord du lac, où nous avons vu notre premier et dernier cafard.

Mais revenons-en au jour de notre naissance. Comme notre mère n'était pas en état de nous accompagner à l'hôpital de Toronto, tante Lovey se porta volontaire ou, plutôt, supplia qu'on la laisse venir. Le service des urgences débordait toujours de mennonites blessés et St. Jude's ne pouvait pas se priver de plus de deux des membres de son personnel, tante Lovey et le chauffeur. Lorsque l'ambulance s'engagea sur la bretelle de l'autoroute 401, ma sœur se mit à pleurer et je l'imitai. Tante Lovey nous extirpa de l'incubateur et, à force de balancements, finit par trouver une position confortable. Elle nous berça jusqu'à ce que nous cessions de pleurer et que nous nous endormions. Le poids de l'émerveillement, songea-t-elle, puis celui de l'inquiétude.

Seule avec ma sœur et moi à l'arrière de l'ambulance pendant le trajet de quatre heures, tante Lovey détermina que nous étions alertes, éveillées et, fait surprenant, plus différentes qu'identiques. («Dès votre naissance, vos comportements ont été dissemblables», avait-elle un jour déclaré, et je me demandai si elle avait rencontré le mot «dissemblable» dans un livre et que, ayant oublié qu'elle l'avait lu, elle se l'était approprié.)

C'est tout le temps qu'il fallut à tante Lovey — quatre heures — pour tomber amoureuse, comme on tombe amoureux des bébés, infiniment et sans effort. Elle nous fit boire du lait maternisé et chanta pour nous une chanson improvisée sur deux sœurs poules. (À seize ans, à l'aube d'une violente éruption d'acné, je brisai le cœur de tante Lovey en lui demandant de ne plus jamais chanter cette stupide chanson.) Ruby; qui se débrouille comme imitatrice, la chante avec des trémolos dans la voix, un peu comme le faisait tante Lovey. Dans ces cas-là, je suis triste, mais je ne lui ordonne jamais de se taire. (D'où vient le sentiment de plénitude dont s'accompagne parfois la tristesse ?) « Deux petits poussins font dodo au soleil. Le premier pépie et réveille son pareil. Qui es-tu ? demande-t-il, rieur. Moi ? Mais je suis ta sœur ! »

Tante Lovey nomma ma sœur « Ruby » parce qu'elle brillait comme une pierre précieuse. Et elle me nomma « Rose » pour poursuivre la tradition amorcée par sa mère excentrique, Verveine, et la sienne avant elle, qui donnaient à leurs filles des noms de lieux ou de plantes. Sous la pluie qui martelait le toit de l'ambulance, tante Lovey, à sa grande surprise, pensa à Verveine et à sa propre enfance dans la vieille ferme orange. Elle songea à Stash et à son éducation dans la lointaine Slovaquie (connue, avant la partition des Tchèques et des Slovaques en 1993, sous le nom de Tchécoslovaquie). Elle pensa aussi à des jumeaux conjoints de l'Asie du Sud dont elle avait lu l'histoire : on les avait élevés dans la cave d'un établissement destiné aux psychopathes criminels pour découvrir par la suite que leur QI faisait d'eux des génies. Que serait la vie pour Rose et Ruby si Elizabeth Taylor tenait à les élever ? Je crois cependant que tante Lovey savait, avant même la fuite de notre mère, qu'Elizabeth Taylor ne voudrait et ne pourrait jamais s'occuper de nous. (Je ne suis pas amère. Je ne lui en veux pas.) Tante Lovey était d'avis que c'était Dieu qui, en réponse à ses prières, nous avait envoyées à elle, ma sœur et moi.

Pendant la majeure partie du trajet sur l'autoroute plane et grise, le ciel de juillet laissa tomber une pluie purificatrice. Tante Lovey craignait que l'ambulance ne dérape sur la chaussée noire et glissante. Lorsque nous arrivâmes enfin en vue du parking du service des urgences, elle constata que des dizaines de médecins et d'infirmières s'entassaient sur le débarcadère. Elle s'imagina qu'un terrible accident s'était produit et qu'ils attendaient de nombreux blessés.

— Avance-toi ! cria-t-elle au chauffeur. Avance-toi, pour l'amour du ciel ! Ils attendent les victimes d'un accident.

L'homme obéit et la troupe de médecins et d'infirmières, dirigée par un petit Asiatique d'âge moyen, plutôt bel homme, fonça vers nous. Ils n'attendaient pas les victimes d'un accident. Ils nous attendaient, nous.

Tante Lovey n'était pas préparée à l'avidité avec laquelle le Dr Mau (l'éminent chirurgien craniofacial) et les autres s'étaient rués sur ses bébés ni à la façon dont ils nous avaient arrachées à elle, comme si elle n'existait pas et sans même sembler remarquer que nous nous étions mises à hurler. L'un d'eux nous désigna par le mot « ça ». Un autre poussa un cri de joie, comme s'il participait à un « satané tour de rodéo ». (L'expression est de tante Lovey, pas de moi.) Tante Lovey dit que le Dr Mau lui fit penser à une grosse araignée noire fondant sur deux infimes moucherons.

La presse fit son apparition : des reporters télé, des journalistes et, bien entendu, des pisseurs de copie sans scrupules au service des tabloïds. Tante Lovey, qui s'était donné pour mission de veiller sur nous, les repoussa. Le premier soir, elle avait été horrifiée de voir à la télé le polaroïd de Ruby et moi pris peu de temps après notre naissance, et elle en voulut à mort au Dr Ruttle fils d'avoir transmis la photo aux médias. (Tous les nouveau-nés ressemblent plus à des extraterrestres qu'à des humains. On imagine sans mal de quoi Ruby et moi avions l'air dans le terrible objectif de cet appareil. Notre Nonna utilise le mot *creatura* pour parler des bébés naissants.) Tante Lovey décida qu'aucune autre photo de nous ne serait publiée sans son autorisation.

Soucieuse de notre développement affectif, tante Lovey s'arrangea pour que ce soit elle, et non les autres infirmières, qui nous fasse boire, nous donne notre bain et, le soir, nous chante la chanson des sœurs poules en nous berçant pour nous endormir. Ruby préférait se serrer contre la poitrine de tante

Lovey, tandis que j'aimais être tenue un peu plus haut, sur l'épaule.

— Il faut apprendre à faire des compromis, disait-elle à Ruby. Et toi aussi, Rosie.

Des médecins des quatre coins du monde affluèrent à Toronto pour s'entretenir avec le Dr Mau et examiner les rares jumelles craniopages. Des journaux de toute la planète rendirent compte (le terrible polaroïd à l'appui) de notre naissance miraculeuse et de sa coïncidence avec la tornade monstre qui avait ravagé le comté de Baldoon. Pendant un certain temps, tout au moins, Leaford, grâce à nous, connut la notoriété. La Sept faisait le point aux bulletins d'information de six et de onze heures. Les téléspectateurs retenaient leur souffle, car, au début, on craignait que Ruby ne soit trop faible pour survivre. Dans une telle éventualité, une équipe de vingt chirurgiens était prête à aider le Dr Mau à nous détacher l'une de l'autre, dans l'espoir que je survivrais, moi. Convaincus que la solution serait préférable pour elle comme pour moi, certains priaient pour que Ruby meure.

Vêtue d'un uniforme blanc immaculé même si elle n'était pas officiellement en service, tante Lovey restait assise près de notre petit lit, lisait ou pelotonnait calmement la laine rose emmêlée dans le panier à côté d'elle. Porteurs de microbes et d'indifférence, des médecins allaient et venaient. Tante Lovey lisait, démêlait sa laine et priait pour qu'Elizabeth Taylor ne nous réclame pas. Les responsables des services d'aide à l'enfance la désignèrent comme tutrice provisoire, et tante Lovey leur en voulut de l'avoir remerciée de se charger d'« un cas si tragique ». Elle nous serra dans ses bras et nous promit la lune.

— Je suis votre tante Lovey, murmura-t-elle en se frottant le visage contre nos joues douces, et vous êtes ma famille.

Tante Lovey et oncle Stash n'avaient jamais passé plus que quelques jours l'un sans l'autre, et ces séparations, par exemple quand oncle Stash rendait visite à sa vieille mère en Ohio, étaient rares. En fait, elles se produisaient moins d'une fois par année (et seulement si maman Darlensky téléphonait pour dire qu'elle était à l'agonie — et ne mourait pas). Tante Lovey lui manquait, mais oncle Stash prenait plaisir à sa solitude. La Deux, en effet, présentait la Série mondiale de baseball. Ses bien-aimés Tigers (les habitants de Leaford étaient tous d'ardents partisans de l'équipe de Detroit) ne participaient pas aux éliminatoires, mais, ce soir-là, les Dodgers de Los Angeles affrontaient les A's d'Oakland (qui venaient tout de suite après les Tigers dans l'ordre de ses préférences) dans le cadre du cinquième match de la série, disputé à Oakland. (Dans les années 1970, les Athletics n'étaient pas une équipe comme les autres ; ils formaient une véritable dynastie et avaient remporté la Série mondiale trois fois d'affilée.) En plus de regarder les matchs en paix, oncle Stash pouvait tranquillement fumer sa pipe (interdite dans la maison en temps normal) et manger en sous-vêtements devant la télé.

(Petite digression. D'étrange façon, le baseball me permet d'apprécier l'improbabilité de notre existence, à Ruby et moi. D'où peut-être mon amour pour ce sport. La maîtrise du chaos. Les billions de possibilités. Et les millions d'improbabilités. Le coup de circuit. Le ballon. Le double jeu. Les résultats stupéfiants. Sans parler du frisson que procure le fait de voir un simple mortel propulser la petite balle blanche dans les gradins. Oncle Stash battait des mains et, avec son lourd accent slovaque, criait : « Toi frapper la balle, Kirk Gibson ! Toi frapper la balle, Gibby ! »)

(Autre digression. Ce n'est que pendant notre quatrième année à l'école que Ruby et moi avons compris qu'oncle Stash avait un lourd accent slovaque. Nous assistions à une rencontre parents-élèves convoquée en raison de la distraction chronique de Ruby. Mme Hern, que Ruby détestait et que j'adorais, ne comprenait rien de ce que disait oncle Stash. Selon tante Lovey, oncle Stash ne percevait pas son propre accent. À son travail, exception faite du vacarme des scies, le silence régnait. Les autres bouchers n'avaient pas grand-chose à raconter, ce qui, vu le caractère irascible de certains et les couteaux tranchants qu'ils manipulaient constamment, valait sans doute mieux. Nous vivions en rase campagne : les voisins les plus proches se trouvaient de l'autre côté d'un champ et d'un ruisseau. Auparavant, tante Lovey et oncle Stash habitaient une petite maison voisine de celle de Nonna, une vieille femme dont l'accent italien était aussi prononcé que l'accent slovaque d'oncle Stash. Oncle Stash, qui n'entendait pas son propre accent, se disait que ceux qui ne le comprenaient pas étaient bêtes ou cherchaient délibérément à l'énerver. « *Pičovina* », disait-il à voix basse — « foutaises » en slovaque.)

(Ruby haïssait — et hait toujours — le baseball. Ruby déteste tous les sports, auxquels elle préfère n'importe quelle série crétine des années 1960, par exemple *Ma sorcière bien-aimée* ou *Jinny de mes rêves*, ou encore les films qu'elle n'arrête pas d'enregistrer sur des cassettes qu'elle étiquette avec soin et empile dans une pièce, comme tante Lovey le faisait avec ses livres. Pendant les séries éliminatoires de hockey et de basket, les Jeux olympiques et en particulier la Série mondiale, nos goûts divergents en matière de divertissement sont donc source de conflits.)

Tout cela pour dire qu'oncle Stash se plaisait bien tout seul (occupé qu'il était à fumer sa pipe dans le salon et à regarder le cinquième match en sous-vêtements) et qu'il n'avait pas porté assez attention à la voix de tante Lovey au téléphone ni à son visage lorsque, les week-ends, il lui rendait visite à l'hôpital. Il ne se doutait pas que sa femme était tombée amoureuse des deux petites. Il fut donc totalement pris au dépourvu lorsqu'elle lui téléphona pour lui parler de la tutelle.

— Je devoir y penser, Lovey.

— Je ne comprends pas ce que tu veux dire, Stash.

— Lovey…

Le ton de Stash était une sorte d'avertissement. Elle se montrait déjà déraisonnable. Il regarda le tabac qui se consumait dans sa pipe.

— Tu regardes le baseball à la télé, Stash ?

— Je regarder le cinquième match.

— Baisse le volume, pour l'amour du ciel.

— Rollie Fingers être aux lancers.

— On dit : « est au monticule », « est le lanceur » ou « lance », tout simplement, Stash. Tu es parfaitement au courant.

Depuis bientôt près de trente ans, tante Lovey corrigeait l'anglais de son mari, mais il ne semblait jamais s'en formaliser.

— Baisse le volume, Stash. C'est important.

Oncle Stash posa le combiné et fit ce qu'elle lui demandait. Steve Garvey frappa un simple.

— Et si la mère n'être pas retrouvée ? demanda-t-il en reprenant le fil de la conversation.

Tante Lovey sentait (il faut dire qu'elle était portée sur les pressentiments) que notre mère ne réapparaîtrait pas, mais elle ne jugea pas opportun de s'en ouvrir à oncle Stash.

— Elle va refaire surface. Sinon, j'imagine que l'arrangement pourrait devenir permanent.

— Nous être vieux, Lovonia, dit oncle Stash d'une voix de vieil homme.

Il avait cinquante ans, deux de moins que tante Lovey.

— Parle pour toi.

— Des jumelles...

Il marqua une pause.

— ... conjointes.

Autre pause.

— Je ne pas savoir, marmonna-t-il.

Il mourait d'envie de fourrer sa pipe dans sa bouche, mais il craignait que sa femme ne reconnaisse le petit bruit que faisait le tuyau au contact de ses dents.

— Stash...

— D'abord, je la voir, O.K. ?

Chaque samedi, oncle Stash faisait le trajet jusqu'à Toronto pour passer quelques heures avec tante Lovey. Puis, il rentrait le soir même. (Pas question — tante Lovey et lui s'entendaient sur ce point — de flamber une petite fortune à l'hôtel.) Cependant, on ne l'autorisait pas à entrer dans notre chambre et il n'avait pas encore posé les yeux sur nous.

— Pas « la », Stash, « les ». Pourquoi ?

— C'est raison de vouloir la voir, Lovey.

— « Raisonnable ». Et c'est « les » qu'il faut dire, pas « la ».

Elle était épuisée.

— Ce sont des jumelles. Pas une seule fille avec deux têtes. Deux filles avec une tête chacune, qui se trouvent simplement à être soudées ensemble. Stash ?

— Lovey, poursuivit-il. Je ne pas savoir. Samedi, toi me la faire voir. Je devoir la voir. Alors je décider.

— Eh bien… c'est terrible. C'est horrible, je veux dire, et en même temps magnifique. Il faut un peu de temps pour s'y faire, lui dit tante Lovey.

Oncle Stash regarda le match de baseball en silence. Pendant un moment, il oublia qu'il était au téléphone.

— Stash ?

— Je regarder.

— Non, écouter, Stash. Pas regarder. C'est horrible. En même temps, elles sont magnifiques. Il n'y a personne d'autre, Stash.

— Le docteur dire vous pouvoir sortir ? Avant, toi dire que la plus petite être pas bonne.

— Pas la « plus petite », Stash. « Ruby ». Et je n'ai jamais dit qu'elle n'était « pas bonne ». Jamais de la vie. J'ai dit qu'elle avait « quelques problèmes ». Rien d'insurmontable, à mon avis. Aurais-tu oublié que je suis infirmière, par hasard ? Stash ?

Il était de nouveau silencieux, les yeux rivés sur le match muet.

— Elles ont besoin de quelqu'un.

— Mais Lovey, elle être attachée…

Tante Lovey arrivait à peine à parler.

— Elles sont attachées à moi, oui.

Stash soupira et, distraitement, posa la pipe sur sa lèvre inférieure.

— Tu devrais faire nettoyer les parquets, Stash, au cas où les responsables de l'aide à l'enfance viendraient te rendre une visite surprise. Arrange-toi pour qu'il n'y ait pas une montagne de vaisselle dans l'évier. Et, pour l'amour du ciel, ne fume pas la pipe dans la maison !

Elle avait la certitude que son mari fumait son tabac Amphora Red dans le salon — et sans doute aussi dans la salle de bains.

— Stash ?

Tante Lovey marqua une pause pour être sûre qu'il l'entendrait bien.

— Toi.

Oncle Stash marqua une pause, lui aussi, mais c'était parce qu'il se sentait impuissant et qu'il venait tout juste de rater le coup de circuit de Joe Rudi. Il raccrocha, remonta le volume et sortit l'aspirateur du placard.

— *Hovno,* jura-t-il en slovaque. *Merde.*

LES RATS DES CHAMPS

~

Comme tout un chacun, tante Lovey savait qu'il valait mieux élever les enfants à la campagne qu'à la ville, même si la ville en question n'était que Leaford avec ses 3 502 habitants. La ville, aussi petite soit-elle, est corrompue et impénitente, tandis que le soleil brille sur la campagne et en rend les habitants plus sains. Lorsque Ruby et moi n'avions que cinq mois, tante Lovey et oncle Stash firent donc des adieux éplorés à leur voisine, une veuve italienne, Mme Todino (Nonna), et à la proprette maison de plain-pied qu'ils avaient occupée dans Chippewa Drive, puis ils emménagèrent dans la vieille maison de ferme orange dont tante Lovey avait hérité (elle était l'aînée de la famille et la seule de cinq sœurs à vivre encore à Leaford) dix ans plus tôt.

La solide habitation à étage avait été construite en 1807 par l'arrière-arrière-arrière-arrière-grand-père de tante Lovey, Rosaire, menuisier de son état. Il n'avait pas eu le temps de se préoccuper des moulures et des corniches, des rainures et des languettes, même si, en raison de sa formation, il était sensible à de tels détails. Pour pouvoir faire des semis au printemps, Rosaire dut tirer ses terres des griffes de la rivière vorace. Pour passer l'hiver, Rosaire dut se trouver une femme.

Il en trouva une et lui fit huit enfants vivants en autant d'années. L'hiver de la naissance du neuvième, une terrible tempête déracina l'un des pins géants qui ombrageaient les fenêtres du côté ouest et le souleva comme un cheveu rebelle. Rosaire décida de s'en servir pour fabriquer une énorme table, où tous les membres de sa famille bien-aimée pourraient prendre place en même temps. Aidé de ses fils aînés, il tailla une table de près de trois mètres, aux pieds tournés et aux bords festonnés. Elle était si grande qu'elle entrait à peine dans la cuisine d'origine.

Rosaire mourut de la consomption (autrefois, c'est ainsi qu'on appelait la tuberculose, maladie qui vous consumait littéralement) avant d'avoir terminé la table. Cette année-là, sa femme et trois de ses enfants moururent de la même maladie. Ils reposent sous la terre d'un terrain plat à l'est de notre champ de maïs, de biais par rapport au musée de Leaford, sous une rangée de pierres tombales blanches disposées en ordre de grandeur. Autrefois, elles me faisaient penser aux poupées gigognes que nous avons rapportées de Slovaquie. Ou aux marches du paradis.

Tante Lovey et oncle Stash n'avaient jamais songé à vivre à la campagne. (Depuis près de dix ans, ils louaient la maison de ferme et les terres environnantes à Sherman et Cathy Merkel.) Malgré le soleil et les bienfaits attendus, l'infirmière et le boucher n'avaient guère envie de devenir agriculteurs et de faire face aux désastres qui s'abattraient sur eux au moment où ils s'y attendraient le moins : épidémie de sauterelles qui rongent les feuilles, pénurie d'abeilles pollinisatrices, mouches à pommes de terre, vers légionnaires, rouille du blé, trop de pluie, pas assez de pluie, gels précoces, neiges tardives, sécheresses qui ratatinent les cultures et assèchent les puits. La seule chose sur laquelle ils auraient pu compter, c'était une inondation au printemps. Ils optèrent donc pour le compromis suivant : occuper la maison de ferme, vacante depuis que Sherman et Cathy, après la disparition de Larry, s'étaient installés dans ce que nous appelions « la maisonnette », de l'autre côté du ruisseau, et laisser les Merkel continuer de cultiver la terre. Tante Lovey fit abstraction du fait que le petit Merkel, âgé de quatre ans, avait été emporté par la tornade meurtrière dans l'allée où oncle Stash garerait la voiture. Elle décida que la ferme familiale des Tremblay était le seul endroit où nous, les filles Darlen, serions en sécurité.

Ma dernière visite remonte à plusieurs années. À cette occasion, j'ai remarqué que la vieille maison avait bougé et s'inclinait vers la gauche. Huit pins dominaient toujours la vaste cour. Le pommier qui se dresse près de l'allée avait cessé de fleurir, mais les saules pleuraient comme avant. Les érables qui avaient projeté des ombres mouchetées sur notre petite piscine oblitéraient le soleil. La longue table en pin se trouvait encore dans la cuisine, le bois tendre couvert de taches et de brûlures, sans oublier l'empreinte de lettres et de chiffres laissée par un millier de pages de devoirs et une rangée de quatre trous minuscules, près d'un des bords festonnés, là où j'ai un jour planté ma fourchette.

Lorsque notre petite famille s'y établit, la vieille maison de ferme était déjà passablement délabrée. Des insectes et des rongeurs de toutes espèces s'y étaient installés à demeure. La plomberie était capricieuse, et l'allée avait besoin d'une nouvelle couche de gravier. (Outre le corps de Larry Merkel et l'âme de sa mère, la tornade avait emporté tous les pavés.) Tante Lovey désinfecta les murs et les planchers, puis elle commanda l'épaisse moquette orange brûlé du séjour. La première semaine, oncle Stash captura vingt-huit souris. (Il se fit photographier par tante Lovey en train de brandir un piège dans lequel deux souris étaient coincées, tel le pêcheur exhibant fièrement une « grosse prise ».)

Par souci d'économie, on barricada deux des trois chambres carrées de l'étage : ainsi, il n'était pas nécessaire de les chauffer en hiver. Tante Lovey et oncle Stash dormaient dans la troisième, la plus petite, dont l'unique fenêtre avait été fermée par des briques à cause des terribles courants d'air hivernaux ; c'était la seule d'où ils pouvaient nous entendre, Ruby et moi. Tante Lovey tenta d'égayer la pièce lugubre au moyen de papier peint à motifs de marguerites et de deux draps jaunes assortis tendus sur la fenêtre aveugle. Oncle Stash se renseigna sur le coût de l'installation d'un puits de lumière, mais le budget familial serré ne lui permit jamais de donner suite. Il suffisait de s'appuyer sur les murs ou de les regarder de trop près pour qu'ils s'émiettent. Derrière, des morceaux de plâtre et de la poussière tombaient, se mêlaient aux crottes de souris et aux vieux fils électriques noirs. La nuit, on entendait presque les solives peiner sous l'effort, se soulever selon un rythme régulier et cadencé, comme un souffle. Dans toutes les pièces, il y avait sur le sol des lattes de bois détachées et de minuscules clous aux bords irréguliers sur lesquels nous nous déchirâmes tous (sauf Ruby) la plante des pieds, jusqu'au jour où tante Lovey décida de recouvrir la moindre surface (y compris dans la salle de bains) de retailles de moquette dépareillées. Dans la salle de bains, un carreau brisé laissait entrer les mouches, malgré la taie d'oreiller roulée en boule qui bouchait le trou. Pourtant, personne n'évoquait la possibilité d'effectuer des travaux. Tante Lovey ne faisait pas d'histoires (ce qui est étonnant, vu qu'elle était infirmière, mais elle était tout sauf monolithique), et oncle Stash non plus. Même chose pour Ruby. Et pour moi. Sans doute sentions-nous confusément que la survie de la structure dépendait de l'équilibre délicat qu'elle avait trouvé dans son délabrement.

Derrière la maison en briques orange se dressait une grosse grange rouge abritant quelques dizaines de poules, des tracteurs et d'antiques outils qui, aujourd'hui, valent probablement leur pesant d'or. Sur les planches de la grange était peint, en grosses lettres blanches qui faisaient bouillir oncle Stash chaque fois que ses yeux tombaient sur elles, le nom de famille des Tremblay. Le mot, me raconta-t-il un jour, lui faisait l'effet d'un cri. «Jamais une saleté de Polaque ne va épouser une Tremblay!» Le nom sur la grange était une autre imperfection que nous n'osions pas corriger.

Les Merkel cultivaient du maïs de semence, du soja et, quand nous étions petites, du blé d'automne. Après avoir raconté à tante Lovey que nous allions cueillir des lis dans le fossé, Ruby et moi, armées du manche du balai d'écurie, foncions vers le champ de blé. Là, nous aplatissions les tiges, puis nous nous assoyions dans le cercle ainsi formé et attendions l'arrivée des extraterrestres. Un jour, Cathy Merkel passa tout près de nous en compagnie de son gros chien noir, un bouvier qu'elle appelait Cyrus. Le chien s'était mis à japper comme un fou. Nous savions qu'elle savait, mais elle ne dit jamais rien.

Le père, le grand-père et l'arrière-grand-père de tante Lovey avaient cultivé un peu de tout, des arachides à la menthe en passant par la betterave à sucre et le tabac. Des plantes que cultivait Sherman Merkel, c'est le maïs que je préférais. Il faisait pousser du maïs sucré dans un champ de petite taille derrière la grange, juste assez pour nos deux familles. Au cours des premières semaines d'août, parfois un peu plus tôt, parfois un peu plus tard (l'agriculture n'est pas une science exacte), nous cueillions les gros épis, puis nous les faisions bouillir pendant treize minutes et nous les enduisions de beurre, jamais de margarine. Tante Lovey détachait les grains pour Ruby. À ce jour, elle refuse toujours de manger son maïs autrement.

La plupart de nos champs étaient plantés de maïs de semence. J'adorais observer la croissance des plants : le 4 juillet (parfois un peu plus tôt, parfois un peu plus tard), ils m'arrivaient aux genoux ; deux semaines plus tard, ils me dépassaient. Ensuite, c'était au tour de M. Merkel, pourtant très grand, de disparaître parmi eux. Tante Lovey avait coutume de dire que le maïs avait l'air « endimanché » avec ses panicules dorées et son plumage vert. Avec le maïs, on peut faire du sirop, de l'huile et de la farine, évidemment, mais aussi des cosmétiques, des explosifs, des détersifs et de la *pivo* (« bière » en slovaque). J'aimais sentir le parfum du maïs qui montait à mes narines après une bonne pluie, j'aimais le toucher de la barbe avant qu'elle ne sèche et ne brunisse. Nous arrachions des feuilles et nous en faisions de petits tapis tissés pour nos poupées.

À la mi-juillet, les écimeuses de maïs, des jeunes filles en bustier qu'on transportait en autobus, envahissaient les champs de M. Merkel. Dans le comté de Baldoon, tous les adolescents travaillaient comme écimeurs, ces journaliers qui, sous un soleil de plomb, parcouraient les rangs qui s'étiraient sur des kilomètres et arrachaient les panicules des épis femelles afin que ces derniers puissent être fertilisés par les plants mâles des rangs voisins. Sherman Merkel n'employait que des filles, moins susceptibles de rappeler Larry à sa femme. Peut-être aussi les bustiers y étaient-ils pour quelque chose.

Pendant trois semaines, chaque été, les écimeuses, avec leurs visages rougis, leurs jambes blanches égratignées, leurs shorts courts et leurs bouches venimeuses, nous fascinaient et nous terrifiaient, Ruby et moi.

(Digression. Petites, ma sœur et moi n'avions pas beaucoup d'amis. À l'école et dans l'autobus, les autres enfants nous parlaient, mais personne ne venait à la maison, même si tante Lovey, quand nous avions le dos tourné, multipliait les invitations chuchotées. Je considère comme des amis Roz et Rupert ainsi que Whiffer et Lutie, tous de la bibliothèque, bien que nous nous voyions rarement en dehors du travail. Rupert se détache difficilement de sa routine. Après deux ou trois repas désastreux avec Roz et lui, Ruby et moi avons renoncé. Whiffer répète qu'il m'invitera à un match des Red Wings de Detroit, mais je n'y compte pas. Être aussi différentes que nous le sommes a quelque chose d'aliénant, bien sûr, mais c'est aussi fascinant. Il s'agit pour nous, je crois, d'une occasion unique d'*observer* notre génération sans y *participer* à part entière.)

Les meilleurs moments, c'était quand les écimeuses s'arrêtaient pour manger à midi, au bout le plus proche d'un rang d'un kilomètre et demi. Depuis la fenêtre, nous voyions les filles étendre leurs couvertures dans l'herbe. Les adolescentes se montraient aussi cruelles entre elles qu'envers Ruby et moi, ce que je jugeais encourageant. Au profit de Ruby, je me moquais d'elles et je les tournais en dérision, et il est vrai que je les trouvais franchement méchantes, mais j'aurais donné n'importe quoi pour me retrouver parmi elles, ne serait-ce qu'une fois.

(Ruby et moi n'étions pas autorisées à nous approcher des écimeuses. Un jour, après le départ de l'autocar, tante Lovey avait trouvé un préservatif et un joint de mari. En fait, on ne nous permettait pas de nous approcher du maïs passé la mi-juillet, car, à partir de ce moment, les plants étaient si hauts qu'un enfant risquait de s'y perdre pendant des jours et de mourir d'hypothermie ou de déshydratation. Maïs fatal, en somme.)

On nous encourageait en revanche à cueillir les bleuets qui poussaient au bord du ruisseau de même que les pommes et les pêches des branches basses, à condition d'être prudentes. Un hectare de terre était réservé à nos besoins (c'était ce que nous appelions le « champ familial »), et nous y semions aussi des pois mange-tout, des concombres miniatures, des tomates et des panais. Ce que nous ne mangions pas en saison était mis en conserve. Bref, nous faisions des réserves, comme dans : « Aujourd'hui, tante Lovey a mis en réserve trente pots de betteraves. » Tante Lovey et Cathy Merkel ne préparaient jamais les mêmes choses. Si tante Lovey faisait du chutney, Cathy Merkel s'occupait des cornichons. Elles s'échangeaient les bocaux, jusqu'à ce que leurs garde-manger respectifs soient bien remplis et égaux, se complimentaient l'une l'autre avec circonspection lorsque tel ou tel lot était particulièrement réussi, commentaient l'assaisonnement que l'autre avait utilisé. Pourtant, elles n'étaient pas amies.

Les Merkel n'ont jamais passé une soirée avec nous à la maison, et nous n'avons jamais été invités chez eux. M. Merkel ressemblait à oncle Stash — quand sa journée de travail était terminée, il aimait allumer la télé et regarder les émissions sportives. Et Mme Merkel passait tous ses moments libres à battre la campagne en compagnie de ses chiens.

(Depuis que nous la connaissons, Mme Merkel a eu trois chiens. Drôle d'idée que d'utiliser des animaux domestiques qui ne vous appartiennent même pas pour mesurer le temps qui passe. Lorsque nous étions à l'école élémentaire, elle avait un shih tzu qu'elle appelait Zouzou et parfois Zou tout court. Aux prises avec des démangeaisons causées par un problème de glande anale, Zou avait l'habitude de traîner son derrière sur le sol de la cuisine de Mme Merkel. Son deuxième chien s'appelait Cyrus. Et son dernier — Mme Merkel vit sans chien depuis un certain temps —, c'était ce sale jappeur de Miteux.)

Un soir, tante Lovey poussa un soupir après avoir vu Mme Merkel arpenter les sombres routes de campagne en compagnie de Cyrus le bouvier.

— Il faudra qu'elle enterre un jour le petit. Il faudra que cette pauvre femme se décide un jour à enterrer le pauvre petit.

À la ferme, dans notre chambre du rez-de-chaussée avec son grand lit double, sa courtepointe aux cœurs entrelacés, les tablettes réservées aux animaux en peluche de Ruby et celles où je rangeais mes cartes de baseball et les livres de la bibliothèque, ma sœur et moi baignions dans la normalité. Invisibles sans être cachées. La maison de ferme orange était notre château, les champs environnants notre royaume et le ruisseau aux eaux peu profondes qui coupait notre propriété en deux l'océan que nous traversions en quête d'aventure.

À propos de la campagne, tante Lovey avait vu juste. Ruby et moi avons vu naître des chatons sous la véranda et avons observé des pluies de météorites dans le ciel plus noir que noir. Le printemps venu, nous arpentions les sillons durs comme de la pierre à la recherche de pointes de flèches déterrées par le tracteur de Sherman Merkel. Nous avons appris à reconnaître les arbres et les plantes. (Ruby pourrait vous citer le nom de dizaines de plantes comestibles qui poussent près de notre ruisseau, là où les Indiens neutres fourrageaient autrefois. Tante Lovey nous montra où cueillir le cresson amer, le sceau-de-Salomon et l'oseille, dont nous mangions les feuilles crues, et d'autres plantes plus sauvages dont nous tirions des thés et des tisanes.) Nous mangions des pommes chauffées par le soleil et des pêches véreuses, et nous fabriquions des colliers à l'aide de grains de maïs.

Le jour de notre anniversaire, Ruby et moi nous remémorions Larry Merkel. Sous le pommier de l'allée, l'endroit d'où il avait disparu, nous disions une prière (comme nous n'avions pas été baptisées, notre statut auprès de Dieu restait flou) pour le salut de son âme perdue. On nous avait dit que Larry Merkel était mort, mais, dans notre imagination, il était on ne peut plus vivant. Quand nous étions petites, Ruby et moi, il était notre ami secret, un garçon sauvage qui ne se lavait pas et ne pouvait pas parler. Il vivait dans les broussailles, en bordure de notre terrain. Invisible sans être caché, comme Ruby et moi.

À la saison froide, nous construisions, pour notre ami sauvage, un abri sommaire composé de branches recouvertes de dépouilles de maïs, sous lequel nous glissions des couvertures de chevaux toutes râpeuses trouvées dans la grange. Nous apportions des verres de lait et des biscuits aux raisins secs qu'il devait manger la nuit parce que, le matin venu, ils avaient disparu ; le lait avait été renversé sur le sol et léché jusqu'à la dernière goutte. Sous un vieil oreiller humide, nous laissions aussi des livres ornés d'illustrations intéressantes et des poèmes accompagnés de petits dessins. J'espérais secrètement qu'il me préférait à Ruby.

Quelques années plus tard, ma sœur et moi, bien qu'attachées par la tête, avons accédé à la puberté, comme des filles normales, et Larry est devenu notre petit ami. Tantôt le mien, tantôt celui de Ruby. De temps en temps, nous n'arrivions pas à nous entendre. Alors, nous faisions de lui notre frère aîné, notre protecteur.

Une fois par semaine, lorsque le temps le permettait, ma sœur et moi franchissions le ruisseau et allions chez les Merkel livrer des œufs (nourrir les poules et ramasser les œufs était la seule concession de tante Lovey et d'oncle Stash à la vie agricole). Même si Mme Merkel n'était ni très aimable ni très accueillante, nous l'aimions parce qu'elle aimait Larry. L'expédition n'avait rien d'un exploit (nous étions visibles des deux maisons pendant tout le trajet), mais il était malgré tout excitant de franchir le pont branlant et de trouver Sherman Merkel en train de mettre des corneilles en joue. Une fois, nous sommes restées assises pendant une bonne heure à observer un gros ver du tabac bien vert, échoué sur le dos. Ruby voulait le redresser. Moi, je faisais confiance à la nature. Ou encore j'étais cruelle. Un été, nous transformâmes en course la livraison des œufs, faisant comme si Cathy Merkel risquait de mourir si nous arrivions en retard.

Mme Merkel ne nous offrait jamais de biscuits ni de tartines de confiture. L'été, si nous lui donnions l'impression de mourir de soif, elle nous tendait un peu d'eau trouble du robinet. Avec ses pattes crottées et ses mâchoires aux joues flasques, son gros Cyrus tout noir nous dévisageait depuis son poste d'observation à côté d'elle. Tante Lovey le surnommait le « corniaud de l'enfer ». Pour ma part, j'aimais bien Cyrus. (En revanche, je n'ai jamais apprécié Zouzou qui, avec sa manie de se traîner le derrière, me dégoûtait.) Et j'étais certaine que Mme Merkel nous aimerait si le chien nous aimait, lui. J'avais l'habitude de le fixer pour le convaincre de ma sincérité.

Le samedi, oncle Stash nous accompagnait chez les Merkel, le lourd appareil photo ballant à son cou, au risque de nous assommer si nous nous approchions trop de lui. Il aimait prendre des photos du paysage, des gens, des détails, de nous et même de Mme Merkel, même si, après, elle le regardait d'un œil mauvais et l'appelait par son vrai prénom, Stanislaus, ce que tante Lovey ne faisait jamais.

Les photos d'oncle Stash étaient de véritables œuvres d'art. Une année, pour notre anniversaire, tante Lovey avait réuni certaines de ses plus belles dans un album. Elle les avait classées par thèmes, selon les saisons. Il y avait de magnifiques représentations de la ferme ainsi que des photos de Ruby et de moi, croquées sur le vif, qui faisaient une sorte de résumé de notre vie jusque-là. Tante Lovey s'était sans doute rendu compte qu'il n'y avait pas une seule photo d'oncle Stash — comme c'était lui qui les prenait, il n'y figurait jamais. À la dernière page de l'album, on voyait donc tante Lovey et oncle Stash, en noir et blanc. Leur photo de noces. L'idée qu'elle soit la dernière me déplaisait : c'était comme s'ils nous disaient adieu.

Mardi dernier, alors qu'il pleuvait, Ruby et moi avons regardé l'album ensemble pour la première fois. (En général, je fais seule ce que je peux faire seule, comme ma sœur, du reste, et l'album de photos n'avait pas fait exception à la règle.) J'ai bien aimé ce petit voyage effectué en compagnie de Ruby, et nous avons toutes deux regardé avec une admiration renouvelée la façon dont oncle Stash avait immortalisé notre ferme : verdoyante en été avec la riche terre noire et le maïs d'une hauteur vertigineuse derrière la maison, des casquettes de baseball portant le logo de King Grain effleurant les panicules dorées et poussiéreuses, des ouvriers musclés oblitérant les betteraves à sucre, des chapeaux de paille, des bras noirs, les yeux d'un vieil homme, si lointains qu'ils semblent morts. Ruby et moi, vers trois ans, en train de nous baigner dans notre petite piscine posée à l'ombre, vêtues de maillots identiques, ruchés à la hauteur des fesses. (Les jambes de

Ruby n'ont pas l'air vrai. Je suis déjà forte.) Les photos d'automne : un mur de feuilles pointillées d'écarlate, striées de safran ; Ruby et moi, le soir, en train de manger des graines de citrouille rôties à la table de pique-nique, près du ruisseau, la maisonnette des Merkel en arrière-plan, une lampe allumée dans le coin de couture de Mme Merkel. Autre plan rapproché de tante Lovey, la joue posée sur nos têtes ; il fait si froid qu'on voit notre souffle. Puis, les photos d'hiver : l'une d'elles est si blanche qu'on ne distingue pas le ciel de la terre. Que l'éclat de la neige et, dans un coin, l'embrasement du soleil. Sur une autre photo, on voit, au loin, le drapeau en lambeaux qui flotte au sommet d'un piquet de clôture et un arbre effeuillé si chargé de corneilles qu'il a l'air vivant — et sinistre.

Nous nous sommes souvent dit, Ruby et moi : « Imagine si nous avions grandi ailleurs qu'à Leaford. » Ou : « Imagine si nous avions grandi avec quelqu'un d'autre. » Ou : « Imagine si nous avions vécu à une autre époque, à une époque où les gens comme nous étaient exposés ou tués. » Quel isolement ! Quelle étrangeté ! Ce qui ne veut pas dire que nos vies réelles nous ont épargné l'isolement et l'étrangeté.

Chaque fois que nous nous plaignions de l'injustice du monde, tante Lovey nous réprimandait :

— Vous avez de la chance d'être qui vous êtes, disait-elle en nous regardant tour à tour. Vous êtes remarquables, les filles. La plupart des gens ne peuvent pas en dire autant.

DE L'ÉCRITURE ET DES ÉCHÉANCES

~

Mon ordinateur portatif repose sur un oreiller, à ma gauche. Je tape rapidement, de ma mauvaise main. Intuitivement, je sens que je suis droitière, mais mon bras droit appartient pratiquement (même si ce n'est guère pratique) à Ruby. Je suis donc gauchère malgré moi. Ma maladresse irrite Ruby, à la fois coupable et sans reproche.

Il y a peu de temps que j'ai commencé à écrire ce livre, mais déjà mon poignet me supplie de lui accorder un peu de répit. Tant pis, je ne peux pas me reposer, car, si je cesse d'écrire, Leaford risque de s'évanouir en emportant tous mes souvenirs. Je croyais que mon récit suivrait un fil droit, parfaitement simple. Après tout, il s'agit de l'histoire de ma vie jusqu'à aujourd'hui, et je la connais dans ses moindres détails. Mais mon histoire ne suit pas un fil droit et elle n'est pas simple. Et je me rends compte, au moment où j'entreprends un nouveau chapitre, qu'il arrive même à la vérité de déraper follement. Mon histoire. Celle de Ruby. L'histoire de tante Lovey et d'oncle Stash. Mon histoire, la nôtre et la leur. Les histoires d'alors et celles d'aujourd'hui. Comment mon histoire peut-elle exister sans toutes les autres ?

Ruby se sent exclue et aliénée ; déjà, elle hait mon récit, dont elle n'a pas encore lu une seule ligne. Ma sœur ne sait pas se servir d'un ordinateur (elle se méfie tellement de la technologie qu'elle refuse de me laisser mettre notre magnétoscope au rancart et de le remplacer par un lecteur de DVD) : je ne crains donc pas qu'elle complote une invasion sournoise de mon travail. Mais de ne pas savoir ce que j'écris la tourmente à mort. Le soir, elle fait semblant de dormir et, du coin de l'œil gauche, tente d'apercevoir mon écran, la respiration volontairement décidée et rythmée, tout à fait différente de celle — sifflement, pause, soupir et reprise — au son de laquelle je m'assoupis tous les soirs depuis vingt-neuf ans.

Nous nous sommes juré de ne pas lire ce que l'autre écrirait.

Si ma sœur écrit quelque chose (je le croirai quand je le verrai), nous nous arrangerons pour que Whiffer (notre ami de la bibliothèque de Leaford) ou quelqu'un d'autre transcrive ses pages manuscrites. (Ruby dit que je suis entichée de Whiffer, mais Ruby a tort.) Si jamais Ruby se décide à écrire ses fameux chapitres, nous confierons à une tierce partie le mandat de choisir où les insérer. Le Dr Ruttle nous donnera peut-être un coup de main. J'ai encouragé Ruby à se mettre au travail. Je lui ai donné des blocs-notes de papier jaune. Mais Ruby est un peu paresseuse et elle aime mieux critiquer que s'amender.

J'écris le soir. Lorsque Ruby dort et que la nuit nous enveloppe — les étoiles dans le ciel, le vent porteur de la caresse légère des feux de feuilles mortes, l'air frais qui entre par la fenêtre ouverte —, c'est l'heure des évocations. En commençant, je fais preuve d'une belle assurance, mais, à la fin d'une séance d'écriture, je me demande si les autres écrivains éprouvent la même sensation que moi : chaque lettre, chaque mot, chaque locution, chaque phrase et chaque paragraphe est une prise creusée dans une paroi, un rocher auquel je me cramponne, telle une folle à flanc de montagne, seule et mal équipée, plus susceptible de tomber dans le vide que d'accomplir une glorieuse ascension. Pourquoi ai-je commencé à grimper ? Où en suis-je ? Et est-ce qu'il y a quelqu'un qui ne se fout pas complètement de savoir si j'atteindrai le sommet ?

Je me suis fixé une échéance. J'ai beau savoir qu'il est inhabituel d'écrire un livre, n'importe lequel, rapidement, j'ai calculé que, au rythme actuel, c'est-à-dire quatre pages par jour, je terminerai un livre que j'évalue à quatre cents pages en plus ou moins cent treize jours ouvrables. Si je m'octroie un peu de temps pour la révision et quelques jours de repos, en cas d'épuisement ou de maladie ou si je suis bloquée (mais peut-on souffrir de blocage quand on écrit son autobiographie ?), je pense que je pourrai mener à bien le récit de ma vie d'ici Noël, soit dans environ sept mois. Cette idée me réconforte et m'inspire.

Ruby se secoue. Je sais qu'elle a froid. À l'aide de mon pied, je remonte la couverture sur ses petites jambes impuissantes. Ruby a toujours froid. Lorsque nous étions petites, déjà, le couvre-lit était un sujet de dispute entre nous. En vieillissant, je me suis rendu compte que je renonçais à mon confort avec si peu de peine qu'il serait exagéré de parler de sacrifice. Élimée par les lavages, la vieille courtepointe aux cœurs à motif cachemire rouge et bleu entrelacés sur fond crème qui, jusqu'à il y a quelques années, recouvrait notre lit, forme désormais un carré aux bords déchiquetés coincé dans la penderie. Sachant les efforts qu'elle a coûtés à tante Lovey (qui n'avait pas hérité des doigts de fée de sa mère), je ne me résigne pas à m'en départir. Tante Lovey avait fabriqué la courtepointe pour son lit conjugal, les cœurs représentant oncle Stash et elle, mais, le soir de ses noces, maman Darlensky lui avait offert un couvre-lit blanc à l'ancienne, orné de dentelle, que sa mère, en Slovaquie, avait confectionné et lui avait donné pour sa nuit de noces, et tante Lovey s'était sentie obligée de l'utiliser à la place de l'autre. Le lendemain de l'installation de tante Lovey et oncle Stash dans la petite maison de Chippewa Drive, les beaux-parents slovaques (qui étaient arrière-cousins et n'auraient jamais dû se marier, nous avait un jour raconté tante Lovey sous le sceau de la confidence) étaient venus inspecter les lieux. En voyant le dessus-de-lit de dentelle blanche, maman Darlensky avait piqué une crise et crié à son fils que sa bru savait pourtant que l'objet était beaucoup trop précieux pour être utilisé ! Par rancune contre cette misérable mégère, tante Lovey a fait son lit avec cet affreux dessus-de-lit pendant sept années bien sonnées. À la mort du père d'oncle Stash, maman Darlensky est partie vivre dans l'Ohio avec sa sœur, veuve également, et tante Lovey s'est rendue au K-Mart pour acheter un couvre-lit et des rideaux assortis qu'elle aurait pu confectionner pour deux fois moins cher.

Lorsque Ruby et moi avions quatre ans et étions capables d'assumer notre « situation », tante Lovey nous installa dans un « lit de grandes filles ». Elle s'était souvenue de la courtepointe aux cœurs entrelacés et l'avait sortie de son coffre de cèdre, soudain consciente qu'elle l'avait confectionnée non pas pour oncle Stash et elle, mais bien pour Ruby et moi. Si seulement elle l'avait su quelques années plus tôt, dit-elle, elle se serait épargné la vive douleur qu'elle ressentait chaque fois à l'idée de ne pas être mère. Après mille lavages, le tissu de cette vieille courtepointe sent encore le cèdre. Je vous jure que c'est vrai.

Il n'a jamais été question que je puisse être séparée de Ruby. Sachant que c'était impossible, nous avons déclaré que, même dans le cas contraire, nous n'en ferions rien. Pourtant, je nourris une riche vie fantasmatique dans laquelle je me conjugue au singulier. Mon bras droit m'appartient. Ma jambe droite est exactement de la même longueur que ma jambe gauche. Sur ma hanche, je ne trimballe rien d'autre qu'un sac en cuir à la mode. La chirurgie esthétique a corrigé mes traits, et j'ai le joli minois de ma sœur. Je suis mystérieuse. J'habite seule dans un appartement petit mais chic de Toronto, au dernier étage, avec vue sur le lac. Je prends de longs bains de mousse, entourée d'au moins une douzaine de chandelles. Je suis un écrivain bien connu et j'ai un amant poète (en fait, j'en ai plusieurs — pas tous poètes) pour qui je m'habille de façon provocante. (Ah oui, j'oubliais : dans ce rêve éveillé, j'ai aussi de gros seins bien galbés.)

Je le sais bien : même à supposer qu'une séparation chirurgicale soit envisageable, ma vie de femme unique serait moins éblouissante que celle que je fantasme. Je m'établirais à Toronto, je suppose, mais je n'aurais sans doute pas les moyens de vivre au bord du lac. J'essaierais de devenir écrivain ou, à défaut, rédactrice, même rédactrice publicitaire. Je ferais retoucher mon visage. Je pourrais en théorie mener une vie normale. Pour éviter tout malentendu, je précise que mes fantasmes sont moins l'expression d'un désir ardent qu'une façon de me changer les idées.

J'ai songé à Ruby et à moi, endormies, enfants, sous la courtepointe aux cœurs entrelacés, dans la vieille maison de ferme orange de la route rurale n° 1. J'ai songé au lit douillet sous la fenêtre ouverte. Aux beuglements du bétail. À l'air d'une suave puanteur. Aux souris sous notre chaise, dans le coin. Aux corneilles dans les champs. Aux chatons nouveau-nés tout poisseux. Et au monde qui s'étendait au-delà des champs de maïs murmurants.

Dans notre sommeil, ma sœur et moi trouvions un souffle commun. Dans nos rêves, nous connaissions la lune.

J'ai décidé de raconter l'histoire de ma vie selon un ordre plus ou moins chronologique. (C'est une décision plus difficile et une tâche plus compliquée que vous pourriez l'imaginer.)

LES ESPRITS SAINTS

~

Œuvre de colons français, l'église de la Sainte-Croix, au coin de Chippewa Drive et de Tecumseh Road, a été la première église catholique de Leaford. De la porte à l'autel, la nef mesure un peu moins de trente mètres. Le parquet de chêne couleur miel et les bancs en chêne plus foncé furent taillés à même les arbres coupés pour laisser place au petit cimetière du côté ouest, le plus ensoleillé. Il y a six flèches, deux coupoles, des cadres dorés et tellement d'icônes précieuses qu'il faut verrouiller les portes lorsqu'il n'y a pas de messe. Il y a cent cinquante ans, les ancêtres de tante Lovey, arrivés à bord d'un chariot tiré par un cheval, assistaient chaque semaine à la célébration. Dans leurs prières, les hommes demandaient la force de ne pas céder à la tentation. Les femmes demandaient de meilleurs hommes.

Tante Lovey et oncle Stash avaient tous deux été élevés dans la foi catholique ; tous les dimanches, ils faisaient avec piété et empressement le pèlerinage jusqu'à l'église pour entendre le père Pardo invoquer l'Esprit saint de sa voix pâteuse de vieillard. Il était de notoriété publique que Pardo prenait du vin de messe au petit déjeuner et, les soirs d'insomnie, s'en octroyait quelques gorgées de plus, mais, dans l'ensemble, il était d'un commerce plutôt agréable et rarement fin soûl. Quand le père Pardo fut muté (ou *banni*) à Leaford, tante Lovey et oncle Stash étaient, depuis des années, des piliers de l'église de la Sainte-Croix. Tante Lovey, présidente de la Ligue des femmes, organisait des visites dans les maisons de retraite et les foires d'artisanat. Oncle Stash, qui faisait la quête, avait l'art de s'attarder sans avoir l'air de supplier. Lorsque le père Pardo trébuchait en gravissant les escaliers, hennissait ou ricanait aux moments les plus inopportuns, ils échangeaient un regard, mais jamais ils n'auraient délaissé leur église.

Un jour, après la messe, peu avant notre premier anniversaire, tante Lovey coinça le père Pardo près de la porte rouillée du jardin, sous le lilas, et lui demanda, comme elle l'avait déjà fait à maintes reprises, de fixer la date de notre baptême. C'était une formalité que tante Lovey avait omise pendant les intenses premiers mois de son apprentissage de la maternité. Mais depuis que Ruby avait mystérieusement cessé de respirer, une nuit, et que mes hurlements effrayés les avaient tirés du sommeil, elle et oncle Stash, elle en faisait une véritable obsession.

(Certains sont d'avis que notre vie de jumelles conjointes est une malédiction. Pour ma part, j'estime que nous avons de la chance de vivre une symbiose si parfaite que nous pouvons, comme nous l'avons prouvé cette fois-là, crier : « Au secours ! À l'aide ! » Imaginez un instant qu'un mari soit en mesure de reconnaître au premier signe que sa femme a cessé de l'aimer et qu'il puisse rallumer la flamme avant qu'il ne soit trop tard. Ou qu'une mère se rende immédiatement compte que son enfant s'engage sur le mauvais chemin alors que ce dernier est encore assez proche pour l'entendre crier : « Pas par là ! Tu fais fausse route ! » Si nous tenons le coup, Ruby et moi, c'est justement grâce à notre connexion. C'est peut-être notre lot à tous. Comment y voir une malédiction ?)

Le vieux prêtre hésita, mécontent d'avoir à souligner ce qui sautait pourtant aux yeux.

— Il ne m'appartient pas de juger. Mais certains paroissiens plus âgés… Quelques paroissiens plus âgés sont d'avis qu'elle…

Il nous jeta un coup d'œil, à Ruby et à moi, en train de gigoter dans le landau surdimensionné.

— … est…

Il entraîna tante Lovey plus loin de la foule et de nous, jusque dans le paisible jardin cloîtré de l'église.

— Il vaudrait mieux attendre l'intervention chirurgicale, dit-il en tapotant le bras de tante Lovey. Je suis sûr que tout ira bien.

Tante Lovey informa le père Pardo qu'il n'y aurait pas d'intervention, qu'il n'y avait pas d'intervention possible, sans égard à son opinion à lui ou aux rumeurs qu'il avait entendues. Elle était fière d'avoir gardé son calme.

— Nous en reparlerons quand vous aurez dessoûlé, mon père. Je suis convaincue que vous verrez que mes filles sont parfaites. Après tout, c'est Dieu qui les a faites.

Sous l'influence de quelques verres de vin plus généreux que d'habitude, le père Pardo, hélas, répondit en ces termes :

— Les défécations sont aussi l'œuvre de Dieu, mais il ne me viendrait pas à l'idée d'en baptiser une.

Pendant un moment, tante Lovey et oncle Stash songèrent à envoyer des lettres enflammées au cardinal et au pape, mais leur foi en l'Église était complètement anéantie. Leur foi en Dieu resta toutefois intacte. Ruby et moi avons grandi dans la connaissance de Dieu, conformément aux préceptes fondamentaux du christianisme — « Aimez-vous les uns les autres », « Tu aimeras ton prochain comme toi-même », « Ne convoite pas la femme de ton voisin » —, même si nous n'avons plus jamais remis les pieds dans une église. Lors de nos leçons de foi chrétienne, oncle Stash ajoutait toujours qu'il faut contester l'autorité et suivre son instinct. De toute façon, soutenait-il, la Bible est, pour l'essentiel, une œuvre de fiction. Tante Lovey agitait son index : « N'allez surtout pas croire que Dieu est un vieux monsieur avec une grosse barbe. Il pourrait tout aussi bien être une femme. Ou un Chinois. »

J'avais de la difficulté à m'y retrouver. De ce point de vue, rien n'a changé.

Ruby et moi nous perchions au bord de notre lit, où notre courtepointe aux cœurs entrelacés avait été soigneusement repliée, pour réciter nos prières du soir. (C'est tante Lovey qui se chargeait de nous mettre au lit. Oncle Stash était un homme de la vieille école. Ruby et moi embrassions son menton poilu sans qu'il descende de son fauteuil à bascule, puis, après nous être brossé les dents, nous retrouvions tante Lovey dans notre chambre.) J'ignore combien de nos prières Dieu a entendues, mais, jusqu'au jour de sa mort, tante Lovey n'en a raté qu'une seule. Et pendant tout ce temps, malgré les milliers de prières dont elle a été témoin, elle n'a jamais formulé de modification ni de correction, sauf peut-être : « Un peu moins de requêtes. Un peu plus de reconnaissance. »

(Digression. Si tante Lovey haïssait l'apitoiement sur soi-même, elle détestait encore plus l'ingratitude. Un été, alors que nous étions encore petites, Ruby se plaignit : « Je m'ennuie. C'est tellement monotone, ici. Il n'y a rien à faire. » Tante Lovey lui rappela tous ses avantages, mais ma sœur n'en démordait pas : « C'est monotone, tellement monotone sur la ferme. » Tante Lovey ne répondit pas directement. Elle descendit plutôt l'escalier parsemé de toiles d'araignée et remonta de la cave avec la glacière de camping. Après l'avoir remplie de glaces à l'eau et de biscuits Oreo, elle nous ordonna de monter dans la voiture. Ruby était sûre que nous irions pique-niquer au lac et ravie à l'idée que le repas se composerait des deux choses qu'elle aimait le plus au monde. Nous partîmes dans une autre direction sans que ma sœur perde espoir. Elle se disait que tante Lovey nous emmenait au parc plutôt qu'au lac. Mais nous passâmes devant l'entrée du parc et poursuivîmes notre route. Nous nous arrêtâmes enfin au bord d'un fossé puant, devant un champ de maïs bien mûr. Tante Lovey sortit de la voiture et alla chercher la glacière dans le coffre. Puis, elle passa devant notre portière sans s'arrêter pour nous laisser sortir. Ruby et moi la vîmes parcourir le champ des yeux. Elle porta la main à sa bouche et, avec deux doigts, poussa un sifflement strident. Personne ne savait siffler comme tante Lovey ! Ruby voulait sortir de la voiture. « Ouvre la portière, tante Lovey ! Ouvre ! » Mais tante Lovey secoua la tête. Ma sœur et moi vîmes alors un, deux, quatre, dix enfants mennonites — et bientôt plus que je n'en pouvais compter — sortir des rangées de maïs ombragées, le visage brûlé par le soleil et les yeux brillants, sourire timidement à tante Lovey, s'approcher de la glacière, non pas comme des animaux (ainsi que l'auraient fait les enfants de l'école devant une glacière remplie de gâteries), mais lentement, et prendre une glace et un biscuit avant de disparaître de nouveau au milieu des épis de maïs. Lorsque les enfants furent partis, tante Lovey n'avait plus qu'un *popsicle,* qu'elle brisa en deux. Il était à la banane, ce qui n'était pas le parfum préféré de Ruby, mais elle n'osa pas se plaindre.)

Un soir sur deux, c'est moi qui priais en premier : « Mon Dieu, bénissez Ruby. Et tante Lovey et oncle Stash. Et Nonna. Et M. Merkel et Mme Merkel. Et Larry. Et notre mère biologique. Mon Dieu, faites que Ruby n'ait pas besoin d'une poche pour colostomie. Jamais. S'il Vous plaît, rétablissez la paix dans le monde. Et s'il Vous plaît, aidez-moi à retrouver mon livre d'orthographe vert et jaune. » (Nous devions nous limiter à trois post-scriptum par soir après que Ruby eut demandé à Dieu plus de soleil pour les coquelicots de la cour et un mûrissement plus rapide des fraises, avant de se lancer dans une litanie de requêtes concernant le bien-être des autres membres de la ferme familiale, la récolte de maïs et la température. Elle avait conclu en disant espérer que quelqu'un se déciderait à épousseter les vitrines du musée de Leaford.) Après la mort de tante Lovey, Ruby et moi avons cessé de prier à haute voix et, chemin faisant, j'ai pour ma part cessé de prier tout court. Je me demande si c'est à ce moment que j'ai arrêté de croire en Dieu. Si seulement j'étais rattachée à Lui comme je le suis à ma sœur, peut-être m'aurait-Il prévenue que je m'éloignais trop.

Il l'a peut-être fait. Peut-être que je viens de L'entendre.

Je songeais à nos prières d'enfants, aux douces joues de tante Lovey, à la vitesse avec laquelle Ruby sombrait dans le sommeil. Pendant ces moments de calme et d'obscurité, moi seule veillais, tandis que les grillons se faisaient la cour dans les mauvaises herbes sous notre fenêtre : l'odeur de poisson qui montait de la rivière était glorieuse et non affreuse comme elle l'est parfois. La tête pleine de mes prières intimes et vraies, je remarquais plein de choses : Ruby avait une odeur différente à cause des nouveaux médicaments qu'elle prenait, ses cheveux étaient doux lorsqu'ils s'insinuaient entre nous, le poids de sa main sur ma clavicule était d'une exquise douceur. Je prenais conscience de l'intensité de l'amour que j'avais pour elle et de celui qu'elle avait pour moi. Je pense que je retrouvais là un peu de la présence de Dieu. Et aussi dans la façon dont tante Lovey m'embrassait. Et dans la voix d'oncle Stash quand il disait : « Mes filles. »

Et puis, il y avait l'école du dimanche avec Nonna.

Le dimanche matin, tandis que tante Lovey et oncle Stash s'occupaient de la maison en ville, qu'ils avaient louée à des gens, notre Nonna (Mme Todino) nous faisait manger des gâteaux en forme de demi-lune et nous parlait de Dieu. Le Dieu de Nonna n'était ni une femme ni un Chinois. Il exerçait un pouvoir absolu. Il était vieux et barbu et vengeur, distribuait les châtiments comme le juge de *People's Court* à la télé, condamnait les masturbateurs à l'arthrite et avait puni, en soumettant sa véranda au fléau des termites, l'homme qui avait vendu à Nonna un aspirateur dont elle n'avait ni besoin ni envie. (Nonna refusait d'avouer qu'elle s'était laissé entuber — sans jeu de mots — par le baratin d'un vendeur.)

— Dites-nous encore pourquoi Jésus est descendu sur la terre ? demandais-je.

Nonna s'impatientait.

— Pour souffrir.

— Je sais, mais pourquoi déjà ?

— Pour nous donner une leçon, Rose. Il est venu pour nous sauver.

— En souffrant ? Où est la leçon là-dedans ?

— La leçon, c'est qu'il faut être chrétien, Rose. Il faut vivre comme Jésus. Être chrétien, c'est aimer tout le monde.

Sauf le vendeur d'aspirateurs, apparemment.

— Être chrétien, c'est aller à l'église. Prendre le corps et le sang du Christ. Pour l'avoir en soi. Dans son cœur.

Ruby s'alarmait des écarts entre les enseignements d'oncle Stash et de tante Lovey et ceux que dispensait Nonna dans sa maison de Chippewa Drive. En fin de compte, elle avait résolu le problème en se disant que Nonna était italienne et que, le pape vivant à Rome, c'était elle la véritable spécialiste de Dieu.

— Mais Dieu peut être dans notre cœur même si nous n'allons pas à l'église, non ? demanda un jour Ruby sur un ton pleurnicheur. Dieu peut être avec nous même si le prêtre ne nous fait pas le baptême ?

(Ruby avait posé la question comme l'aurait fait Nonna.)

Celle-ci secoua la tête d'un air triste. Nous avions eu de nombreuses discussions au sujet du baptême, que Nonna expliquait en ces termes :

— Le prêtre met l'eau sur ta tête. Après, elle luit comme le Saint-Esprit jusqu'à la fin de tes jours, même quand t'es mort. Sans baptême, pas de lueur et le bon Dieu te verra pas au paradis.

Certains dimanches, nous étions arrêtés par la circulation de Tecumseh Road et, par la porte vitrée à deux vantaux, nous apercevions le père Pardo vêtu de ses robes de satin violettes, les yeux plissés à cause de l'éclat de l'autel de marbre, son nez bulbeux avalant les autres traits de son visage.

Lorsque le feu passait au vert, tante Lovey se raclait la gorge.

— Vas-y, Stash. C'est vert, Stash. Vas-y, mon chou.

Je perdis ma première dent quelques jours avant mon huitième anniversaire. (Pour Ruby et moi, de nombreuses choses sont arrivées plus tard que la normale.) J'avais poussé avec ma langue et fini par arracher le bord irrégulier qui s'accrochait encore à ma gencive (ça brûlait), puis je l'avais crachée par terre. Je l'avais mise sous mon oreiller, ravie, le lendemain matin, de trouver à sa place quatre pièces de vingt-cinq cents. J'étais fière de ma diction un peu chuintante et pressée de faire voir le trou et les quatre pièces à Nonna lorsque, le samedi suivant, elle viendrait pour notre anniversaire. Ruby n'avait pas encore perdu une seule dent branlante et je la sentais consumée d'envie.

Pour la fête, j'avais choisi un chemisier mauve et un jean, tandis que ma sœur portait un chemisier blanc et une jupe bleu azuré sur des collants noirs modifiés — une sorte d'uniforme, qu'elle porte encore aujourd'hui, même en été, pour cacher ses jambes difformes et ses pieds bots. À l'aide d'épingles à linge, nous avons fixé une nappe en plastique à la table de pique-nique, et nous y avons déposé un pichet de limonade et des bols en plastique remplis de chips barbecue (et d'autres au maïs nature pour Ruby). Oncle Stash était parti chercher Nonna. Il n'y eut donc pas de sonnerie pour claironner son arrivée, pas d'avertissement pour signaler qu'elle était tout près et certainement pas de signes avant-coureurs annonçant qu'elle était accompagnée.

Ma sœur le vit en premier. Au moment où la propension à la fuite de Ruby prenait le dessus, l'adrénaline envahit mon corps. Ma sœur se tourna rapidement de façon que je puisse le voir, moi aussi, seul et petit au bout du couloir, resplendissant dans la lumière ambrée que laissait filtrer la fenêtre teintée du garde-manger. Il avait quelque chose de bizarre, mais pas au sens où nous étions une bizarrerie de la nature, Ruby et moi — quelque chose dans ses petits yeux plissés qui laissait croire qu'il était au-dessus de tout, qu'il flottait dans son propre univers. Au début, je crus que c'était un fantôme, même si je n'en avais encore jamais vu et que, en réalité, je ne crois même pas à leur existence. Puis, Nonna apparut derrière lui, lui tendit deux paquets emballés dans du papier vivement coloré et, en lui décochant une gentille taloche sur le côté de la tête, lui dit :

— Va souhaiter un bon anniversaire aux filles !

Le garçon, fils unique du fils unique de Mme Todino, avait été prévenu. Pourtant, il semblait mal préparé à un tel face-à-face-à-face. Il ne nous souhaita pas un joyeux anniversaire. Il ne dit rien, en fait, et resta planté là, bouche bée. Plus il s'approchait de nous, sous les poussées de Nonna, plus il paraissait petit. Tante Lovey avait l'air aussi surprise que nous de la présence du garçon. Elle glissa un regard vers oncle Stash.

Ryan Todino était petit pour ses neuf ans. Ses cheveux blonds et ras étaient parsemés de plaques chauves, et ses yeux ressemblaient à de simples fentes dont la couleur changeait de curieuse façon. Il portait une culotte courte trop grande pour lui, faite dans un jean coupé, et un t-shirt sur lequel on voyait les marques du fer à repasser. Il avait les lèvres craquelées, la peau rose.

— Je vous présente mon petit-fils, fit Nonna, tout sourire, en tapotant la tête du garçon. Le fils de mon garçon, Nick.

Le fils en question, si près à présent que nous sentions l'odeur du sirop d'érable qu'il avait mangé chez sa grand-mère, nous dévisageait, immobile, étrange et silencieux.

Oncle Stash et tante Lovey semblaient désorientés, car ils savaient que le fils de Mme Todino, Nick, habitait à Windsor et qu'il ne vivait plus avec sa femme (qui s'était établie à Ipperwash). Ils savaient aussi que Nonna n'avait pas vu son petit-fils et était restée sans nouvelles de lui depuis ses deux ans. De plus, le garçon ne ressemblait en rien à l'angelot aux cheveux bouclés des photos posées sur le téléviseur de Mme Todino.

— C'est Ryan, répéta Mme Todino. Il vient d'Ipperwash. C'est le fils de Nick !

(Oncle Stash et tante Lovey, au cours des années qu'ils avaient passées dans Chippewa Drive et de toutes celles où ils avaient habité ailleurs, n'avaient jamais posé les yeux sur Nick Todino. Quelques fois par année, oncle Stash conduisait Mme Todino à la gare, où elle montait à bord d'un train de VIA Rail à destination de Windsor, mais Nick n'avait jamais fait le voyage jusqu'à Leaford, même si, à l'époque, il travaillait pour Chrysler et possédait sans doute une voiture.)

Oncle Stash, qui suait à grosses gouttes, proposa à tout le monde d'aller prendre un peu d'air. Au début, il n'y eut pas un souffle de vent, puis les blés frissonnèrent légèrement et une rafale soudaine renversa les chips sur la table. Ruby et moi courûmes les ramasser, incertaines de ce qu'il fallait faire : les remettre dans le bol ou les jeter par terre ? Levant les yeux, je constatai que Ryan Todino nous regardait. En fait, il se livrait à une véritable inspection : il fixait l'endroit où nous étions attachées l'une à l'autre non pas à la dérobée, comme le faisaient la plupart des gens, mais franchement et avec une certaine admiration. Je sentis Ruby frissonner.

Ryan nous dévisagea tour à tour, Ruby et moi.

— Vous n'avez pas les mêmes cheveux, dit-il sur un ton accusateur.

Il avait la voix aiguë mais enrouée.

— Les tiens sont roux. Et les tiens sont plus foncés et plus raides, dit-il.

— Et alors ? cracha Ruby, qui croyait que le garçon se montrait cruel.

— La vieille a dit que vous étiez de vraies jumelles.

Ruby était scandalisée.

— Ce n'est pas une vieille. C'est ta Nonna.

Ryan haussa les épaules.

— Comment pouvez-vous être identiques si vos cheveux ne sont pas identiques ? Identique, c'est identique en tout.

Secrètement, j'étais heureuse qu'il ait remarqué.

— Qu'est-ce que ça peut te faire ?

— Rien du tout, je m'en fous.

D'une voix presque inaudible qui me rendait folle, les adultes parlaient des parents séparés de Ryan. (Je trouve les potins irrésistibles.) La conversation était ponctuée de « Nick, Nick, Nick », et on aurait dit une négation plus qu'un nom. Personne ne nous proposa d'ouvrir les cadeaux, posés avec insouciance sur une chaise en plastique sale, et personne ne s'extasia devant le gâteau, moitié chocolat, moitié vanille. Je mangeai les chips qui étaient tombées. Devant Ryan Todino, qui fixait nos têtes soudées et, de ce fait, gâchait notre huitième anniversaire, Ruby bouillonnait d'indignation.

Deux ou trois fois, Ruby tenta de faire signe à tante Lovey, mais elle nous éloigna d'un geste.

— Allez jouer un peu, les filles. Faites voir le pont à Ryan.

Ma sœur et moi avons passé une bonne partie de notre enfance sur le pont branlant qui enjambe le ruisseau. Nous y restions assises pendant des heures à observer les poissons de vase et les têtards. Ruby papotait à propos des filles de l'école, tandis que moi, à des millions de kilomètres de là, j'écrivais dans le ciel des poèmes sur lesquels j'entendais revenir plus tard. Le pont était notre repaire secret. Nous ne tenions pas à y conduire Ryan Todino.

Ruby et moi longeâmes le ruisseau, là où tante Lovey avait créé un petit pâturage fleuri, où poussaient l'aster, la digitale, le chardon violet, la léchéa intermédiaire et la verge d'or, où flottaient les libellules et les demoiselles. Si nous nous attardions, les puces nous dévoraient sans merci. Nous écoutions les grenouilles coasser au milieu des quenouilles. Nous ne nous retournâmes pas vers Ryan avant d'être arrivées au pont.

Je vis Mme Merkel en train de travailler dans son jardin et je la saluai de la main, mais elle fit celle qui n'avait rien vu. Nous nous assîmes au bord du pont, ma sœur et moi. De là, nous apercevions au loin la maison orange et les adultes. Oncle Stash avait dit qu'il nous appellerait dès que les hot-dogs seraient prêts, mais il n'avait même pas encore allumé le barbecue. Peu de temps après, nous sentîmes le pont bouger. Ryan s'installa derrière nous, les pieds pendant de l'autre côté, face à la maisonnette des Merkel.

Le vent s'était intensifié. Un bruit retentit du côté de la maisonnette des Merkel, un peu comme si un gros objet était tombé. Nous ne voyions plus Mme Merkel. Nous nous demandâmes s'il valait mieux rentrer, Ruby et moi, car nous pensions toujours aux tornades. Les adultes, cependant, s'étaient contentés de nous faire signe depuis la cour. Nonna était de toute évidence ravie que nous soyons devenues amies avec son petit-fils.

Ryan ne se tourna pas vers nous. Pendant un long moment, personne ne dit rien. De nos côtés respectifs, nous contemplions le ruisseau et nous voyions plus ou moins les mêmes choses, même si, en réalité, elles n'étaient pas du tout semblables. Des araignées d'eau couraient sur l'onde brune, et quelques papillons nocturnes reposaient sur une carotte à Moreau. Puis, soudain, une paruline jaune jaillit d'un haut buisson de verveine et vint se poser de notre côté du pont. Seules, Ruby et moi aurions poussé des cris d'excitation. Les parulines jaunes viennent du Mexique et de l'Amérique du Sud, et il était rare d'en voir sous nos latitudes, surtout de si près.

Personne ne dit rien jusqu'à ce que Ryan pose une question à voix si basse que nous dûmes lui demander de répéter.

— Je peux y toucher?

Ruby et moi comprîmes aussitôt de quoi il voulait parler. Nous étions médusées.

— Je peux? Juste une seconde?

Sa requête avait quelque chose d'obscène.

— Non, répondîmes-nous d'une seule voix.

— Je veux juste y toucher.

— Non, répétai-je.

— Je ne vais pas vous faire mal.

Nous sentions les petits yeux de Ryan rivés sur nos crânes.

— Juste une seconde, insista-t-il.

— Pourquoi ?

— Parce que.

— Parce que quoi ?

— Parce que je veux être docteur quand je serai grand.

J'étais sceptique.

— J'aime les os, ajouta-t-il, plein d'espoir.

Nous contemplâmes l'eau qui clapotait. Ruby fit un geste en direction de la maison et je me poussai pour lui permettre de voir.

— Est-ce qu'ils ont allumé le barbecue ?

Oncle Stash préparait un pichet de punch aux fruits. Toujours rien sur le barbecue.

— Nous crevons de faim ici ! hurla soudain Ryan.

Les adultes, qui n'avaient pas bien entendu, se contentèrent d'agiter la main et de hocher la tête, et nous ricanâmes, Ruby et moi.

— Ah ! Je meuuuurs, gémit Ryan, ce qui, cette fois, nous fit crouler de rire. Ça y est, c'est la fin.

Ryan, se laissant aller sur le pont, fit le mort. Ruby et moi rîmes de bon cœur. Aussi fûmes-nous surprises lorsque le garçon se releva, manifestement irrité.

— Bon, nous n'avons pas toute la soirée. Il faut que nous allions à l'église.

— Tu ne pourrais pas sauter la messe, pour une fois ?

— Jamais. Je vais devenir prêtre.

Ryan semblait vexé, comme si son ambition était connue de tous.

— Je pensais que tu voulais être médecin.

— Pourquoi est-ce qu'elle ne va pas à l'église le dimanche matin, comme tout le monde ? se demanda Ryan à voix haute.

— Nonna aime la messe rythmée, répondis-je, même si ce n'était pas rigoureusement exact.

— Nonna refuse d'entendre la messe dite par le père Pardo parce qu'il ne veut pas nous baptiser, ajouta Ruby.

— En plus, elle ne peut pas se passer de *Coronation Street,* dis-je, ce qui était la plus stricte vérité.

— Vous n'êtes pas baptisées ?

L'horreur qui se lisait sur le visage de Ryan me fit peur.

— Et si vous mouriez ?

(À ce propos, tante Lovey disait toujours : « Si Dieu empêche deux filles comme vous d'entrer au paradis simplement parce qu'un vieil ivrogne ne veut pas laisser tomber un peu d'eau sur votre front, eh bien, Dieu n'est pas Celle que je croyais. Pour ma part, je n'ai aucune envie de passer l'éternité dans un lieu qui refuse un si grand nombre de personnes tout à fait convenables. Et vous devriez faire comme moi, les filles. »)

— Si nous mourons, répondis-je, tante Lovey dit qu'il y a un autre paradis, semblable à celui des catholiques, mais en plus tolérant.

— C'est un mensonge ! s'exclama Ryan en se penchant vers Ruby pour mieux me voir. Pas de paradis tolérant ! Il n'y a rien d'autre que le purgatoire. Et vous n'avez sûrement pas envie de finir là.

Nous vîmes le vent donner la chasse à quelques tamias au milieu des herbes folles. Je sentais Ruby retenir un déluge de larmes. J'eus une inspiration soudaine.

— Je parie que tu as assisté à un million de baptêmes.

Il haussa les épaules.

— Je parie que tu connais les mots. Tu en connais quelques-uns, au moins ?

Il haussa de nouveau les épaules.

— Tu vas être prêtre.

— Ou docteur, rétorqua-t-il.

— Mais plutôt prêtre, insistai-je. Tu te souviens des formules qu'on utilise dans un baptême ?

— Ouais, je ne sais pas. Il est beaucoup question de l'Esprit saint.

Ryan tendit le cou pour apercevoir les adultes.

— Tu pourrais t'en charger. Tu pourrais nous baptiser, toi.

— Jamais de la vie.

— Tu pourrais le faire juste ici, poursuivis-je en désignant, sous le pont, un endroit où l'eau était peu profonde. Personne ne nous verra.

Ryan n'en démordait pas.

— Je refuse.

Ruby se tortilla.

— Allez, quoi. Fais-le.

Ryan secoua de nouveau la tête.

— Nous allons te laisser y toucher, dis-je en me tournant pour serrer la cuisse de Ruby.

— Pas vrai, Ruby? Nous te laissons y toucher. Et toi, tu nous baptises.

Ruby inspira.

— Une seconde seulement.

Ryan se positionna de manière à voir les adultes au loin. Ils étaient trop absorbés par leur conversation pour nous prêter attention. Ruby et moi restâmes parfaitement immobiles tandis que les mains du garçon parcouraient notre cuir chevelu. Du bout des doigts, avec délicatesse, il palpa la soudure de nos crânes. Il était aussi doux que tante Lovey, plus qu'aucun médecin ne l'avait jamais été. Je sentis l'haleine chaude de Ryan tandis qu'il se penchait pour inspecter la séparation de nos mâchoires, nos oreilles manquantes, mon œil tiré, le joli nez de Ruby.

Prise au dépourvu par un accès d'émotion, j'avalai avec difficulté. Ruby sentit que j'étais sur le point de pleurer.

— Bon, ça suffit, trancha-t-elle, même si, pour ma part, j'aurais laissé Ryan Todino me toucher pour l'éternité.

Ryan ne dit rien. Il s'assit à côté de Ruby et laissa ses jambes pendre au-dessus de l'eau. Je ne connaissais pas beaucoup d'autres garçons de neuf ans, mais je me dis qu'ils ne devaient sans doute pas être aussi bizarres que Ryan.

— C'est le moment, dis-je. Allons-y.

Soudain, je brûlais d'envie d'entrer en communion avec l'esprit de Dieu, l'Esprit saint capable de m'ouvrir les portes du véritable paradis. Je mourais d'envie de resplendir de la puissance de l'amour divin.

Ryan dévala la petite pente voisine du pont et trouva un endroit peu profond (il n'y avait qu'une vingtaine de centimètres d'eau) à côté duquel nous pourrions nous agenouiller. Je le suivis, Ruby à cheval sur ma hanche.

Ryan s'éclaircit la voix et leva les yeux au ciel.

— Je vais juste dire : « Et maintenant, je vous baptise, au nom du Père, du Fils et du Saint-Esprit. »

— D'accord.

— Rien d'autre.

— Comme tu veux.

Je m'agenouillai dans la boue en préparant mentalement un mensonge à l'intention de tante Lovey, qui voudrait savoir ce que j'avais bien pu faire pour être aussi sale. Ruby s'agrippa à mon cou en gémissant parce que le bas de ses collants était mouillé.

Ryan fit le signe de croix et se prépara à recueillir un peu d'eau saumâtre sous le pont en plaçant ses mains en coupe. Si nous mourions avant son ordination ou qu'il ne devenait pas prêtre du tout, nous prévint-il, le sacrement ne serait sans doute pas valide.

Le vent se mit à souffler comme un ventilateur oscillant, de petites rafales en deux-quatre.

— Je vous baptise, commença-t-il en se penchant vers l'eau.

Il la laissa tomber sur la tête de ma sœur, puis sur la mienne.

— Au nom du Père, du Fils et du Saint…

Soudain, une voix tonna au loin.

— Ryan… ?

Il détala comme un fugitif. Nous entendîmes les hautes herbes bruire sous ses pas, tandis qu'il escaladait la berge du ruisseau. Je voulus me lever pour voir où il était passé, mais je glissai dans la vase et perdis pied. En tentant de freiner notre chute, je tombai lourdement sur mon bras. J'entendis l'os se casser net juste au-dessus de mon poignet.

J'avais de la boue entre les dents, dans le nez, les yeux. Mon bras cuisait. Je n'osai pas respirer avant de nous avoir sorties de l'eau. Seulement, mon bras cassé était sans force. En fait, je n'arrivais pas à nous soulever du tout. Et mon autre bras, celui qui avait poussé autour de ma sœur, était tout aussi inutile. À cause de nos crânes soudés et de notre anatomie particulière, Ruby et moi étions lourdes du haut. Je n'arrivais à nous sortir du ruisseau ni en me servant de mes muscles ni en utilisant nos corps comme levier. Étant donné la profondeur de l'eau, je savais que Ruby était submergée, elle aussi. Nous étions en train de nous noyer.

Je sentais une violente pression dans mes poumons, ma gorge, mes sinus et derrière mes yeux. Il paraît qu'on voit sa vie défiler devant ses yeux avant de mourir, mais, pour moi, les choses ne se sont pas déroulées de cette manière. (Ruby prétend qu'elle a vu un tunnel et un peu de lumière, mais elle m'a fait part de ce souvenir deux ans plus tard, après avoir regardé une émission sur les expériences de mort imminente.) J'ai vu non pas le passé, mais plutôt le présent, et je l'ai vu d'en haut — peut-être du haut du pont branlant… Le présent, c'était ceci : ma sœur de huit ans et moi étions en train de nous noyer dans moins de vingt-cinq centimètres d'eau.

Je sentis dans mon corps — même si, à ce moment-là, j'aurais juré que je n'en avais pas — un étrange et saisissant déferlement de calme, et je compris que Ruby éprouvait la même sensation. Nous n'avons pas une idée très claire de la suite. Je crois qu'il s'agira pour l'éternité de l'un des mystères de notre vie. Bien que normal, le bras droit de Ruby, dans la structure de nos moi soudés, est une poutre plutôt qu'un outil : il est souple mais dépourvu de force. Comme il n'y avait personne dans les parages, nous devons pourtant admettre que c'est Ruby qui nous a sorties de l'eau à l'aide de ses bras fins et fragiles, même si elle ne se souvient pas d'avoir accompli un tel exploit. Ruby pense plutôt que c'est un fantôme. Étant donné la date (notre anniversaire et le jour de la mort de Larry) et la proximité des Merkel, elle se dit convaincue que c'est Larry qui nous a sauvées.

Un instant, nous nous noyions ; celui d'après, nous nous redressions, haletantes, et Ruby montra un camion de pompiers miniature près de mes genoux, à moitié enseveli dans la vase. C'était sûrement celui de Larry et, par conséquent, un signe.

Les adultes trouvèrent Ryan en train de sangloter derrière un arbre, à quelques mètres de la maison des Merkel. Cyrus tournait autour de lui en grondant d'un air féroce. Ryan nous montra du doigt, Ruby et moi, pantelantes, de la boue plein les yeux et les narines, dangereusement proches de l'eau. En vitesse, on nous conduisit à l'hôpital, où ma fracture au bras fut réduite. Le Dr Ruttle dégagea nos narines et examina nos crânes. Tante Lovey et oncle Stash ne sauraient jamais que nous avions failli être baptisées et que nous étions venues à un cheveu de nous noyer. Malgré tout, nous fûmes punies pour avoir joué au bord du ruisseau. Nous ne goûtâmes jamais le gâteau d'anniversaire et nous dûmes attendre toute une semaine avant de déballer nos cadeaux. Mon bras mit une éternité à guérir. Nous ne fîmes voir à personne le petit camion.

Nous serions presque quinze ans sans revoir Ryan Todino. Sans crier gare, il débarqua chez Nonna, un dimanche matin, dans l'espoir de lui emprunter de l'argent. Il n'avait pas beaucoup changé par rapport au garçon de neuf ans que nous avions connu, exception faite de deux ou trois poils au menton et de quelques pectoraux. S'il se souvenait de nous avoir baptisées dans le ruisseau, à côté de la maison des Merkel, le jour de nos huit ans, il n'en laissa rien paraître. Il se contenta de nous glisser des regards furtifs, voire de nous ignorer complètement. Il refusa les *sang*wichs au thon que Nonna avait préparés.

— Tu ne manges pas ton *sang*wich, Nonna s'était-elle lamentée.

Il y a de nombreuses années, le père Pardo a été muté (ou banni) de l'église de la Sainte-Croix. Atteinte de la maladie d'Alzheimer, Nonna souffre à présent d'épisodes de démence. Elle a de bons et de mauvais jours, mais, le plus souvent, elle ne nous reconnaît pas, Ruby et moi. Elle ne semble pas se rendre compte que nous sommes deux. Depuis quatre ans, Nick (le père de Ryan) vit avec Nonna dans Chippewa Drive. Même s'il tond rarement le gazon et qu'il n'a jamais taillé un buisson ou un arbre, Nonna semble bien nourrie et la maison est impeccable, même lorsque Ruby et moi faisons une petite inspection surprise. Ruby déteste Nick, mais je pense que ce n'est pas un mauvais bougre. Il est juste triste. Il a beaucoup perdu. On le voit dans ses yeux.

J'ai souvent pensé à notre huitième anniversaire, au jour où nous avons été baptisées et où nous avons failli nous noyer, et je me suis interrogée sur l'Esprit saint que Ryan a invoqué. Parfois, j'ai l'impression qu'il me possède : à d'autres moments, je souhaite de toutes mes forces que tante Lovey ait eu raison au sujet du paradis.

~

Salut, c'est *Ruby Darlen* qui écrit.

Laissez-moi d'abord vous dire que je ne suis pas particulièrement douée pour l'écriture. Je ne suis pas trop portée sur les livres. Et depuis que nous avons terminé nos études à l'école secondaire de Leaford, je n'ai pas écrit grand-chose, sinon deux ou trois lettres. J'ai tendance à éviter les activités pour lesquelles je n'ai aucun talent, l'écriture par exemple, et j'ai donc mis du temps à me décider à entreprendre ceci. Je ne suis même pas certaine de ce que veut dire « ceci ». Ma sœur affirme qu'elle rédige son autobiographie. Je lui ai demandé comment une sœur conjointe pouvait écrire l'histoire d'une vie qu'elle n'a pas vécue seule. Dans ce cas, a répondu Rose, tu n'as qu'à ajouter des chapitres écrits de ton point de vue.

J'écris donc ici de mon point de vue. Le hic, c'est que Rose refuse de me dire ce qu'elle écrit, sauf qu'il s'agit de sa vie. Vaste sujet. Je n'ai donc aucune idée de ce que je devrais confirmer ou infirmer.

Rose dit que je dois écrire comme si je m'adressais à un ami.

Donc, salut à toi, ami.

Elle m'a aussi dit comment présenter les dialogues, avec des tirets. Les dialogues ? Dans une autobiographie ? Qu'est-ce qu'elle compte faire, au juste ? Se citer elle-même ? Je n'ai pas l'intention de recourir aux dialogues, genre « dit-elle » ou « dis-je ». Aussi bien vous prévenir tout de suite. Mais je pense qu'il est important que je rende compte de mon rôle dans l'histoire de ma sœur puisque, même si nous sommes des jumelles conjointes, en principe dotées d'une vision parallèle, nous ne voyons pas toujours les choses du même œil.

Je n'ai pas le droit de lire les chapitres de Rose (et de toute façon, je ne sais pas faire fonctionner son ordinateur). J'ai donc décidé de ne pas lui laisser lire les miens. Lorsque le livre sera terminé, nous en ferons une copie que nous lirons ensemble. Elle lira mes chapitres à voix haute. Et je lirai les siens de la même manière. (Réservez vos billets maintenant.)

Rose espère drôlement faire publier ces pages. Elle refuse de l'avouer, mais c'est la vérité. Si aucun éditeur n'est intéressé, elle le publiera sur Internet. Je n'y comprends rien, mais elle soutient que c'est possible.

Je suis plus réaliste, moi. Qui a envie de lire l'histoire de deux sœurs qui travaillent à la bibliothèque d'une petite ville ennuyeuse comme la pluie, même si elles sont soudées par la tête ? Après avoir passé une heure en notre compagnie, vous oublieriez notre singularité physique et constateriez que ma sœur et moi sommes tout banalement des femmes normales. Je n'ai encore jamais vu de livre écrit par des jumeaux conjoints. Comme je travaille dans une bibliothèque, j'en ai pourtant vu, des livres. Les lecteurs veulent des romans à énigmes, des drames policiers, des histoires d'amour hystériques, du glamour et de la fange (je veux parler des ragots concernant les vedettes). Rose et moi n'avons rien de mystérieux ni de criminel. Nous avons bien été hystériques en quelques occasions, mais nous ne sommes pas glamour. Dans notre genre, nous sommes toutefois des vedettes. Auprès des gens du comté de Baldoon. Personnellement, on me connaît autant pour mes découvertes d'objets ayant appartenu aux Indiens que pour mon statut de jumelle conjointe. La société d'histoire du comté de Baldoon m'a invitée à rejoindre ses rangs. Et j'ai souvent parlé au téléphone avec des professeurs et des conservateurs de l'endroit où j'avais découvert tel ou tel objet, de sa position dans le sol. Quelques-uns sont même venus me voir pour que je leur fasse faire le tour de mes découvertes archéologiques. Rose et moi avons été photographiées pour le *Chatham Daily News*, aux côtés d'Errol Osler, véritable spécialiste des Indiens neutres. Errol Osler est bénévole au musée d'archéologie indienne de London. Le musée est la reconstitution du village indien qui se dressait à cet endroit quatre cents ans plus tôt. Rose et moi y allons depuis que nous sommes toutes petites. Tante Lovey et oncle Stash nous y emmenaient après mes rendez-vous chez les spécialistes.

Rose ne s'intéresse pas autant que moi aux Indiens neutres, mais, le moment venu d'aller au musée, elle n'a jamais rouspété. Elle a aussi effectué des recherches en ligne pour moi. Nous nous soutenons sans réserve, même si nos intérêts divergent. Pas nécessairement parce que nous sommes soudées l'une à l'autre. Je pense que c'est seulement parce que nous sommes sœurs.

J'écris mes chapitres à la main sur un bloc-notes de papier jaune posé à côté de moi. Rose, qui est un peu myope, ne voit pas. De toute façon, elle lit dans mon esprit depuis que nous sommes toutes petites. Et même si je suis pour ma part incapable de deviner ce qui se passe dans sa tête, j'imagine qu'elle écrit des choses embarrassantes à mon sujet. Personnellement, je pense qu'une personne qui écrit une autobiographie devrait raconter des détails embarrassants sur elle-même et en rester là.

Rosie a tendance à exagérer. Je tenais à vous le dire.

Elle a aussi tendance à tirer des conclusions. Vous me suivez ?

Au départ, m'a dit Rose, je devrais sans doute préciser comment c'est d'être soudée à sa sœur par la tête. J'y ai beaucoup réfléchi. D'où peut-être le temps que j'ai mis à me décider. Car je n'arrive même pas à imaginer comment l'auteur le plus doué parviendrait à expliquer à un inconnu ce que c'est que de vivre sa vie avec sa sœur accrochée à sa tête.

Lorsque j'ai avoué à Rose que j'étais incapable de décrire notre situation, elle a dit que je devrais parler de mes intérêts et de mes passe-temps. Eh bien, depuis l'âge de huit ans, je cherche des vestiges de la présence des Indiens. Notamment ceux ayant appartenu à une importante tribu d'Indiens neutres qui, il y a des centaines d'années, avait établi un camp de pêche à l'endroit où se trouve aujourd'hui notre ferme. Celle-ci n'est pas bâtie juste au bord de la rivière Thames, comme on pourrait s'y attendre, mais un peu en retrait, sur de hautes terres non inondables.

Quatre-vingt-dix pour cent des objets relatifs aux Indiens neutres conservés au musée de

Leaford, qui se dresse presque en face de notre ferme sur la route rurale n° 1, viennent de nos terres, et c'est moi qui les ai trouvés. La poignée sculptée dans de l'os, la pipe en forme d'oiseau, le collier en perles d'os, les dizaines de pointes de flèches, la marmite à rebord. J'ai quelque part la liste de mes découvertes. Je ne suis pas une spécialiste des Indiens, loin de là, et je ne vois pas du tout en quoi le fait de parler de ma passion pour les Indiens neutres vous apprendra quoi que ce soit sur Rose, moi et notre situation, mais elle prétend que ces choses-là se liront entre les lignes.

Après notre rendez-vous avec le Dr Singh de Toronto le mois dernier, Rose et moi avons effectué un court trajet en taxi jusqu'à la plage de l'ouest. Nous y avons trouvé un coin paisible où on ne risquait pas de nous fixer ou de nous interrompre. Nous en avons profité pour discuter de ce que nous voulions faire du temps qu'il nous reste.

Le soir même, Rose a entrepris la rédaction du livre, qu'elle appelle *Autobiographie d'une jumelle conjointe*. Je lui ai dit que c'était le plus mauvais titre que j'avais jamais entendu. Elle a déjà songé au graphisme de la jaquette. Elle soutient que le graphisme est très important.

Notre pronostic, dit-elle, lui a donné de l'inspiration et une date de tombée (sans jeu de mots). Elle plaisante, mais je sais qu'elle a peur.

Je crois que c'est pour cette raison qu'elle écrit tellement, et si vite. Elle tape sur son clavier d'ordinateur quand j'essaie de dormir et ça me tombe sur les nerfs. Je ne sais pas comment elle fait. Elle mitraille les touches. Fixe l'écran pendant des heures. Se souvient. Réfléchit. Rose a toujours été pensive. Du genre qui aime apprendre. C'est peut-être pour cette raison qu'elle écrit. Moi, je n'aime pas vraiment apprendre. J'aime juste savoir.

Au début, mes maux de tête étaient espacés — ils revenaient tous les trois ou quatre jours — et, en gros, tolérables. Mais ils se sont intensifiés tout en devenant plus fréquents. La semaine dernière, mon œil gauche s'est embrouillé. De toute évidence, ce n'est pas bon signe. Comme il n'y a pas d'IRM à Leaford ni à Chatham, nous avons dû aller à Toronto. Il n'y avait plus de places dans le train. L'autocar est moins cher, mais, à cause des vapeurs, je suis plus malade en autocar qu'en train. En route vers Toronto, je me répétais : « Ne dégueule pas — tumeur au cerveau — ne dégueule pas — tumeur au cerveau — ne dégueule pas — tumeur au cerveau. » Puis, à Woodstock, un homme est monté et s'est assis sous le vent par rapport à Rose et moi, et il avait tellement mis d'after-shave que j'ai fini par vomir. J'avais oublié de prendre un chemisier de rechange et Rose a refusé de me prêter celui qu'elle avait apporté. C'était de bonne guerre, car elle savait que je risquais de vomir encore, peut-être sur son chemisier à elle. En même temps, j'étais furieuse. Nous ne nous sommes pas adressé la parole pendant le reste du trajet. À Toronto, le chauffeur de taxi nous a fait faire un long détour avant de nous déposer à l'hôpital, où la cafétéria était fermée pour cause de travaux. Puis, le diagnostic du Dr Singh est tombé. Anévrisme inopérable. Clou d'une journée riche en divertissements.

Je ne sais pas quoi dire. C'est peut-être pour cette raison que je n'ai pas écrit.

J'imagine que Rose vous a déjà tout raconté. Elle a dû vous parler du Dr Singh, à qui elle a avoué avoir des maux de tête, elle aussi. De terribles migraines. Et de la découverte de l'anévrisme. Dans son cerveau. Pas dans le mien.

Rose n'appelle jamais son anévrisme par son nom. Si elle en parle, ce qu'elle ne fait jamais de son plein gré, elle fait référence à « son truc ». Lorsque je lui ai demandé d'aller sur Internet pour recueillir le plus de renseignements possible sur les anévrismes au cerveau, elle m'a tendu deux feuilles en affirmant qu'il n'y avait pas grand-chose sur la question. Comme je n'en croyais rien, j'ai failli demander à Whiffer de s'en charger en lui faisant passer un mot, mais nous avons juré de ne pas dire à nos collègues de la bibliothèque que nous allons mourir bientôt.

Je ne veux pas demander d'autres renseignements au Dr Singh parce qu'il a eu l'air fâché quand j'ai laissé entendre que nous devrions obtenir une deuxième opinion. Mais peut-être n'était-il pas vraiment fâché. Peut-être ai-je mal interprété sa réaction. Rosie, qui comprend les gens beaucoup mieux que moi, prétend que je suis parano. Je me demande si elle est seule à le penser.

Moi, je dis : « notre anévrisme ». Il y a six mois, je ne savais même pas ce qu'était un anévrisme. Il s'agit d'une veine affaiblie qui, dans la tête, le cœur ou l'estomac, se gonfle comme un ballon. À force de s'étirer, le vaisseau laisse fuir un peu de sang ou encore explose et vous risquez de mourir. En plus, il arrive que l'anévrisme exerce une pression sur des zones vitales, ce qui entraîne d'autres problèmes.

En général, les anévrismes sont opérables, mais pas le nôtre. C'est ce que confirme la deuxième opinion, que nous avons reçue hier. Mais je suis sûre que Rosie vous a déjà tout raconté.

Je m'attendais à ce que le diagnostic du Dr Singh soit confirmé, mais Rose espérait un miracle. Pendant le voyage de retour, elle n'a pratiquement pas dit un mot. Elle me serrait contre elle, comme elle le fait toujours quand elle est en colère (qu'elle l'admette ou non), et elle n'avait pas envie de parler.

À notre retour, Rose a voulu se coucher. Comme elle travaille au lit, la requête n'avait rien d'inhabituel. Je me suis endormie. Quand je me suis réveillée, quelques heures plus tard, elle tapait encore sur son clavier. Je parie que, cette nuit-là, elle a écrit une centaine de pages. Le lendemain, elle m'a appris qu'elle avait commencé son autobiographie. C'est à ce moment que j'ai répondu que la chose était en principe impossible. D'une certaine façon, j'ai l'impression que ça fait au moins un an. En réalité, seules quelques semaines se sont écoulées.

En levant les yeux de l'endroit où j'écris sur mon bloc de papier jaune, je peux voir Rose dans le miroir. Elle lit un livre. D'ici, je n'arrive pas à déchiffrer le titre. Le livre est relié en cuir. Shakespeare, je dirais, ou un autre classique. Elle fronce les sourcils, ce qui veut dire que le texte lui plaît beaucoup.

Chez nous, il y a beaucoup de miroirs. Environ dix fois plus que la moyenne. Chacune des pièces en a au moins six. Nous ne pouvons pas nous voir, Rose et moi, sinon par le truchement de miroirs. Parfois, c'est une nécessité. Le plus souvent, nous n'avons pas besoin d'une glace pour savoir ce que pense l'autre. Quand Rose est en colère, ses sourcils se crispent et tirent sur la peau de ma tempe.

Nous nous disputons plus souvent lorsque nous ne nous regardons pas, ne serait-ce que dans une glace. Quelquefois, je me surprends à regarder Rose, à oublier que nous sommes conjointes.

Pour des jumelles conjointes, les regards fixes font partie de la vie de tous les jours. Surtout quand elles sont soudées par la tête, je pense, parce que les gens se disent : « Mon Dieu ! Imaginez un peu ! » Pour Rose et moi, c'est moins bizarre que vous pourriez le penser. Tante Lovey avait l'habitude de dire que nous avions de la chance d'être si rares et que nous ne devions pas nous formaliser du regard des autres.

Le Dr Kitigan (auteur de la deuxième opinion) a répété les propos du Dr Singh. L'anévrisme est susceptible de se rompre à tout moment. La prochaine fois que Rose inspirera, ce soir, pendant notre sommeil, ou dans un mois. Ou deux, trois, peut-être six mois. Mais probablement pas sept. Et sûrement pas huit. C'est le mot qu'a employé le Dr Singh. « Sûrement ». De but en blanc, je lui ai demandé s'il était en train de nous donner six mois. Il a mis du temps à répondre parce que certaines choses sont difficiles à dire, même pour un médecin. Puis, il a répondu oui. Six mois. Maximum.

Rose m'a rappelé que c'était la même histoire pour tout le monde. Personne ne connaît le moment précis de sa mort. Voilà pourquoi nous devrions faire le *carpe diem* (profiter du moment présent puisque personne ne sait de quoi demain sera fait). À propos de l'anévrisme, nous ne savons pas à quoi nous attendre. Les symptômes toucheront surtout Rose. Mais nous avons une importante veine en commun, d'où des problèmes de fluides et de tensions. J'aurai d'autres maux de tête. Je continuerai d'avoir la vision embrouillée. Je risque de perdre l'odorat. Ou pis encore. La cécité, par exemple, ou des atteintes aux fonctions motrices. Il se peut aussi que nous n'éprouvions que des symptômes bénins et que nous mourions brusquement.

Dans trois mois, nous célébrerons notre trentième anniversaire. Je ne m'attendais pas à atteindre la trentaine. Je ne vais donc pas prétendre que je me sens flouée. Pourtant, j'aimerais bien franchir le cap des trente ans. Avant nous, les plus vieux jumeaux craniopages sont morts à vingt-neuf ans. Pour nous, le seul fait d'être en vie constitue une sorte d'exploit. J'aimerais bien franchir une étape importante comme la trentaine. J'aimerais beaucoup me distinguer de cette façon.

Depuis quelque temps, je prie. Petites, nous n'allions pas à la messe, mais tante Lovey et oncle Stash nous ont parlé de Dieu. Rose se dit indécise, mais moi je crois, et j'implore Dieu de nous laisser atteindre le chiffre magique de trente ans.

Rose m'a dit que je devais parler de ma vie personnelle, et pas uniquement de notre vie commune, coucher mes réflexions sur le papier et raconter mes souvenirs du passé.

En voici déjà un. Comme je l'ai déjà dit, Rosie et moi avons grandi à la campagne, dans une vieille maison de ferme, non loin de la rivière où, quelques siècles plus tôt, les Indiens neutres avaient établi un camp de pêche. Après les labours du printemps, nous parcourions les champs. (Précisons que je me considère comme une personne capable de marcher, même si je suis privée de l'usage de mes pieds. Évidemment, je ne me déplace pas en fauteuil roulant, ni rien de tel. La meilleure explication possible, c'est que j'ai l'impression d'emprunter les jambes de Rose quand vient mon tour de prendre l'initiative. Il est arrivé à Rose de se cogner un orteil ou de marcher sur un objet pointu, et je jure devant Dieu que j'ai éprouvé de la douleur.)

Quoi qu'il en soit, nous arpentions les champs retournés par la charrue de M. Merkel, et la terre était noire et nette. On n'y voyait presque pas de cailloux. Alors dès qu'on apercevait un objet de couleur grise, silex ou argile, c'était, une fois sur dix, une belle pointe de flèche ou un fragment de poterie. De notre côté du ruisseau, j'ai ainsi trouvé vingt-huit fragments de poterie — vingt-sept partiels et un complet —, des centaines de silex de toutes les tailles, une douzaine de pierres rainurées, de pointes cannelées et de têtes de haches, une trousse de voyage et trois pipes représentant des animaux — deux têtes de tortue et un oiseau. J'ai également déterré un gros tube en os vraiment génial. Tout est sous clé au musée de Leaford (qui, il y a quelques mois, a fermé ses portes, faute de fonds. J'ai téléphoné trois fois à la dame de la société historique pour lui dire que j'aimerais revoir la collection, mais elle n'a pas rappelé). Je voulais garder le tube. J'aimais bien sentir son poids dans le creux de ma main. Des vibrations s'en dégageaient. C'est le cas de tous les objets que j'ai trouvés. Vous tenez cette vieille chose, une pierre, une pointe de flèche ou un mortier et un pilon, un outil courant pour une personne ayant vécu des siècles auparavant, et il s'en dégage une sensation de chaleur. De vie. Je voulais garder le tube en os, mais tante Lovey m'a fait des remontrances : l'histoire n'appartenait pas qu'à moi. Bien que plus sympathique à ma cause, oncle Stash a téléphoné au musée pour dire que nous allions en faire don.

Rose et moi n'avions pas le droit de chercher des pièces du côté du ruisseau appartenant aux Merkel, au cas où Mme Merkel nous verrait par la fenêtre en train de faire des fouilles. Selon tante Lovey, une telle vision lui rappellerait l'époque où toute la ville avait cherché Larry.

Rose n'a pas d'aussi bons yeux que les miens. Il lui arrivait rarement de trouver quelque chose d'intéressant. Parfois, je l'obligeais à s'arrêter devant un morceau de poterie ou une pointe de flèche et je faisais semblant de ne rien voir, juste pour lui laisser l'honneur de la découverte. Rose a la vue si courte. Peut-être aussi s'en fichait-elle éperdument.

(Je m'avise soudain que vous ne savez peut-être pas à quoi servait un tube en os chez les Amérindiens. Il s'agissait, comme son nom l'indique, d'un os évidé que le sorcier de la tribu utilisait pour ôter la maladie du corps du sujet en l'aspirant, peu importe où elle se trouvait.)

Dans le champ, j'ai un jour trouvé le sommet d'un crâne. Je n'ai pas tout de suite compris de quoi il s'agissait. En fait, j'étais tout excitée, persuadée d'avoir mis la main sur un récipient cérémoniel. Puis j'ai vu les sutures de l'os. Pour nous aider à mieux nous rendre compte, Rose a repoussé la terre du bout du pied. La découverte d'un crâne humain nous a fait un choc. Il y avait dedans un trou énorme. En le voyant, Rose et moi avons commencé à hurler comme des folles. Tante Lovey et oncle Stash ont accouru.

Tante Lovey, qui était infirmière, a tout de suite compris qu'il s'agissait d'un crâne. S'agenouillant dans la terre pour l'examiner, elle a constaté qu'il était fracturé. Oncle Stash s'est penché pour jeter un coup d'œil, et il a montré un objet à l'intérieur. Les phalanges d'un doigt. Dans le trou du crâne. Oncle Stash a réfléchi un instant, puis il a levé la main pour se protéger d'une hache ou d'une hachette imaginaire. Sa façon à lui de montrer comment les doigts d'une personne peuvent finir dans son crâne. Il était malin, oncle Stash.

Pour éviter que la charrue ne le soulève de nouveau l'année suivante, nous avons enterré le crâne en profondeur, six pieds sous terre.

Je n'ai jamais très bien réussi à l'école, sauf en arts plastiques, mais j'ai eu un « A » pour un travail sur les Indiens de la région. Tante Lovey avait du sang autochtone, même si, à la voir, on ne s'en serait jamais douté. Elle avait la peau si claire. Si on vous avait dit qu'elle était irlandaise, écossaise ou galloise, vous l'auriez cru sans problème. En réalité, elle était d'origine française et son arrière-arrière-arrière-arrière-grand-mère était indienne. Ma passion a donc deux sources : tante Lovey et le coin où j'ai grandi.

Rose et moi allions à l'école avec un garçon nommé Frankie Foyle. Il habitait quelques rangs plus loin. Au milieu des champs de maïs des Foyle, il y avait un énorme monticule, de la taille d'une piscine. Depuis des années, il était envahi par la végétation. Comme il aurait été ruineux de le faire raser par un bulldozer, le père de Frankie, Berb, n'y pensait même pas. Il s'était contenté de l'entourer d'une clôture et l'avait laissé en paix. Puis, un jour, un de ses gros chiens a déterré un os. Il l'a apporté à la femme de Berb, qui a tout de suite eu des soupçons.

D'une façon ou d'une autre, Mme Merkel a entendu parler de cet os et a cru qu'il appartenait peut-être à Larry. Des policiers se sont rendus chez les Foyle, où ils ont découvert d'autres os, tous humains, enterrés sous le monticule verdoyant, au milieu des champs de maïs de Berb. Les policiers ont continué à creuser, et des effectifs supplémentaires, venus de London et de Windsor, ont pris les choses en main. Les policiers du coin ont eu beau répéter que le monticule se trouvait au milieu des terres de Berb depuis toujours, personne n'écoutait. D'autres hommes sont venus creuser, et d'autres encore, il y avait des camions et toutes sortes de machins. En fin de compte, on a dénombré plus de soixante-dix crânes.

Pendant l'enquête, on a emprisonné Berb. Quelqu'un s'est alors rendu compte que les os ressemblaient aux squelettes découverts dans un camp des Indiens neutres, près de Rondeau. Lorsque les autorités ont compris que le monticule de la ferme de Berb était un cimetière indien, elles ont creusé un trou profond dans lequel elles ont déposé les ossements avant de les recouvrir de terre. Le gouvernement et d'autres groupes s'en sont mêlés. On a même inauguré une plaque commémorative. Mais personne n'a envie de contempler des mauvaises herbes au milieu d'un champ de maïs. Comme Berb a la réputation d'être un peu fêlé, vous n'auriez pas nécessairement envie de vous retrouver seul avec lui en pleine nature.

Je ne sais pas si les gens se méfiaient de Berb avant l'histoire des os, mais, à sa sortie de prison, sa femme l'a quitté, et toute la ville s'est mise à le regarder avec méfiance. Même tante Lovey et oncle Stash. Et Frankie (son fils, qui a notre âge et à propos de qui il y a eu un scandale dont je ne veux pas parler, car je suis certaine que Rose s'en chargera) divisait son temps entre la ferme de son père et la maison que louait sa mère (comme par hasard, c'était la maison de Chippewa Drive dont tante Lovey et oncle Stash étaient alors propriétaires, celle où nous vivons aujourd'hui). Au bout d'un moment, Frankie a commencé à passer plus de temps chez sa mère que chez son père. Même si Berb n'a jamais tué personne.

Rose m'a aussi dit d'écrire sur les choses qui ont de l'importance pour nous. Tante Lovey et oncle Stash. Le musée. La bibliothèque. Notre histoire familiale. Que c'est ennuyeux, tout ça !

Lorsque nous avons discuté de ce que nous voulions faire du temps qu'il nous restait, Rose et moi, j'ai dit que je voulais retourner au musée d'archéologie indienne de London, où nous n'avons pas mis les pieds depuis la mort de tante Lovey et d'oncle Stash.

Le musée possède une riche collection et même la réplique exacte d'une maison longue, dans laquelle on peut entrer. Si Errol Osler est là, il nous permet d'y passer un moment toutes seules. C'est pour nous ce qui se rapproche le plus de la fréquentation d'une église. Je pense que même Rose considère la maison longue comme un lieu spirituel. Quand je propose d'y aller, elle ne dit jamais non.

Au fil des ans, Errol Osler est devenu un genre d'ami. C'est un homme très intéressant qui a donné des milliers d'heures au musée, et il a le génie des archives, même s'il n'a jamais fait d'études dans ce domaine. J'aime bien parler avec lui de mes découvertes les plus récentes. Il a une façon différente de voir les choses. Moi y comprise.

C'est Errol Osler qui m'a parlé de la réincarnation. Il m'a expliqué que les Indiens neutres enterraient parfois leurs enfants morts au milieu de la maison longue ou sous les sentiers les plus passants du village parce qu'ils croyaient que l'âme de ces enfants monterait dans le ventre des femmes enceintes et renaîtrait. À mes yeux, c'était, d'une certaine manière, rempli de bon sens. Plus tard, j'en ai parlé à tante Lovey, qui m'a avoué qu'elle croyait à la réincarnation, elle aussi. Sur ce plan, nous nous ressemblions beaucoup, tante Lovey et moi : nous étions convaincues que nos âmes pouvaient renaître. Et nous étions persuadées que les rêves ont une signification qu'il suffit de découvrir.

Je fais un rêve récurrent dans lequel ma sœur disparaît. À mon réveil, je suis soulagée de sentir son souffle sur ma joue (même si, en général, il empeste l'ail). Soulagée comme lorsque, au sortir du rêve où mes dents sont fracassées, je les découvre intactes dans ma bouche.

Je ne rêve jamais d'être séparée de Rose. Jamais.

Quand j'étais petite, je n'arrivais à m'endormir que si ma sœur me touchait le lobe de l'oreille. Je pleurais jusqu'à ce qu'elle me donne satisfaction. Pour une raison que j'ignore, j'appelais ce geste « lolo ». Je disais : « Fais lolo, Rose », jusqu'à ce qu'elle se décide à me caresser le lobe. Certains soirs, elle était trop en colère contre moi. D'autres fois, elle était fatiguée et n'avait pas envie de le faire. Je pleurais et tante Lovey finissait par la convaincre, et Rose me faisait lolo et je m'endormais. Puis, après un certain temps, tante Lovey a décrété la fin du lolo. Il était injuste d'obliger Rose à m'aider à dormir, a-t-elle dit. J'ai pleuré, pleuré, pleuré. Rose, qui ne supportait pas mes sanglots, se laissait fléchir presque aussitôt, et tante Lovey est allée jusqu'à menacer d'attacher sa main à sa jambe avec du ruban adhésif pour l'empêcher de me toucher l'oreille. J'ai cessé de pleurer et je n'ai plus rien demandé, car je ne voulais pas que Rose ait des ennuis à cause de moi. Rose le faisait de toute manière. Mais pas pendant une demi-heure, selon la routine qui me plaisait. Après le départ de tante Lovey, elle se contentait de tirer sur mon lobe. Juste un petit coup pour dire « je t'aime ». Nous avions aussi l'habitude suivante : je posais mes mains glacées sur sa peau tiède et elle disait : « Ne prends pas ma chaleur. » Je répondais : « Je te prends ta chaleur, Rose, toute ta chaleur. » C'est moins bizarre que vous pourriez le penser.

Selon le Dr Singh, les choses se passeront probablement comme suit : l'anévrisme se rompra et tuera Rose sur-le-champ. Ma mort à moi sera un peu plus lente. Mon corps continuera de pomper du sang dans celui de Rose, qui ne répondra pas, et mon sang se videra en elle. Je resterai consciente pendant un moment. Si je le veux bien. Je dispose de deux seringues remplies de Tatranax, l'une dans mon sac, l'autre dans le tiroir de ma table de chevet. Au cas où je voudrais expier ma mort après celle de ma sœur. Je ne crois pas qu'« expier » soit le bon mot, mais vous comprenez ce que je veux dire.

Le Tatranax me plongera dans un état de somnolence, puis dans l'inconscience, et arrêtera mon cœur de battre. Je n'arrive pas à imaginer que mon cœur puisse continuer de battre une fois que celui de Rose se sera arrêté. (Rose dit que je ne devrais jamais dire quel médecin nous a donné les seringues de Tatranax parce que, en principe, c'est illégal.)

J'avais l'intention de parler du voyage en Slovaquie que nous avons fait avec oncle Stash après l'obtention de notre diplôme, car Rose m'a suggéré de parler des choses que nous avons faites et des endroits que nous avons vus. Le voyage a été mémorable. Très mémorable. Pourtant, je ne suis pas sûre de vouloir me souvenir de la Slovaquie. En fait, je n'en ai pas envie. D'ailleurs, mes propos n'auraient aucun sens si je ne vous parlais pas aussi de Grozovo, où oncle Stash a grandi, des festivals voués aux saints et à la culture du pays, à des années-lumière de tout ce qu'on connaît en Amérique du Nord.

Rose a dit que je pourrais écrire l'histoire de la robe de mariée de tante Lovey, qui est plus simple à raconter. Pour le moment, je ne peux plus rien écrire. Je trouve cette activité épuisante. C'était la première fois, et j'aurai peut-être un peu plus de facilité par la suite. Sinon, je me contenterai de petites mises à jour ou de quelque chose comme ça.

Comme je suis censée écrire à un ami, je me sentirais mal à l'aise de me retirer sans dire au revoir.

Alors au revoir.

OISEAUX ET PLUMES

~

Je garde un souvenir précis du voyage que nous avons effectué à Philadelphie pour voir le Dr Mau quand nous avions environ six ans. (Le Dr Mau, le spécialiste cranofacial qui nous a examinées à notre arrivée à Toronto peu après notre naissance, était entre-temps passé à l'Hôpital pour enfants de Philadelphie.) Ruby dit ne se souvenir de rien. Elle prétend ne pas se souvenir de l'affreux déplacement en voiture ni d'avoir vomi sur mes genoux. Elle ne se souvient pas d'avoir été effrayée par l'étrange femme albinos qui a crié en nous voyant dans le parking ni des plats grecs que nous avons goûtés pour la première fois parce qu'aucun autre restaurant n'était ouvert.

Ruby ne se rappelle rien. Moi, je me souviens de tout — des carreaux noirs et bleu-vert de la réception de l'hôpital, de la distributrice graisseuse où il n'y avait pratiquement que des tablettes de chocolat Clark (nous avons supplié oncle Stash de nous donner de la monnaie pour en acheter), de l'odeur d'ammoniac dans l'ascenseur grinçant. Des regards dans la salle d'attente, de nos regards fixes vers ceux qui nous regardaient fixement. Une petite fille aux yeux bordés de tumeurs blanches. Un bébé au palais cruellement fendu. Un bambin sans membres qui a piqué une crise dans le couloir. Saint François sur le mur, débordant de compassion.

Nous avions l'habitude des examens. Ma sœur s'endort toujours. C'est peut-être vrai qu'elle a oublié Philadelphie. Elle a peut-être dormi du début à la fin. Quand nous étions petites, nous voyions le Dr Ruttle fils (et, après son départ à la retraite, son fils à lui, que nous appelions Richie ou Rich) une fois par semaine à cause des problèmes digestifs et urinaires de Ruby, mais l'examen de Philadelphie fut d'un genre différent. Nous subîmes des dizaines de radiographies, de piqûres, d'électrodes, de prélèvements et d'autres procédures qui ne m'étaient pas familières. Au bout de quelques heures, on nous conduisit dans une vaste salle d'opération, où le Dr Mau et une dizaine de médecins nous attendaient.

Je voyais tant de reflets que la salle d'opération devait être tout en chrome. Celui des lumières blanches et brûlantes, celui du Dr Mau, le mien et celui de ma jumelle conjointe. Nous étions couchées, nues, sur deux lits roulants poussés l'un contre l'autre. Je transpirais tellement que tante Lovey se faisait du souci. Les doigts inquisiteurs du Dr Mau m'irritaient. Même si j'étais trop bien élevée pour protester, je ne le foudroyais pas moins du regard.

J'ignorais qui était le Dr Mau et je ne comprenais pas pourquoi tante Lovey et oncle Stash nous avaient emmenées le voir ni pourquoi ils avaient semblé si angoissés à l'idée de ne pas nous accompagner dans la salle. Le ton de tante Lovey était respectueux, mais elle demeura inébranlable dans son refus de nous laisser seules. Je me souviens que le

Dr Mau, après nous avoir palpées et sondées pendant au moins une heure en discutant avec les autres médecins dans une langue étrangère, finit par poser ses yeux noirs sur les miens. S'il se rendit compte que je le regardais d'un air furieux, il n'en laissa rien paraître. Il m'étudia en souriant pendant qu'il promenait une grosse plume de canard sur les pieds bots de ma sœur endormie. Il portait de l'eau de Cologne. Je n'avais encore jamais senti un tel parfum, à la fois piquant et épicé. (Oncle Stash sentait le sang de bœuf et le tabac à pipe Amphora Red ; tante Lovey sentait le lilas et le Palmolive.)

En observant mes yeux, le Dr Mau continua d'épousseter Ruby avec sa plume blanche grotesque. Pour ne pas la réveiller, il murmura :

— Est-ce que tu sens quelque chose, Rose ?

À voix basse, je répondis sur le ton que je croyais celui de la politesse :

— Non, docteur. Et vous ?

Je n'avais pas eu l'intention d'être drôle ni maligne, mais le Dr Mau éclata de rire.

— La jumelle parasitique est-elle aussi futée ? demanda-t-il en se tournant vers tante Lovey.

Dans mon souvenir, tante Lovey souleva le Dr Mau comme une poupée de chiffon et l'entraîna hors de portée. Le plus probable, je sais bien, c'est qu'elle le tira par la manche ou le pria de la suivre jusqu'à la porte et qu'elle monta le ton, trop en colère pour se rappeler à qui elle s'adressait. Je ne pouvais pas me tourner pour la voir, mais j'entendais tante Lovey siffler comme un serpent et le mot obscène murmuré par l'un, puis par l'autre, à répétition : « parasitique, parasitique ».

À son retour devant la table d'examen, le Dr Mau, avec ses yeux noirs larmoyants, était un homme transformé. Peut-être était-il contrit après le savon que tante Lovey venait de lui passer. Ruby se réveilla lorsque le médecin la piqua par inadvertance avec le bout pointu de la plume. Sonnée, elle semblait n'avoir aucune idée de l'endroit où elle se trouvait. Le Dr Mau lui sourit et lui expliqua qu'il était un vieil ami, un vieil ami médecin, et qu'il s'assurait simplement qu'elle était en bonne santé. Sans doute Ruby lui rendit-elle son sourire, car il regarda par-dessus moi en direction de tante Lovey, d'oncle Stash et des autres médecins.

— En tout cas, celle-ci est très jolie.

Cette fois-là, tante Lovey ne souleva pas le médecin et ne l'entraîna pas non plus hors de portée. Oncle Stash et elle se rapprochèrent plutôt pour mieux voir et ils sourirent à leur tour parce qu'il avait dit la vérité.

SAC À POUX

Sentant l'huile à moteur et les navets au beurre, et incapable de dire un seul mot d'anglais, Callula Crezda, treize ans, fit son entrée en quatrième année à l'école publique de Leaford. Le directeur la conduisit dans notre classe et Mlle May, en fronçant les sourcils, lui assigna une place au fond. Callula avait deux ans de plus que les aînées de la classe de quatrième, Ruby et moi. Elle avait des yeux noirs qui louchaient, des cheveux noirs et raides, un gros grain de beauté sur la joue droite. Elle portait une tunique brune, un chemisier blanc sur lequel on voyait une tache de café et des bottes en caoutchouc pour garçons, noires avec une bande rouge sur le dessus. Les élèves de quatrième année (qui nous toléraient, Ruby et moi, parce que nous étions des filles du coin et que leurs parents les avaient menacés de mort en cas d'inconduite) avaient le plus grand besoin d'une cible, et ils la trouvèrent en cette immigrante atteinte de strabisme. Trois minutes après son arrivée, tout le monde comprit que Callula Crezda était un « sac à poux ».

Callula vivait dans une minuscule maison de location à côté de la voie ferrée en compagnie de son père, qui était énorme et sauvage, boitait en marchant et ne travaillait pas, et de sa mère, une femme corpulente qui souriait sans arrêt de toutes ses dents et portait un fichu noir. Cette dernière trouva du travail comme nettoyeuse de cuves à la conserverie, et bientôt Callula arriva en classe avec un cache-œil de pirate noir (pour corriger son strabisme). Je suppliai tante Lovey de m'en acheter un, mais Ruby déclara qu'elle refuserait d'aller à l'école si je portais un truc pareil.

Ma sœur et moi parlions sans cesse de Callula. Pas entre nous (jamais entre nous), mais avec tante Lovey et oncle Stash, à table, le soir, lorsqu'ils nous interrogeaient sur notre journée. Ruby se chargeait du récit ; je me contentais d'apporter des précisions. Un jour, par exemple, un garçon avait laissé tomber son livre d'orthographe, lequel avait atterri en plein sur la tête de Callula. Convaincue qu'il l'avait fait exprès, Callula l'avait frappé sur la tête avec son propre livre d'orthographe. Une autre fois, à la récréation, un rasoir jetable était tombé du sac de Callula, et celle-ci s'en était servie pour menacer une autre fille. Ruby raconta même que Callula s'accrochait au sommet des barres de suspension et laissait voir à tout le monde ses sous-vêtements sales. En entendant les histoires sur Callula Crezda, tante Lovey et oncle Stash grimaçaient et secouaient la tête.

— Pauvre petite, disait tante Lovey.

Elle n'éprouvait jamais la même pitié pour Ruby et moi.

Un jour, pendant la saison de la grippe, Callula vomit du porridge. À la vue d'un tel gâchis, ma sœur à l'estomac délicat vomit à son tour, et nous arrivâmes au bureau de l'infirmière en même temps. Callula était à l'autre bout de la pièce. Assise en silence, les yeux vitreux, elle ne nous vit pas entrer. Pendant que Ruby gémissait à côté de moi, j'observai Callula. Son pull boulochait salement. Elle avait de la crasse sous ses ongles rongés, une croûte jaunâtre autour du nez. Ses collants sales étaient filés et parsemés de trous.

— Salut, Callula, murmurai-je, même si elle ne pouvait pas m'entendre.

Ruby me pinça férocement. Elle était terrorisée par Callula et par d'autres choses que je ne comprenais pas.

La nuit qui suivit notre bref passage à l'infirmerie, un train de marchandises dérailla et vint percuter l'arrière de la petite maison que louaient les Crezda. À quatre heures du matin, un convoi de wagons transportant des céréales traversa Leaford dans un bruit de tonnerre, ses roues grinçant sur les rails mouillés, comme pour défier l'orage qui s'abattait sur la ville. Le dernier wagon, chargé de maïs de semence, se détacha du train, quitta les rails, dévala le talus et arracha l'arrière de la maison des Crezda avant de se renverser, de rouler sur lui-même et de s'immobiliser enfin contre la colline qui prenait naissance au bout de la route.

À six heures du matin, sous une pluie battante, tout Leaford, y compris tante Lovey, oncle Stash, Ruby et moi, observait les restes de la pauvre maisonnette. (Le journal de London publia une photo de la famille d'immigrants serrés sur la banquette avant de leur vieille voiture : le père Crezda avait la mine renfrognée, la mère Crezda souriait de toutes ses dents et Callula, affublée de son cache-œil de pirate et d'un mince pyjama en coton, croisait les bras sur sa poitrine naissante.) En contemplant la maison et le train en arrière-plan, oncle Stash secoua la tête.

— Nous ne pouvoir rien faire.

Il haussa les épaules d'un air sombre.

— Nous partir.

Tante Lovey opina du bonnet.

— Les autres restent, se plaignit Ruby.

— Ça être tragédie, Ruby. Pas spectacle.

Tante Lovey confirma d'un geste de la tête, mais elle ne broncha pas.

Au loin, je voyais Callula grelotter dans la voiture, entre son père et sa mère. Elle avait l'air cireuse et blême, moins fâchée que vaincue. J'étais décontenancée par mon désir de fuir.

Tante Lovey nous suggéra d'aller dire un mot à notre camarade de classe. Lorsque je lui demandai ce qu'il fallait dire, tante Lovey sembla étonnée.

— Dis simplement à cette pauvre fille que tu es désolée de ce qui est arrivé à sa maison.

Si je me déclarais « désolée », Callula ne risquait-elle pas de croire que je lui présentais des excuses ? Je jugeai mauvais le conseil de tante Lovey. Pourquoi voudrais-je que Callula Crezda me croie responsable du déraillement ?

— Je ne veux pas y aller, dis-je.

Au contact du train, les cloisons intérieures de la maison des Crezda, celles qui séparaient les deux chambres et le salon, à l'avant, de la cuisine, de la salle de bains et de la buanderie, à l'arrière, s'étaient écroulées, et le mobilier s'offrait à la vue de tous. Dans le salon, une table basse couverte d'égratignures, posée entre deux fauteuils rouges déchirés, un canapé défoncé et, à côté, des piles de livres — non pas des livres de poche comme ceux de tante Lovey, mais des grands formats cartonnés à la tranche marine et au lettrage doré. Un petit matelas à même le sol dans chacune des chambres, quelques sacs-poubelles renfermant des vêtements entassés dans un coin. Des icônes chrétiennes de guingois sur les murs jaunes ébranlés.

Les Crezda — le père, la mère et Callula dans son pyjama de coton — restaient assis en silence. La pluie cessa. Les badauds continuaient d'affluer. Des curieux venus du comté de Raleigh et de Harwich apportèrent des chaises pliantes et des jumelles. Derrière le volant de la voiture immobile, les yeux de M. Crezda s'assombrirent encore davantage.

Puis, les corneilles arrivèrent. Un nuage noir qui, après nous avoir survolés, s'abattit comme une cape sur le maïs renversé.

(Leaford est la capitale mondiale des corneilles. Une armée comptant quelques milliers d'oiseaux au plumage noir lustré a choisi le comté de Baldoon comme cantonnement : ils font bombance dans les champs de maïs et, le jour de la cueillette des ordures ménagères, se livrent des guerres de territoire sans merci. Chaque année, quelqu'un accouche d'une idée lumineuse pour les éloigner. Certains maires de Leaford ont été élus sur la foi de leur programme d'éradication des corneilles. Lorsque Ruby et moi avions quinze ans, on avait ainsi retenu les services d'un fauconnier dont les oiseaux de proie devaient en principe flanquer la frousse aux corneilles. Cette année-là, les corneilles furent si nombreuses que les monomoteurs dont se servait Zimmer pour répandre des pesticides sur les champs ne pouvaient pas utiliser l'aéroport de Leaford sans courir à la catastrophe. Les fermiers les plus aguerris n'avaient encore jamais vu les corneilles se comporter de cette manière : turbulentes et hostiles, elles se déplaçaient en grand nombre — les volées comptaient jusqu'à mille individus —, ne faisaient qu'une, s'approchaient dangereusement des humains, se bagarraient en plein ciel.)

Tandis que les corneilles tournoyaient et plongeaient tour à tour, quelques curieux ouvrirent leur parapluie. D'autres regagnèrent leur voiture. Pourtant, certains, résolus à ne pas quitter les lieux du carnage, envahirent les vestiges de la maison des Crezda et firent comme chez eux. Comme l'attention s'était déplacée du déraillement vers les bêtes noires ailées, ils s'installèrent sur les matelas avec leurs bottes boueuses et posèrent leur gros derrière sur les fauteuils rouges déchirés.

Je ne suis sûrement pas la seule à avoir vu le père de Callula surgir de la voiture et se précipiter vers la maison coupée en deux. Personne ne comprenait un mot à ce qu'il criait — car il vitupérait en serbo-croate —, mais on ne pouvait pas se méprendre sur le sens de ses propos. Il se hissa sur les fondations, entra dans sa demi-maison et chassa les intrus en leur assénant des claques et des coups de pied au derrière. Oncle Stash nous obligea à partir avant la fin.

Le lendemain matin, mes bottes s'enfonçant dans la boue de l'allée non pavée, mes narines respirant la puanteur porcine venue de la ferme des Lapiere au sud, les corneilles croassant bruyamment dans le champ de maïs, Ruby et moi nous sommes dirigées vers la route et notre abri. (Fait de feuilles d'aluminium ondulées, il avait un toit argenté bombé et un hublot de bateau. Oncle Stash avait mis huit jours à le construire. À la campagne, tous les enfants avaient une sorte de cabane où attendre l'autobus à l'abri des intempéries. En général, il s'agissait de constructions rustiques faites de bouts de bois réunis au hasard, peu inspirées, jamais peintes ou presque. Dans le comté, notre abri était unique : on aurait dit un vaisseau spatial, une navette pour extraterrestres, un sous-marin renversé. Maintenant que j'y pense, il avait aussi quelque chose de phallique — d'où peut-être les ricanements qui résonnaient au fond de l'autobus à notre arrivée. Mon Dieu ! Que devait penser Frankie Foyle en nous voyant émerger, Ruby et moi, de notre pénis en argent géant ?)

Pendant que nous attendions dans notre tige argentée l'autobus jaune qui nous transbahuterait jusqu'à l'école élémentaire de Leaford, je songeai à demander à Callula ce qu'elle avait ressenti lorsque le train avait sectionné sa maison. Je craignais toutefois qu'elle ne prenne mal ma question. Dans l'autobus, on ne parlait que du déraillement et de l'infortune des Crezda. J'éprouvais une sourde angoisse : l'accident risquait-il de conférer à Callula un statut si élevé qu'elle ne s'abaisserait jamais à devenir l'amie d'enfants comme Ruby et moi ? En arrivant en classe, nous trouvâmes la place de Callula inoccupée. On l'avait fait monter en cinquième année. Avec des enfants plus vieux et plus hardis, elle aurait la vie encore plus difficile, mais je partageais le soulagement de Ruby.

— Sac à poux, sac à poux, sac à poux, scandaient les enfants en la croisant (lorsqu'il n'y avait aucun enseignant dans les parages).

Pendant la récréation, des garçons, à force de taquineries, poussaient Callula à les poursuivre dans les champs verdoyants. Quelqu'un lui avait enseigné quelques gros mots.

— Mange-moi ! criait-elle à ses bourreaux.

Il est certain qu'elle ne comprenait pas ce qu'elle disait.

Sa famille quitta Leaford avant que Callula ne commence ses études secondaires. Je crus la reconnaître parmi les personnes présentes aux funérailles de tante Lovey. Mais, évidemment, ce n'était pas elle.

~

Revoici Ruby.

Rose ne mange pas. Je sens à ses hanches qu'elle maigrit. Dernièrement, j'ai dû me battre avec elle pour aller sous la douche. Ça ne lui ressemble pas.

Tout ce qu'elle veut, c'est écrire. Penser à écrire ou parler de l'écriture. Une bonne journée, dit-elle, c'est écrire huit pages au lieu de quatre. Elle dit qu'elle a alors l'impression d'avoir perdu quatre à cinq kilos en trop, mais, moi qui n'ai jamais fait d'embonpoint, j'ai du mal à comprendre. Interrogée sur ce qu'elle écrit, elle garde le silence. Je ne sais pas si elle pense à ce qui arrivera à son livre, même à supposer qu'il soit publié. Comme je l'ai déjà dit, je doute que le manuscrit trouve preneur : qui, mis à part d'autres jumeaux conjoints, aura envie de le lire ? Je n'aime pas que ma sœur perde son temps. Surtout maintenant.

Sans compter que je n'y comprends rien. Elle passe des heures devant son ordinateur et elle accouche seulement de quatre pages ?

Ce soir, c'est moi qui l'ai, le mal de tête. À la blague, nous disons que nous nous le passons l'une à l'autre. Mais c'est Rose qui souffre le plus souvent de migraines épouvantables. Le soir venu, a-t-elle confié au Dr Singh, sa tête est une grotte de souffrance. Une grotte de souffrance. Ce sont ses mots. (Je suis parfois un peu gênée d'être avec elle.) Elle a pris un congé à durée indéterminée, ce qui, étant donné notre situation, peut paraître bizarre, dans la mesure où moi je ne l'ai pas fait. Lorsque je suis à la bibliothèque pour faire la lecture aux enfants de l'école, Rose y est aussi, forcément. Mais son travail à elle, qui consiste à ranger les livres sur les tablettes — s'étirer, se pencher, soulever d'autres poids que le mien (ce qui est déjà suffisant) —, risquerait de la fatiguer et de provoquer une rupture prématurée de l'anévrisme.

Dieu merci, Rose participe encore aux périodes de questions et de réponses avec les enfants.

Lorsque nous avons commencé à travailler à la bibliothèque (il y aura sept ans cet automne), je lisais aux groupes scolaires des environs des livres tirés de notre collection pour enfants : *Bonsoir, lune*, *Max et les Maximonstres*, *Le chat chapeauté*, sans oublier tous les livres ayant obtenu une médaille Caldecott et arborant un sceau argenté sur la jaquette. Mais les enfants avaient déjà lu ces livres-là un million de fois avec leurs parents et leurs enseignants. En réalité, ils voulaient parler de nous, de ce que c'était pour deux sœurs d'être attachées par la tête. J'ai donc fait agrandir d'autres photos de jumeaux conjoints. Des célèbres, comme Chang et Eng Bunker, les vrais jumeaux siamois. (Sachez qu'on les a appelés « siamois » parce qu'ils étaient originaires du Siam. Rose et moi, comme les autres jumeaux nord-américains dans la même situation que nous, jugeons bizarre d'être qualifiés de siamois puisque nous avons vu le jour à Leaford et que nous ne sommes pas des chats !) J'ai aussi des photos de Millie et Christine McCoy, jointes par le bas de leurs colonnes vertébrales et nées esclaves en Caroline du Sud. On les a fait venir en Europe, où elles ont chanté pour les têtes couronnées. Sur leurs photos, elles sont toujours superbement vêtues. Violet et Rose Hilton, également jointes par le bas du dos, ont été encore plus célèbres. Elles étaient vraiment très belles et on les a vues dans des films de Hollywood et tout le bataclan. Mes préférés sont les jumeaux italiens Giacomo et Giovanni Tocci, nés à Turin (la ville du saint suaire) à la fin du XIXe siècle. On les qualifiait de « déicéphales » (je ne suis pas sûre de l'orthographe du mot), ce qui veut essentiellement dire que le haut de leur corps était normal, mais que, quelque part au niveau de l'estomac, ils étaient connectés. Ils avaient donc un estomac, un pénis et deux jambes, mais, comme ils en avaient une chacun, ils n'ont jamais appris à marcher. J'ignore lequel des deux avait la propriété du pénis. En les voyant, leur père a eu une crise de folie. Par la suite, il a fait fortune en les exposant un peu partout. C'est ce qui est arrivé à Chang et Eng, à Millie et Christine et à la plupart des jumeaux conjoints de l'histoire. Les frères Tocci étaient blonds et mignons comme tout. On les appelait « le garçon à deux têtes », ce qui devait beaucoup leur déplaire.

Autrefois, je montrais aussi des photos de Laleh et Ladan Bijani, des Iraniennes réunies par la tête comme Rose et moi. Elles étaient brillantes et accomplies — l'une journaliste, l'autre avocate —, et Rose avait un complexe d'infériorité chaque fois qu'elle entendait parler d'elles parce qu'elle-même n'était pas allée à l'université, et je pense que c'est ce qu'elle aurait voulu par-dessus tout. Il y a deux ou trois ans, les jumelles Bijani ont décidé de se faire opérer pour être séparées. Même si d'éminents spécialistes leur avaient dit que la tentative était vouée à l'échec, elles ont décidé de risquer le coup. Elles sont mortes toutes les deux et, par conséquent, je ne montre plus leurs photos aux enfants.

Hier, un garçon de huit ans, élève de l'école néerlandaise de Chatham, nous a demandé si nous faisions caca en même temps. Ce n'était pas la première fois qu'on nous posait la question. Nous avons expliqué au garçon que, au contraire de nos têtes, nos corps ne sont pas soudés : nous mangeons à des heures différentes et nous déféquons (Rose tient toujours à enrichir le vocabulaire des bambins) séparément. Une petite fille a ensuite voulu savoir si nous faisions pipi ensemble. Nous avons beau le répéter sur tous les tons, les enfants ont de la difficulté à comprendre que nous ne partageons ni un cerveau ni un corps. Certains adultes ont également du mal à saisir. Pour faire comprendre aux enfants la séparation de nos corps et de nos fonctions, notre patronne, une vieille dame prénommée Roz qui travaille à la bibliothèque depuis environ cent trente ans, a cousu des poupées soudées à la hauteur du crâne par des bouts de velcro. Roz a un garçon atteint de la sclérose en plaques. Bon, en principe, il n'est plus un garçon puisqu'il a près de cinquante ans, mais elle l'appelle son garçon. Il ne parle pas. Il ne marche pas. Il est incapable de se nourrir et de s'habiller tout seul, et il porte des couches pour adultes. Il s'appelle Rupert et il travaille à la bibliothèque, lui aussi. Enfin, nous disons qu'il travaille, mais, en réalité, il reste dans la salle du personnel parce que Roz n'a pas les moyens de lui offrir des soins à domicile et qu'il mourrait de solitude sans sa mère près de lui. Elle est sa meilleure amie, la seule qui le comprend. L'esprit de Rupert ne se détériore pas du tout. Roz soutient qu'il est drôlement intelligent. Il me préfère à Rose. Ces choses-là se sentent.

Je suis contente que Rose ne m'ait pas demandé de prendre un congé. Je m'ennuierais de Roz, de Rupert, de Whiffer, de Lutie et des autres. Et je m'ennuierais beaucoup des enfants. Et je crois que nous leur manquerions aussi. Nous laisserons un vide. Rose et moi n'avons rien dit à Roz ni aux autres à propos de l'anévrisme. Nous ne voulons pas qu'on nous plaigne ni qu'on se fasse du souci pour nous.

Depuis qu'elle a commencé à écrire son livre, Rose me demande à tout bout de champ : « Te souviens-tu de ceci ? Te souviens-tu de cela ? » Elle a voulu savoir si je me rappelais l'incident des pépites de chocolat lorsque nous avions douze ans et celui des cheveux lorsque nous étions au secondaire. J'ai voulu savoir si elle parlait de l'incident des pépites de chocolat et de celui des cheveux dans le livre, et elle a répondu qu'elle ne voulait pas parler de ce qu'elle écrivait et que je devrais faire de même. Dans ce cas, ai-je dit, cesse de me demander : « Te souviens-tu de ceci ? Te souviens-tu de cela ? »

Bon, d'accord : je croyais grignoter des pépites de chocolat tombées derrière le bol de fruits sur la grande table de la cuisine. En l'occurrence, c'étaient des crottes de souris. Ayant un vilain rhume, je ne goûtais rien. Quoi qu'il en soit, je n'ai pas hurlé en disant que j'avais besoin d'un lavement d'estomac et je n'ai pas fait semblant de perdre connaissance pour que tante Lovey m'emmène à l'hôpital. Je suis vraiment tombée dans les pommes et, même si ça peut sembler drôle aujourd'hui, ça ne l'était pas à l'époque. Pas du tout, même.

Et l'affaire des cheveux… au cas où elle serait mentionnée. Rose voulait faire défriser ses cheveux pour qu'ils ressemblent plus aux miens. Utiliser un produit conçu pour les cheveux des Noirs trouvé dans un emballage déchiré, au fond d'un bac à soldes, n'était pas l'idée du siècle. Je maintiens que j'avais bien réglé le chronomètre. De toute façon, quand ils ont repoussé, les cheveux de Rose étaient un peu moins frisés, et c'est ce qu'elle voulait au départ.

Parce que nous travaillons à la bibliothèque et que nous avons accès à un grand nombre de livres (en fait, tout le monde y a accès, non ?), nous avons beaucoup lu sur la mort et les étapes par lesquelles nous passerons ou devrions passer. (Je ne suis pas une grande lectrice. Rose m'accuse de paresse intellectuelle et je suppose qu'elle a raison. Comment expliquer, sinon, que je préfère regarder une mauvaise émission de télé que de lire un bon livre ?) Je suis peut-être les étapes à l'envers, mais, depuis que nous avons appris la nouvelle, j'en suis grosso modo au stade de l'acceptation.

Quand nous étions petites, tante Lovey nous a emmenées à la bibliothèque et nous a fait voir un livre énorme rempli de photos de personnes atteintes de difformités. Les photos venaient du musée Mütter de Philadelphie, où on expose essentiellement des spécimens humains. On s'en sert pour former de futurs médecins et aussi pour divertir les amateurs de phénomènes monstrueux. Sur le chemin du retour, Rose voulait parler des images et des difformités, mais je couvais les oreillons ou autre chose et les propos de Rose me donnaient la nausée. Elle voulait savoir si toutes les personnes difformes figuraient dans cet album et si nous y serions incluses après notre mort. Tante Lovey a répondu qu'il appartenait à chacun de décider du sort de ses restes humains. (Le livre est encore à la même place, sur une haute tablette, et Rose le regarde parfois. Je me demande bien pourquoi.)

Tante Lovey a regretté de nous avoir montré le livre parce que, le soir de cette visite à la bibliothèque, Rose est restée intarissable sur le sujet. Elle a posé un tas de questions sur la mort. Tante Lovey nous avait déjà appris que la mort de l'une d'entre nous entraînerait la mort de l'autre. Nous étions jeunes, mais nous comprenions. Elle nous avait également dit que nous risquions de ne pas vivre longtemps. Nous atteindrions peut-être l'âge adulte, mais alors les veines entremêlées dans nos têtes nous causeraient sans doute des ennuis (prédiction confirmée), sans compter que je souffre de problèmes intestinaux qui mettent ma vie en danger et, par le fait même, celle de Rose aussi. (J'étais à deux doigts de subir une colostomie complète lorsque les médicaments ont enfin commencé à faire effet.) Les médecins que nous avons consultés au fil des ans ne nous ont pas toujours dit la vérité, mais, sur ce plan, nous pouvions compter sur tante Lovey. Elle était d'avis que les patients doivent pouvoir faire des choix éclairés. Je suppose que certains considéreraient sa franchise comme une forme de cruauté.

Rose et moi sommes les plus vieilles jumelles craniopages survivantes du monde, et nous n'avons que vingt-neuf ans. À vingt-neuf ans, une personne moyenne a fait un grand nombre de choses (université, mariage, carrière, enfants, voyages) que nous n'avons pas faites, et c'est pour cette raison que nous passons pour plus jeunes que nous le sommes en réalité. Par contre, nous avons appris sur la vie des choses que la personne moyenne ne découvrira que beaucoup plus tard. Rose prétend que nous ne devons pas nous leurrer, que nous sommes vraiment très naïves. Mais je pense qu'on peut être à la fois naïf et sage. Tante Lovey était comme ça.

(Tante Lovey était d'avis qu'on pouvait séparer les gens en trois catégories : ceux qui aiment les enfants, ceux qui aiment leurs enfants et ceux qui n'aiment pas les enfants et qui ont des animaux de compagnie qu'ils appellent « Bébé ». À bien y penser, je pense qu'il faudrait ajouter une catégorie pour Mme Merkel : ceux qui traitent leurs animaux comme des enfants parce qu'une tornade leur a enlevé leur fils unique.)

Quand nous étions petites, tante Lovey nous déposait au centre de la baignoire, Rose et moi. Nous avions chacune un jeu de tasses empilables. Nous aimions nous verser de l'eau sur la tête, et tante Lovey disait qu'il était intéressant de constater que, le plus souvent, nous empilions nos tasses ensemble. Nous avions des personnalités différentes, mais notre instinct nous poussait en général à coopérer. La coopération, disait-elle, était la condition de notre efficacité et de notre survie.

Tante Lovey avait un gros arrosoir en plastique vert qu'elle remplissait d'eau tiède. Après avoir shampouiné nos cheveux, elle disait :

— Fermez vos yeux, les filles. On dirait qu'il va pleuvoir.

Elle inclinait l'arrosoir, et les gouttes tièdes tombaient sur nos têtes et sur nos visages, emportant le shampoing. L'opération semblait durer des heures. Pourtant, nous n'en avions jamais assez. Quand je pense à tante Lovey, je sens de l'eau tiède dégouliner sur mon visage et mon dos, et je sens l'odeur d'herbes vertes du produit contre les pellicules qu'elle utilisait pour Rose.

Après le bain, tante Lovey nous déposait sur le lit et dénouait les deux serviettes cousues ensemble dans lesquelles elle nous avait emmaillotées.

— Mange-nous toutes rondes, tante Lovey ! criions-nous. Mange-nous toutes rondes !

Et elle nous embrassait le ventre jusqu'à ce que nous la suppliions d'arrêter. Puis elle enduisait d'huile d'olive la peau sèche de Rose et mettait un onguent à la cortisone sur ses plaques rouges, puis elle me séchait les cheveux et me faisait une queue de cheval sur le côté (la seule coiffure qui me convienne vraiment) ou remontait mes cheveux à l'aide de barrettes en forme de papillons. (Rosie prétendait que le séchoir faisait frisotter ses cheveux. Tante Lovey devait donc orienter le bec avec soin.)

La semaine dernière, nous avons discuté de notre anniversaire imminent. Aucune de nous n'a dit « si nous nous rendons jusqu'à trente ans », ce qui est bien, car je crois fermement au pouvoir de la pensée positive. Cependant, nos opinions sont si divergentes sur la façon de souligner l'événement que je crains que nous devions tirer au sort. Nous n'avons pas souvent recours à cet expédient : en général, nous arrivons à un compromis (ce qui signifie que je finis par céder). Parfois, j'ai envie de me montrer aussi obstinée que Rose et nous jouons à pile ou face. Pour notre bal de fin d'études, par exemple, Rose a pensé qu'il serait amusant de porter un smoking plutôt qu'une robe. (J'ai gagné, et Rose a enfilé une affreuse robe de grand-mère bleu marine juste pour jouer les rabat-joie et moi, une robe en taffetas vert glauque d'époque que tante Lovey a raccourcie et fait froncer à la taille.) Et je songe aussi à la fois où Rose a voulu écrire à la Fondation Rêves d'enfants, malgré l'interdiction formelle de tante Lovey, qui soutenait que nous priverions d'une occasion unique un enfant vraiment malade, ce que nous n'étions pas. (Cette fois-là, j'ai perdu, et Rose a envoyé une lettre accompagnée d'une photo de nous, mais nous n'avons jamais eu de réponse, ce qui montre bien que tante Lovey avait raison. Ou encore, le silence de la Fondation s'explique peut-être par le fait que Rose a écrit que notre souhait le plus cher était de rencontrer la reine d'Angleterre, ce qui, quand on y pense, n'est pas très crédible.)

Écoutez bien ceci. Pour célébrer nos trente ans, le fait que nous ayons déjoué les probabilités, en particulier les plus récentes, Rose veut que nous commandions une pizza et que nous buvions une bonne bouteille de champagne au lit. Je ne supporte pas l'alcool, et elle est parfaitement au courant. Notre sang s'entremêle dans la portion commune de notre cerveau : l'alcool qui entre dans son système sanguin entre aussi dans le mien. Nous ne pouvons pas boire et nous devrions nous en abstenir, car c'est dangereux. Si Rose perd l'équilibre et tombe, nous risquons gros, toutes les deux. C'est pour cette raison qu'elle veut boire le champagne au lit. Je lui ai rappelé que, tôt ou tard, elle devrait se lever pour aller faire pipi.

Pour ma part, je penche pour une fête surprise. Je dirai à Rose que le taxi nous conduit à un restaurant chic sur le chemin de la rivière. Je lui expliquerai ensuite que j'ai oublié mon sac à la bibliothèque et que je dois arrêter le prendre dans la salle du personnel. C'est là qu'aura lieu la fête ! Il y aura Roz, Rupert, Whiffer et Lutie, le Dr Ruttle et Richie, Mme Todino (la voisine), si elle se sent d'attaque, et, puisqu'il vit avec elle, son fils Nick. J'inviterai aussi les Merkel, mais ils ne viendront pas.

J'ai toujours eu envie d'une fête surprise. L'idée est d'autant plus séduisante que la fête sera pour Rose. Il ne faut pas que j'oublie de demander à Roz d'apporter quelques miroirs et à Whiffer de venir avec sa caméra vidéo. Je ne veux surtout pas rater la tête que Rose fera !

Je viens de me rendre compte d'une chose. Si nous ne célébrons pas cet anniversaire (à la façon de Rose ou à la mienne), personne ne lira ces pages. Notre anniversaire est dans huit semaines seulement et Rose n'aura jamais le temps de terminer son autobiographie en huit semaines. Et qui aura envie de lire l'autobiographie d'une personne morte avant d'avoir terminé ? Je n'ai jamais rien entendu de pareil.

Nous faisons face à la mort chacune à sa façon. Je suppose que Rose veut écrire à ce sujet. Moi, j'ai envie d'en parler. Avec elle. Parce que personne d'autre ne peut comprendre. Et parce que je tiens à ce qu'elle sache que je regrette sincèrement certaines choses. Et j'ai peur qu'elle ne me laisse pas le lui dire.

~

Dernière semaine de juin, juste avant notre seizième anniversaire. Mes cheveux repoussaient en touffes foncées et crépues après la tentative bâclée de ma sœur de les défriser à l'aide du mauvais produit. J'étais horrible — et malheureuse. Leaford en était au cinquième jour d'une canicule impitoyable, et Ruby et moi sortions du gymnase de l'école, où l'examen de mathématiques de la onzième année venait d'être annulé à cause des corneilles. Un bataillon de ces volatiles avait pris position sur la pelouse infestée de vers du terrain de football américain et refusait obstinément de bouger. La symphonie de croassements était si gênante que le directeur fixa un examen de substitution au lendemain.

Ce jour-là, certaines de trouver tante Lovey sur les marches de l'école, comme toujours, Ruby et moi quittâmes le gymnase qui sentait le renfermé et trouvâmes à la place la petite Nonna toute décharnée. Vêtue de noir de la tête aux pieds, elle s'épongeait les yeux avec un mouchoir blanc immaculé en se tordant les mains comme une actrice de série B. Nonna s'avança vers nous dans le couloir.

— Votre oncle Stash, s'écria-t-elle d'une voix étouffée, a la crise du cœur.

Tremblante, Nonna, qui ne possédait pas de voiture (je la soupçonne de ne pas avoir eu de permis de conduire non plus), nous emmena à l'hôpital St. Jude's à bord de la vieille Duster rouge d'oncle Stash. Là, nous trouvâmes tante Lovey en grande conversation avec le Dr Ruttle fils (qui serait désormais le Dr Ruttle père puisque son fils, Richie, venait de terminer ses études de médecine). À notre entrée au service des urgences, je ne reconnus pas tante Lovey. Elle avait emprunté un pull noir et ses boucles grises étaient toutes décoiffées parce qu'elle était au salon pour un shampoing et une mise en plis quand elle avait reçu le coup de fil de la boucherie Vanderhagen's.

— Les filles, souffla-t-elle en nous voyant. Les filles.

— Les vingt-quatre prochaines heures seront décisives, dit le Dr Ruttle « fils » en tournant les paumes vers le ciel pour rappeler à son ex-infirmière préférée qu'il avait fait tout ce qu'il pouvait.

Ce soir-là, nous rentrâmes à la maison de ferme avec Nonna, et ce fut la seule nuit que nous passâmes sans tante Lovey jusqu'au jour de sa mort. À la maison, nous parlâmes peu, toutes les trois. Nous fûmes dispensées de nos corvées habituelles, Ruby et moi, et nous restâmes allongées sous le saule jusqu'à la fin de cette journée d'une chaleur mortelle. Je revis mes notes sur *Les raisins de la colère* pour l'examen de littérature du lendemain, même si j'étais certaine de le rater pour cause de mortalité dans la famille. Ruby écouta de la musique douce sur la radio portative d'oncle Stash. Bien qu'inscrite au cours de littérature, elle aussi, elle n'avait pas encore lu le roman et ne pouvait donc pas réviser ses notes.

À l'heure du repas, Nonna nous rappela à l'intérieur. Elle jeta un coup d'œil dans le réfrigérateur et décida qu'il n'y avait rien à manger.

— Je reviens, annonça-t-elle.

Elle grimpa dans la vieille Duster et, en zigzaguant sur la route de campagne, s'éloigna à vive allure. Elle revint au bout de ce qui nous sembla des heures avec une montagne de mortadelle emballée dans du papier d'aluminium, du pain blanc, un sac de chips géant et un dessert sous cellophane. Nous fûmes enchantées, Ruby et moi, jusqu'à ce que nous nous souvenions d'oncle Stash. Nous ne pûmes rien avaler.

Il me fallait tous les détails. Quand ? Où ? Oncle Stash avait-il lui-même téléphoné au service des urgences ? Dans le cas contraire, qui l'avait trouvé ? Comme on ne me disait rien et que personne ne posait de questions, je songeai qu'oncle Stash avait dû connaître l'horreur. Je suppliai Nonna de tout raconter. Cette dernière hésita jusqu'à ce que Ruby déclare :

— Je veux savoir, moi aussi.

Ce matin-là, en entendant à la radio que la vague de chaleur extrême que connaissait Leaford se poursuivrait au moins une journée de plus, oncle Stash faillit téléphoner pour dire qu'il était malade, chose qu'il n'avait encore jamais faite en vingt-sept ans de service chez Vanderhagen's. Ce matin-là, il devait se rendre à Harwich pour rencontrer un éleveur de bétail du nom de Berb Foyle, considéré comme un cinglé et un emporté. Quelques années auparavant, Berb avait été soupçonné de meurtre et détenu par la police. Même si aucune accusation n'avait été portée contre lui et qu'il n'était coupable de rien, les gens gardaient leurs distances. Et plus ils restaient à l'écart, plus Berb devenait cinglé. Il avait accueilli le releveur du gaz en le menaçant d'une binette. Et il avait chassé le responsable de la qualité de Vanderhagen's lorsque celui-ci avait cogné à sa porte la semaine précédente. La direction avait demandé à oncle Stash d'avoir un entretien avec lui parce que la vieille mère de Berb, qui était slovaque, avait l'habitude de fréquenter la boutique et trouvait oncle Stash particulièrement serviable. Si quelqu'un pouvait parler à Berb, croyait le patron de Vanderhagen's, c'était oncle Stash. Pas moyen de refuser. Mais là, à l'idée d'affronter le géant aux yeux hagards, oncle Stash avait des nœuds dans l'estomac.

Depuis quelques jours, il ne se sentait pas bien et, avant de partir au travail, ce matin-là, il s'en était plaint à tante Lovey. Elle avait tapoté son ventre rond et dur et lancé à la blague :

— Pour toi, ma petite côtelette, fini les saucisses.

Oncle Stash monta dans sa vieille camionnette de travail, qu'il garait chaque soir derrière la Duster, et mit le cap sur le comté de Harwich. Il n'était plus qu'à quelques kilomètres de sa destination quand le moteur remis à neuf commença à fumer. Oncle Stash jura, puis, en marmonnant en slovaque, il repartit à pied. Aux abords de la ferme de Foyle, il était en nage.

Oncle Stash voyait le vieux fermier au milieu de ses plants de tomates, appuyé sur sa binette comme un épouvantail. Il n'admirait pas les jeunes plants. D'un air sombre, voire méfiant, il contemplait plutôt la dense frondaison des érables qui se dressaient de part et d'autre du fossé large et profond, leurs branches si intimement mêlées que les arbres donnaient l'impression de ne former qu'un. Oncle Stash savait que Berb Foyle n'était pas un meurtrier (la découverte d'ossements dans sa propriété avait été à l'origine d'un grave malentendu), mais il avait l'air d'un fou, et c'était en soi effrayant. Seul un fou aurait pu fixer les arbres d'une telle manière. Comme s'ils étaient vivants. Comme s'ils lui voulaient du mal. Au loin, derrière le vieux Berb, se profilaient une douzaine de vaches sous-alimentées. Oncle Stash, nauséeux à cause de la chaleur, s'approcha.

Sans quitter les hauts érables des yeux, Foyle, campé de l'autre côté du fossé, cria :

— T'as vu mon berger, Darlen ?

Oncle Stash secoua la tête. Il avait compris que Berb voulait parler de son chien, un berger allemand. Or, il n'avait pas vu de chien sur la route.

— Tu connais mon garçon ? demanda Foyle, les yeux toujours rivés sur les arbres.

Oncle Stash fit signe que oui. Le fils adolescent de Foyle, Frankie, nous précédait d'une année à l'école secondaire de Leaford, Ruby et moi. Frankie passait la moitié de son temps avec son père sur la ferme et l'autre moitié avec sa mère à Leaford dans la petite maison de Chippewa Drive que sa mère louait à tante Lovey et oncle Stash (celle où nous habitons aujourd'hui). À l'école, Frankie était le seul élève à avoir un père fou et des parents séparés.

Berb Foyle ne quittait pas les arbres des yeux.

— J'ai frappé le chien, dit-il. J'ai frappé le maudit chien.

Oncle Stash attendit un moment, puis il demanda :

— Avec la binette ?

Berb se tourna vers oncle Stash qui, au bord de la route, avait la couleur de la cendre.

— Avec le tracteur, Darlen.

— Ah bon.

— J'ai frappé le maudit chien avec le maudit tracteur et il s'est caché dans les buissons.

Oncle Stash ressentit un élan de sympathie pour le chien et pour Berb.

Le vieux fermier souleva sa main gauche et montra la lointaine silhouette de son fils.

— Le garçon le cherche.

Oncle Stash hocha la tête. Il fallait trouver le chien.

— Il a la carabine.

Oncle Stash hocha de nouveau la tête.

Berb Foyle se retourna pour le regarder enfin.

— T'as pas de camionnette, Darlen ? T'es venu à pied jusqu'ici ? Entre. Je te donnerai de l'eau et nous parlerons de mes animaux.

En marchant vers la maison, oncle Stash se sentait faible. Il ne savait pas comment interpréter l'accueil du fermier fou. Dans la cuisine étouffante, il se servit un verre d'eau trouble, et le fermier sortit, sans doute pour se laver les mains. Oncle Stash avala le premier verre d'eau d'un trait. Puis, il en but rapidement un deuxième, encore un et deux de plus, et encore un dernier, et il se sentit enfin mieux. Oncle Stash accepta la Molson Golden glacée que lui tendait son hôte (même s'il n'était pas midi et qu'il était au travail) et se dit qu'il avait mal jugé le vieux.

Ils burent leurs bières en échangeant des futilités sur les Tigers de Detroit, puis un coup de feu retentit dans le champ voisin. Ils restèrent silencieux pendant un moment. Oncle Stash, faisant preuve d'une délicatesse dont il n'avait pas coutume, dit :

— Ton bœuf nous poser problème, tu sais.

Le vieux fermier se leva brusquement, traversa la cuisine et ouvrit la porte. Une chaleur cuisante entra aussitôt.

— Fous-moi le camp, Darlen.

Oncle Stash fut aussi surpris par ce dénouement qu'il l'avait été par l'accueil du fermier. Ce dernier tremblait de la tête aux pieds.

— Je te dis de foutre le camp.

Un fermier déséquilibré. Une carabine sortie de son râtelier. Oncle Stash n'eut d'autre choix que de s'en aller, et plus vite que ça. En s'engageant dans l'allée d'un pas titubant, il se rendit compte qu'il avait ingurgité des litres d'eau, sans parler de la bière, évidemment, et qu'il avait un urgent besoin de se soulager. Il se dirigea vers la route, en bordure des terres de Foyle, et descendit lourdement dans le fossé. Pantelant, en sueur, il défit son pantalon, qui tomba sur ses chevilles. Il laissa fuir un jet régulier et soupira d'aise. Il s'apprêtait à remonter son pantalon lorsqu'il sentit soudain des crocs aiguisés transpercer le muscle de son cœur, l'agripper et le serrer. Il porta les mains à sa poitrine et tomba à la renverse, cul nu dans le fossé où poussaient des lis sauvages, sous la frondaison des érables conjoints.

Un moment passa. Puis un autre. Et encore un autre. Pour oncle Stash, qui se croyait mort, chacun était un miracle, car le temps aurait dû s'arrêter, cesser d'exister. Il avait toujours la poitrine serrée, le souffle court. Il ouvrit les yeux. Un instant de plus. Puis un autre. Il voyait des points noirs. Lorsqu'il parvint à se concentrer, il constata que c'étaient des corneilles noires, une volée massive réunie dans les érables. Des corneilles, songea oncle Stash malgré la douleur. Le vieux Berb fixait des corneilles.

Un de ces volatiles descendit dans le fossé et, battant des ailes avec effronterie, se posa à quelques centimètres des pieds d'oncle Stash. Celui-ci voulut ruer pour chasser l'oiseau, mais il n'avait pas la force de remuer un orteil. Une deuxième corneille vint rejoindre la première, puis une autre et encore une autre. Brisant leur silence, elles informaient les autres de la présence d'un homme sans pantalon au fond du fossé. Soudain, oncle Stash prit conscience de son horrible vulnérabilité et, de peur d'être trouvé dans cet état ou, pire, de ne pas être trouvé, essaya de se relever. Il essaya de remonter son pantalon. Il essaya de crier. Il se dit qu'il aurait aimé avoir son appareil photo pour immortaliser la scène. En slovaque, il maudit les corneilles :

— *Metrovvy kokot do tvojeje riti,* espèces de petites corneilles merdeuses.

(Ce qui se traduit en gros par : « Fourrez-vous donc un bâton d'un mètre de long dans le cul », espèces de petites corneilles merdeuses.)

Tandis qu'oncle Stash luttait pour rester conscient, des dizaines de corneilles noires descendirent des branches en piqué et vinrent se joindre à lui dans le fossé. L'une d'elles se jucha sur sa poitrine, qu'elle arpenta en vainqueur, ce qui sembla faire rire les autres. Deux ou trois tiraient sur ses lacets dans l'espoir de lui voler ses vieilles chaussures. Du côté gauche, d'autres lorgnaient son alliance en or en discutant du meilleur moyen de l'en déposséder. Il n'y avait plus de points noirs dans les arbres. Les corneilles l'encerclaient.

Bien sûr, au moment où il sombrait dans les ténèbres, oncle Stash comprit que les corneilles n'étaient qu'une hallucination. Elles étaient là, évidemment, mais elles n'avaient ni intentions ni motivations particulières. Elles étaient là, tout simplement, comme chaque fois qu'il se passait quelque chose de mauvais dans le comté de Baldoon.

Puis, ce ne furent plus les corneilles qui obligèrent oncle Stash à ravaler sa peur. Armé de sa carabine, Berb Foyle, soudain apparu au-dessus du fossé, lui mettait la tête en joue. Le coup de feu détona dans les oreilles d'oncle Stash. Ce dernier renonça à la conscience. Il renonça à la peur.

Bien sûr, Nonna ne décrivit pas la scène exactement de cette manière : personne ne connaissait avec exactitude les événements qui avaient précédé la crise cardiaque d'oncle Stash. Elle précisa tout de même qu'oncle Stash avait été découvert dans le fossé de Berb Foyle et qu'il était entouré de corneilles. Le reste, je l'ai reconstitué morceau par morceau, au fil des ans, au fur et à mesure que les détails secrets étaient dévoilés.

L'une des choses que j'ai apprises et qui m'a choquée (dans la mesure où je n'avais aucune difficulté à imaginer Berb Foyle, son œil hagard grossi par le télescope de sa carabine, en train de viser oncle Stash), c'est que le type à la carabine était non pas Berb, mais bien Frankie Foyle. Il avait été attiré par les corneilles et par ce qu'il appela des « hurlements ». Il avait pointé sa carabine vers le fossé parce qu'il croyait que son chien blessé y gisait et qu'il voulait abréger ses souffrances. Le projectile sectionna une quenouille à une trentaine de centimètres de la tête d'oncle Stash.

En nous racontant cette histoire quelques mois plus tard, à bord de l'autobus jaune brinquebalant qui parcourait le quatrième rang recouvert de neige, Frankie rit de l'incident de la quenouille. Instinctivement, Ruby et moi fîmes comme si nous étions au courant du rôle joué par Frankie, même si on ne nous en avait rien dit et que nous ne nous en serions jamais doutées. (Je fus heureuse — plus que j'aurais dû l'être dans les circonstances — d'apprendre que c'était Frankie Foyle qui avait trouvé oncle Stash et failli l'abattre.)

Mais revenons au soir de la crise cardiaque d'oncle Stash. Lorsque le téléphone sonna, Nonna courut dans la cuisine pour répondre. Je l'observai dans le miroir. À chacun des mots que proférait tante Lovey à l'autre bout du fil, Nonna révisait son pronostic, le visage de plus en plus sombre. Il y avait eu un incident. Le cœur d'oncle Stash avait cessé de battre. Les médecins avaient réussi à le réanimer, mais ils ne s'attendaient pas à ce que le patient tienne jusqu'au lendemain. Je recueillis ces bribes d'informations, répétées par Nonna avec son accent à couper au couteau, mais, bien que convaincue de leur exactitude, je n'en croyais pas un mot. Par-dessus tout, il me semblait impossible que tante Lovey n'ait pas demandé à me parler à *moi.* J'étais son second. J'étais *la plus forte.*

Cette nuit-là, Ruby dormit. Quant à moi, j'étais trop en colère pour trouver le sommeil. Ou j'avais trop peur de rêver, je ne sais pas. Lorsque j'ouvris les yeux, à l'aube, je vis une corneille noire sur le rebord de la fenêtre. Elle avait les ailes mouchetées et son bec semblait rouillé. L'oiseau nous examina, ma sœur endormie et moi, de son œil droit, du gauche et encore du droit. Il dodelina de la tête pendant un moment, puis s'envola en croassant. Curieusement, je me sentais insultée.

La sonnerie du téléphone me fit sursauter. J'étais allongée, le bras autour de ma sœur, impuissante, aux prises avec un besoin criant d'entendre la voix de tante Lovey. Après un moment, Nonna entra, vêtue de la robe de chambre laineuse noire qu'elle avait apportée de chez elle. Elle souriait.

Lorsque nous arrivâmes à l'hôpital, oncle Stash avait ouvert les yeux. Mais il n'avait pas encore la force de s'asseoir et il n'était pas encore prêt à parler. Je ne pouvais pas me pencher pour l'embrasser, évidemment, alors je lui ai serré les doigts le plus fort possible. Puis, j'ai entraîné Ruby vers la fenêtre parce que je ne voulais pas qu'il me voie pleurer.

— Leaford est la capitale mondiale des corneilles, dit Ruby.

Pourtant, elle n'avait pas vu la corneille sur le rebord de la fenêtre de notre chambre, ce matin-là, et ne pouvait pas savoir que, en cet instant précis, je pensais justement à l'oiseau.

~

Tante Lovey avait tant d'histoires à raconter. Lorsque nous étions enfants, c'étaient des histoires de son cru nous mettant en vedette, Ruby et moi, mais, avec le temps, elles prirent la forme de souvenirs embellis sur lesquels elle brodait, et elles finirent par prendre de l'ampleur, par s'intéresser à oncle Stash et à elle, à l'époque où ils sortaient ensemble et à leur jeunesse, puis, plus loin encore, à sa mère et à sa grand-mère. Après un certain temps, j'eus l'impression que tante Lovey me confiait les histoires au lieu de simplement me les raconter.

Tante Lovey était d'avis que les gens ordinaires vivaient tous une vie extraordinaire. Seulement, ils ne s'en rendaient pas compte. Ses livres favoris avaient pour sujet les gens ordinaires et leur quotidien. Les polars et les récits de crimes célèbres, très peu pour elle. Un jour, elle avait lu sur un autocollant de pare-chocs : « Dieu est dans les détails. » Elle avait hoché la tête d'un air solennel, mais lorsque Ruby et moi lui avions demandé ce que la phrase voulait dire, elle n'avait pas su nous répondre. Après la mort de tante Lovey, je n'ai pas écrit une seule ligne pendant un an. Même pas dans mon journal. Ruby fut touchée encore plus durement. Pendant un moment, le Dr Ruttle songea à lui prescrire des antidépresseurs, mais il ne savait pas comment je réagirais. (Les médicaments pris par Ruby ont parfois eu sur moi de terribles effets secondaires.) Ruby ne mangeait pas beaucoup et ne dormait pas du tout. Son chagrin restait insensible au passage du temps. La nuit, je sentais qu'elle veillait, qu'elle priait pour que le paradis existe vraiment et que tante Lovey et oncle Stash, en robe blanche, chevauchent les nuages. Parfois, j'eus l'impression que Ruby s'imaginait en train de chevaucher les nuages à leurs côtés. Mais j'avais la très singulière sensation qu'elle était là sans moi.

Nous décidâmes de visiter leurs tombes. Une idée de Ruby. Pour ma part, j'avais des réticences. Étant donné notre première visite au cimetière, j'étais terrorisée à l'idée que ma sœur se donne en spectacle. Nous prîmes un autobus de Leaford jusqu'au cimetière, où nous dîmes au revoir au chauffeur, Joey, après lui avoir promis à deux reprises d'être à l'arrêt lorsqu'il repasserait dans une heure. (Ruby et moi ne vivons pas et ne vivrons jamais dans l'anonymat. À cause de notre situation, on nous traite comme des enfants, ou comme des vieillards. Vous imaginez-vous un chauffeur d'autobus arracher à deux de ses passagères âgées de vingt-deux ans — comme nous l'étions à l'époque — la promesse de ne pas être en retard?)

Je me sentais coupable et responsable du piteux état des lieux, mais j'aimais les hautes herbes qui me chatouillaient les mollets, l'odeur de la terre noire et les haies de cèdres inégales qui voilaient les terres stériles du côté est. C'était le milieu du jour, au milieu de la semaine, et je fus soulagée de constater que nous étions seules au cimetière.

Nous dûmes passer par le vieux cimetière (certaines tombes datent du début du XIXe siècle) pour entrer dans la nouvelle partie. Dans le dédale de croix blanches dégradées par les intempéries et de pierres tombales sur lesquelles étaient gravés des vers décrivant des décès causés par l'enfantement, l'influenza ou le grand âge, je me surpris à ralentir le pas. Derrière chacune de ces pierres, je devinais une histoire extraordinaire, exactement comme tante Lovey l'avait affirmé. J'avais envie de lire toutes les inscriptions et d'imaginer la vie de ces morts. Ruby, insensible aux tombes des autres, s'impatientait.

— C'est par là, Rose. Passé le catalpa.

Plus nous approchions de la partie moderne, plus les pierres étaient grosses : grises, argile, roses et polies, elles étaient dans certains cas ornées d'images peintes à la main, et quelques-unes trônaient au milieu de lots entretenus avec soin, de proprets massifs d'annuelles, de vivaces vaporeuses. Quelques pierres étaient dominées par des arbustes plantés des années auparavant et ensuite oubliés. Nous avions apporté deux pivoines roses — qui se fanaient à vue d'œil — cueillies dans le buisson épineux qui poussait derrière chez Nonna.

Une abeille bourdonna à mon oreille et nous repérâmes la double pierre en granit vert que tante Lovey et oncle Stash avaient eux-mêmes choisie au moment où, des années plus tôt, ils avaient rédigé leur testament. Nous posâmes sur la pierre les deux pivoines odorantes et entrelacées, puis, en privé, nous adressâmes quelques mots à chacun des disparus.

Ruby commença à pleurer. Pas des sanglots, non, mais pis encore : de petits gémissements crispés qui tiraient ses joues et les miennes sans lui procurer le moindre soulagement.

— Tante Lovey dirait que c'est une perte de temps, risquai-je.

— Je sais, répondit Ruby en reniflant.

— Elle dirait que nous ferions mieux de polir l'argenterie.

— Je sais, répéta-t-elle en reniflant de nouveau.

— Ils ne sont pas ici, Ruby.

— Je sais.

— Qu'est-ce que je peux faire, Ruby ?

— Rien.

— Allons attendre l'autobus.

— D'accord.

Au moment où je me retournais, je sentis la main de Ruby, celle qui avait élu domicile sur mon cou et mon épaule et faisait si intimement partie de moi que j'imaginais son pouls lié à mon cœur, et non au sien, lâcher prise subitement. Comme cela ne s'était produit que lorsque ma sœur était très malade, je perdis l'équilibre et nous faillîmes tomber tête première contre le bord tranchant de la pierre tombale de tante Lovey et oncle Stash.

Sous le poids mort que représentait le corps de ma sœur évanouie, je tombai à genoux.

— Ruby, Ruby, Ruby, murmurai-je en la secouant.

Elle ne se réveillait pas.

— Au secours, lançai-je à voix basse en direction de tante Lovey et d'oncle Stash.

Je sentis les paupières de Ruby se soulever.

— J'ai perdu connaissance? demanda-t-elle.

Je n'osais pas me relever. Notre tension artérielle était basse et ma tête tournait. Une fourmi ou un autre insecte (pas question que je me retourne pour mieux voir) me mordait derrière le genou. L'irritation me procura un certain plaisir. Je pense qu'elle m'aida à reprendre mes esprits.

— Qu'est-ce qu'on peut faire, Ruby? Je voudrais pouvoir t'aider.

— C'est l'heure de l'autobus?

Je fis boire à Ruby toute l'eau de la bouteille que nous avions mise dans notre sac à dos et nous mangeâmes chacune un biscuit aux raisins secs (ils étaient faits selon la recette de la mère de tante Lovey, détail qui me faisait plaisir). Nous finîmes par nous lever et nous diriger vers la route. Les herbes longues lacéraient mes mollets. L'abeille nous avait suivies pendant un moment avant de partir rejoindre ses comparses. Je battais l'air autour de nos têtes et, de loin, je devais avoir l'air bizarre. Tout près de l'arrêt d'autobus, dix minutes avant le retour prévu de Joey, je m'aperçus que nous avions oublié le sac à dos près de la pierre tombale. Nous rebroussâmes donc chemin pour aller le récupérer dans l'herbe, là où nous l'avions laissé. Je passai mon pied dans une des courroies pour le rapprocher de ma main. Nous étions sur le point de repartir quand Ruby poussa un hoquet de surprise qui me cloua sur place. En me serrant l'épaule, elle indiqua le haut de la double pierre tombale de tante Lovey et oncle Stash. Les pivoines entrelacées avaient disparu.

Nous parcourûmes les environs immédiats, puis nous vérifiâmes les pierres voisines, au cas où un vandale ou un animal aurait déplacé les fleurs. L'air était quasi immobile. Impossible, donc, d'invoquer le vent. Et pas le moindre écureuil en vue. Nous étions éberluées. Puis, procédant par élimination, Ruby en vint à la conclusion suivante : puisque le coupable n'était ni un animal, ni un vandale, ni le vent, c'était forcément un fantôme (ou plusieurs). De toute évidence, tante Lovey et oncle Stash nous avaient fait signe. Pour nous dire qu'ils étaient bien. Et ensemble.

Cette nuit-là, Ruby dormit pour la première fois depuis des mois. Je restai éveillée et j'écrivis une nouvelle à propos de la tendre supercherie d'une sœur. Je me consolai en me disant que j'avais eu raison de tromper Ruby en lui faisant croire que les fleurs avaient disparu.

Ruby se sentit moins triste. Alors moi aussi.

VOIES IMPÉNÉTRABLES

~

Notre maison en parpaings se trouve au milieu de Chippewa Drive, petite rue droite bordée de maisons en parpaings identiques, chacune avec une fenêtre de part et d'autre de la porte en bois massif. Le genre de maison que dessinent les enfants qui en sont encore au stade des bonshommes allumettes. Sur le plan architectural, les maisons sont toutes les mêmes, mais leurs propriétaires les ont transformées. Bien qu'il s'agisse dans tous les cas de petites maisons sans étage, elles sont aussi différentes les unes des autres que peuvent l'être deux personnes. Il y a un certain temps, Mme Foyle (celle qui a quitté son mari, Berb), même si elle n'était que locataire, a peint la nôtre en vert forêt avec des bordures jaune citron. Elle a installé des décorations de jardin — un elfe monté sur un champignon, un couple de grenouilles en habits de noces, une fée de grande taille aux oreilles pointues et aux ailes de papillon. Un jour, en nous voyant fixer ces objets, Mme Foyle demanda :

— Ils sont tordants, non ?

Un week-end, Frankie, imbibé de gin citron, avait asséné un coup de bâton de golf au couple de grenouilles et massacré l'elfe.

Frankie Foyle était grossier. Et impoli. Et dangereux. Et, d'une certaine façon, héroïque. Il avait sauvé la vie d'oncle Stash (et failli l'abattre dans le fossé après sa crise cardiaque) ; il était, pour Ruby et moi, un véritable objet d'obsession. (Le mot « désir » est trop tiède pour décrire nos béguins.) Nous connaissions Frankie depuis la première année. À l'époque, c'était un garçon potelé et renfrogné, aux cheveux blonds rêches, qui s'assoyait avec nous au fond de l'autobus et parlait sans arrêt de hockey, de baseball et de basketball. C'était à présent un grand gaillard, large d'épaules, au regard ardent, aux lèvres boudeuses et aux boucles qui, sous le soleil, jetaient des reflets dorés. C'était un athlète-né (trop cool pour les sports d'équipe, il faisait des prodiges avec un frisbee) qui, à en croire la rumeur, avait à trois occasions semé les policiers de Leaford engagés avec lui dans une course à pied. Il était populaire et connu de tous, toxico et grand tombeur.

Il m'arrivait souvent de me disputer avec lui à propos du sport. (Nous étions tous deux fans des Tigers et des Pistons de Detroit, mais, inexplicablement, il aimait les Maple Leafs de Toronto ! Les *Leafs*? Quand on vit à Leaford, on encourage les Red Wings de Detroit !) Ruby et Frankie se désolaient de leurs mauvaises notes. Ils échouaient en mathématiques et, presque tous les ans, devaient suivre des cours d'été. (Pour ma part, je n'avais que des « A », sauf en mathématiques, où je recevais des « A+ ».) Pourtant, je devais subir les cours d'été avec Ruby, pour qui les fonctions, les équations, l'algèbre et la géométrie restaient un mystère. Tante Lovey, lorsque je m'en plaignais à elle, répondait :

— Ruby va à l'école d'été pour les mathématiques, mais toi, Rose, tu apprendras une leçon précieuse.

Si j'avais eu une propension à trépigner, je l'aurais fait.

— C'est pas juste, disais-je.

— Eh non. C'est ça, la leçon, répondait-elle en opinant du bonnet.

Ayant appris que la vie n'est pas toujours juste, et encore moins pour une fille collée à sa sœur, je trouvais un certain réconfort dans la certitude que j'avais que Frankie assisterait aux cours d'été et que nous pourrions l'adorer, Ruby et moi, depuis nos pupitres poussés l'un contre l'autre au fond de la classe. Ruby soutenait que Frankie était dégoûtant, mais je savais, comme je sais toujours tout à propos de Ruby, qu'elle était aussi toquée de lui que moi.

Le dimanche après-midi, nous suivions volontiers tante Lovey et oncle Stash jusqu'à la maison de Chippewa Drive. Ils se chargeaient alors des travaux d'entretien, à l'intérieur comme à l'extérieur. Oncle Stash ramassait les feuilles mortes, pelletait la neige, tondait la pelouse et arrosait les fleurs, tandis que tante Lovey, assise dans la cuisine en compagnie de Mme Foyle, buvait du thé en déversant des torrents de sympathie. Parfois, Frankie était à la maison : pour passer le temps, il driblait dans l'allée avec son ballon de basket ou s'allongeait à plat ventre sur la chaise longue en ruine de la cour. (Il avait le dos couvert de vilains boutons rouges.) Nous l'épiions, à l'abri des rideaux. Quand il entrait, nous sortions. Lorsqu'il s'étirait, nous inspirions d'un coup ; lorsqu'il bougeait, nous haletions. Nous espérions qu'il nous verrait ; s'il nous voyait, nous étions dans les affres.

Parfois, il portait un short de gymnastique.

Un beau samedi, nous devions accompagner notre oncle et notre tante à la maison de Chippewa Drive à cause d'un tuyau qui fuyait et ne pouvait pas attendre un jour de plus. Tante Lovey était d'avis que Frankie aurait pu se charger de la réparation. Après tout, il avait dix-sept ans. Mais oncle Stash tenait à s'en occuper lui-même. Après sa crise cardiaque, il avait quitté la boucherie Vanderhagen's. Le désœuvrement lui pesait. Il s'était même mis au golf, avec des résultats catastrophiques.

— Je être le seul Slovaque sur le terrain de golf, disait-il en nous gratifiant d'un clin d'œil. *Hovno !*

Ils s'y rendraient séparément. Une fois les travaux terminés, tante Lovey s'arrêterait à l'épicerie. Oncle Stash rentrerait en camionnette. Je voulais accompagner oncle Stash. Ruby préférait aller avec tante Lovey. C'était toujours comme ça. Nous rîmes un bon coup.

En constatant que Frankie et sa mère étaient absents, nous allâmes chez Nonna et eûmes la déception de la trouver sortie, elle aussi. (Lorsque son fils, Nick, avait téléphoné pour dire qu'il avait besoin d'argent, elle s'était rendue à la gare par ses propres moyens et avait pris le premier train pour Windsor.) Sans nous faire remarquer, nous utilisâmes une porte latérale pour entrer dans la maison louée, Ruby et moi. Je constatai que la porte du sous-sol, en général verrouillée de l'intérieur ou de l'extérieur, était entrouverte. Nous n'étions encore jamais descendues dans le sous-sol. L'accès nous en était strictement interdit. Pareille occasion risquait de ne jamais se représenter.

Je m'approchai de la porte.

— Ne fais pas ça, Rose, murmura Ruby.

Lorsque j'ouvris, cependant, elle ne protesta pas davantage. Son cœur battait la chamade, le mien aussi. Car ce n'était pas un sous-sol ordinaire — Frankie Foyle y dormait. D'où l'interdiction.

Nous connaissions le sous-sol de Frankie, Ruby et moi. À l'école secondaire de Leaford, tout le monde le connaissait. C'était un lieu de légende où Frankie avait des rapports sexuels avec une femme mariée de Chatham, des Canadiennes françaises de l'autre côté de la rivière et, le week-end, des étudiantes du niveau universitaire de Windsor et de London. C'est là que les grands « se défonçaient » et que les élèves cool de l'école faisaient la bringue toute la nuit. Frankie disposait d'un bar garni de bières et d'alcools importés, d'un plateau rempli de préservatifs phosphorescents et d'une chaîne stéréo valant six mille dollars.

En descendant les marches à pas furtifs, Ruby et moi ne dîmes pas un mot de tout cela. Nous décidâmes plutôt que le fait de voir cette fameuse pièce, ne serait-ce qu'une fois, justifiait amplement les conséquences que nous aurions à subir si on nous prenait en flagrant délit. La vérité, c'est que nous étions certaines de ne pas nous faire pincer.

Au moment où je posais le pied sur la première marche, nos narines furent assaillies par une puanteur délétère.

— Pouah, fit Ruby en enfouissant son nez dans mon cou.

Je n'ai qu'à fermer les yeux pour sentir l'odeur, mélange de musc, de mouffette et de moisissure si âcre que je le sentis pénétrer les pores de ma peau. Nous avions oublié d'appuyer sur l'interrupteur au sommet de l'escalier : à mi-chemin, il était déjà trop tard. J'avançai lentement, la main sur la rampe, et fus soulagée en arrivant en bas. (Pour Ruby et moi, les escaliers — en particulier ceux qui sont étroits — représentent un défi. Nous devons nous y engager de biais, sans compter que notre état m'empêche de voir mes pieds. Et il est effrayant de naviguer à l'aveuglette dans le noir.)

Nos yeux mirent un certain temps à s'acclimater à la faible lueur que laissait filtrer une petite fenêtre au-dessus de la chaudière. Sur le sol, à côté d'une ancienne laveuse-essoreuse à rouleaux, traînait un panier à linge taché d'éclaboussures de peinture et débordant de vêtements sales. Près de l'appareil, il y avait un sèche-linge détraqué, sur lequel se trouvait un gros récipient en plastique rempli d'un liquide ambré, que je pris au début pour de l'essence. Je le soulevai et reniflai un bon coup. De l'urine.

Derrière se trouvait une pièce qu'on avait charpentée et recouverte de cloisons sèches, mais qu'on ne s'était pas donné la peine de finir ni de peindre. Il y avait une porte munie de deux verrous. Question de garder les secrets à l'intérieur et les intrus à l'extérieur. En l'occurrence, elle était déverrouillée et entrouverte. À cause de la poussière, Ruby éternua. Je m'arrêtai et la pinçai sans merci. Nous entendîmes le glissement de la porte moustiquaire, en haut, et le vrombissement d'un moteur dans l'entrée. Puis, une clé à molette s'attaqua aux tuyaux sous l'évier de la cuisine, et nous comprîmes que tante Lovey était partie à l'épicerie, laissant oncle Stash à ses travaux de plomberie.

Nous nous approchâmes de la chambre de Frankie, ouvrîmes la porte toute grande et, dans la lumière diffusée par deux fenêtres crasseuses découpées en haut du mur, nous nous arrêtâmes en clignant des yeux. Dans le coin, sur le sol en béton humide, un couvre-lit bleu serpentait sur un matelas tout taché. À côté du matelas étaient empilés des magazines pornographiques qui tenaient compagnie à un autre récipient en plastique rempli d'urine et à une montagne de mégots dans une petite assiette maculée de jaune d'œuf. De l'autre côté du matelas, il y avait un antique tourne-disque haut de gamme, deux énormes haut-parleurs et quelques dizaines de vinyles rangés dans des cageots pour le lait : Jimi Hendrix, Stevie Ray Vaughan, les Stones, David Bowie, les Clash. Ruby leva le nez d'un air dégoûté, mais les albums étaient à mes yeux des objets magnifiques. Je les passai en revue : *Ziggy Stardust*, *London Calling*, les premiers disques d'Elvis Costello. Je me demandai s'il était vrai qu'aucun disque compact ne pouvait rivaliser avec le son produit par le passage d'une aiguille en diamant dans un sillon en vinyle.

Sur l'un des haut-parleurs, un joint à moitié consumé traînait à côté d'une bouteille largement entamée de Southern Comfort. La chambre légendaire de Frankie Foyle n'était en réalité qu'une chambre de garçon à l'odeur pestilentielle. Il était vraiment temps de partir.

En haut, il y eut un autre bruit — celui d'une porte qui s'ouvrait. Puis, des voix s'infiltrèrent entre les lattes du plancher.

Je me figeai. Ruby se mit à me secouer comme si j'étais un cheval hésitant. (J'ai horreur de ça.) Je la pinçai.

— Salut, garçon, dit oncle Stash.

Je compris qu'il s'adressait à Frankie.

— Où est ma mère? demanda Frankie Foyle.

Le ton de Frankie déplut à oncle Stash.

— Je ne pas savoir où être ta mère, *petit*.

Plus de mots. Qu'une sorte de grognement. Frankie lui avait sauvé la vie, d'accord, mais oncle Stash ne tolérait pas le manque de respect. L'hostilité entre eux avait peut-être une cause que je ne soupçonnais pas encore.

La porte moustiquaire s'ouvrit avec fracas et se referma en grinçant. Je compris qu'oncle Stash était sorti. Je n'eus pas besoin de voir le visage de Ruby pour comprendre qu'elle avait une peur bleue. Je m'avançai vers la porte. Ruby la poussa lentement, doucement. Puis, celle du sous-sol s'ouvrit à son tour. Les bottes de Frankie résonnèrent sur les marches. Nous avions peine à respirer. Jamais nous n'aurions pu bloquer la porte de l'intérieur. Nous restâmes donc au milieu de la pièce. Et nous attendîmes.

Un instant plus tard, la porte s'ouvrit. Et, dans la lumière déclinante de ce samedi après-midi, Frankie Foyle se matérialisa, torse nu, en short de gymnastique vert. Je me fis la réflexion que sa taille était si mince qu'elle semblait presque féminine et ses hanches si étroites qu'on aurait dit qu'il n'en avait pas du tout. Durs et ronds, ses fessiers faisaient penser à la moitié d'un poids, à la moitié d'une roue. Il avait des poils noirs frisés autour des mamelons et d'autres sous le nombril. Frankie Foyle était splendide.

Dans la lueur des fenêtres haut perchées, Ruby et moi étions sans doute quelque chose à voir. Frankie eut un mouvement de recul et, en respirant rapidement, articula une série de mots. Quelque chose comme : « Qu'est-ce que c'est que cette merde ? » Bouche bée, il nous regarda tour à tour, ma sœur et moi, découvrant de belles dents blanches.

Ruby sourit.

— Salut, dit-elle, au moment même où je soulevais la main.

(Nous avions l'air de deux bêtes de cirque. J'ai une sainte horreur de ces moments-là. Pis encore, j'en impute sans raison la faute à Ruby, qui me rend la pareille.) Je compris que nous nous étions rendues coupables d'entrée par effraction. Et s'il téléphonait à la police ?

— Nous n'avions pas l'intention de voler, offris-je en guise d'explication.

Frankie Foyle referma la bouche. Ses yeux noirs étaient injectés de sang, somnolents. Il passa près de nous. Je sentis l'odeur de ses aisselles. Pizza brûlée. Je me demandai s'il était gelé, soûl ou les deux.

— Notre oncle est venu réparer les tuyaux, pépia Ruby. Nous avons juste décidé de l'accompagner.

— Dans ma chambre ?

— Quoi ?

— Il est venu réparer les tuyaux dans ma chambre ?

Ruby commit l'erreur de prendre son absence d'hostilité pour de l'amitié.

— Non, non, répondit-elle en laissant échapper un rire feint. Dans la *cuisine*, tête de nœud.

— À votre place, j'éviterais les insultes avec le mot « tête ».

Ruby éclata de rire, mais je la sentais au bord des larmes.

Je la pinçai.

— Aïe ! cria Ruby en tordant le grain de beauté que j'avais dans le cou.

— Tiens-toi tranquille, l'avertis-je à voix basse.

Frankie montra les albums, qui avaient manifestement été déplacés.

— Vous avez fouillé dans mes disques ?

— Pas moi, en tout cas, entonna ma sœur.

Frankie Foyle la fixa.

— Qu'est-ce que vous faites dans ma chambre ?

Ruby s'étrangla. Si, quelques secondes plus tôt, je l'aurais volontiers étripée à cause de sa stupidité, j'étais à présent la mère ourse et elle mon petit.

— Oncle Stash nous a demandé de descendre voir s'il y avait des fuites. Nous ne savions pas que ta chambre était ici, lançai-je.

— Tout le monde sait que ma chambre est ici.

À travers sa frange, Frankie Foyle me foudroyait du regard.

— Eh bien, au cas où tu ne l'aurais pas remarqué, nous ne sommes pas exactement comme tout le monde, et nous n'étions pas au courant de ce que tout le monde sait.

Il donna l'impression d'avoir du mal à digérer l'information, puis il y renonça. Il ne nous demanda pas de partir.

— Oncle Stash t'aiderait sûrement à terminer le travail, dis-je en montrant les murs bruts. Pour les finir et les peindre, je veux dire.

Il sourit.

— T'es qui, au juste ? Un entrepreneur en construction ?

— J'ai vu oncle Stash installer des cloisons sèches lorsqu'il a rénové la cuisine de tante Lovey.

— Ne lui dis pas que j'ai une chambre au sous-sol, d'accord ?

— D'accord.

— Il risquerait de m'obliger à la démolir.

— Je ne dirai rien, confirmai-je. De toute façon, c'est le propriétaire, pas la police.

Ruby laissa entendre un rire nerveux.

— Ouais, il n'est pas de la police, quand même.

Je la pinçai encore une fois, fort.

— Aïe !

Ruby tordit une fois de plus le grain de beauté sur mon cou.

— Tiens-toi tranquille, l'avertis-je à voix basse.

— Vous me flanquez la trouille, toutes les deux, dit Frankie.

Il s'assit par terre à côté de la chaîne stéréo et commença à parcourir ses disques. Personne ne parlait, ce qui me convenait parfaitement, mais Ruby ne supportait pas le silence.

— Ta mère descend ici, des fois ? demanda-t-elle, même si elle connaissait déjà la réponse.

Ruby et moi avions entendu tante Lovey et Nonna s'interroger sur le nouvel amoureux de Mme Foyle, celui qui travaillait au Tim Hortons.

Frankie haussa les épaules.

— Elle est occupée.

Sa solitude me touchait. Je rectifiai ma position. Il n'était pas pressé de nous voir partir.

— Mon oncle ne risque pas de revenir de sitôt.

— Qu'il aille se faire foutre, ton oncle.

Ruby sombra dans le silence, mais je ris nerveusement. Puis, signant la trahison complète de mon oncle, j'ajoutai :

— Disons qu'oncle Stash aurait peut-être eu besoin d'un fonds génétique un peu plus diversifié.

Ni Ruby ni Frankie ne comprirent la plaisanterie, mais je m'en voulus quand même.

— Vous pouvez rester si vous voulez, dit Frankie.

— Ici ?

Je n'étais pas sûre de vouloir rester dans le sous-sol, prisonnière de l'odeur de multiples couches d'urine, de cigarettes et d'autres choses encore que j'avais du mal à identifier.

— Il y a un animal mort, ici ?

Frankie hurla de rire.

Je m'enhardis.

— Non, sans blague, ça pue.

Il cessa de rire.

— Je sais. Mon herbe empeste.

Il ouvrit un sac de gymnastique et nous fit voir quelques grands sacs de plastique remplis de paquets de mari séchée de couleur vert olive.

— Ouah ! souffla Ruby. Tu vas fumer tout ça ?

— Je vais en fumer une partie et vendre le reste.

J'étais tout excitée par le sac illicite et la proximité de Frankie.

— On peut s'asseoir sur le lit ?

— Si vous voulez.

Nous nous installâmes sur le matelas, Ruby et moi, et nous nous adossâmes contre des coussins posés le long du mur. Je fus soulagée de reposer mon dos. Frankie s'empara du joint à moitié consumé que nous avions vu auparavant et l'alluma. L'odeur de l'herbe puante envahit la pièce. Il nous proposa le joint. Simultanément, nous déclinâmes son offre en agitant les mains de la même façon. Une fois de plus, nous eûmes l'impression d'être des bêtes de cirque de la pire espèce.

— Nous devrions y aller, dis-je.

Soudain, j'avais peur, peur que la fumée ne pénètre mes vêtements, mes cheveux, mon esprit. Tante Lovey disait toujours que la drogue rendait fou.

Frankie Foyle sourit.

— Pas la peine de partir. Je parie que vous ne foutez rien, toutes les deux. Allez, vous n'êtes plus des bébés.

— Nous *foutons* des tas de choses, dis-je. C'est juste que tante Lovey et oncle Stash ne savent pas où nous sommes. Ils risquent de se faire du souci.

Je me montrais juste responsable. Non? Frankie Foyle sourit de nouveau.

— Allez, vous pouvez bien rester vingt minutes.

Ruby en rajouta :

— Ouais, Rose, c'est vrai. Nous pouvons bien rester vingt minutes.

Ruby avait raison. Rien ne nous empêchait de nous attarder un peu. Je me détendis. Frankie me passa la bouteille de Southern Comfort et j'en bus une petite gorgée. C'était si sucré que j'en fus surprise. Jusque-là, je n'avais eu droit qu'à quelques gorgées des *pils* froides d'oncle Stash. Je préférais les alcools forts. Frankie brandit la bouteille en direction de Ruby, qui ne voulait pas et ne pouvait pas boire d'alcool. Elle n'avait nulle envie de vomir sur le matelas où l'objet de notre obsession posait la tête.

— C'est tellement… hmmm… bizarre…

Frankie parlait malgré la fumée qui lui emplissait les poumons. Je remarquai qu'il cherchait les yeux de Ruby plus que les miens et je me sentis jalouse.

— C'est bizarre, répéta Frankie en retenant la fumée. Je vous connais depuis tellement longtemps que je ne vous trouve même plus bizarres. Et c'est ça qui est bizarre.

Il réfléchit un moment, puis il éclata de rire. Il finit par reprendre son souffle.

— C'est peut-être juste parce que je suis complètement pété.

— Nous ne sommes pas bizarres, ai-je murmuré.

— C'est ce que je disais.

— C'est ce qu'il disait, Rose.

— Nous ne sommes pas bizarres. C'est notre situation qui l'est.

— Je sais.

— Il sait, Rose ! C'est ce qu'il disait.

Frankie prit une longue rasade, puis, tel un gros chien que nous aurions eu depuis toujours, il bondit sur le lit. Ruby et moi poussâmes un cri perçant au moment où le matelas, en s'enfonçant, nous entraîna tous les trois au milieu. Frankie dénicha une télécommande dans l'emmêlement du couvre-lit bleu et visa la chaîne stéréo. Le bras du tourne-disque se souleva et trouva un sillon en faisant un déclic. *Knockin' on Heaven's Door* de Bob Dylan. Je connaissais par cœur toutes les paroles du disque. Frankie unit sa voix à la mienne en chantant doucement, d'un air expressif. J'acceptai une nouvelle gorgée de liqueur. Le genou de Frankie touchait le mien.

Frankie me souriait, au grand dam de Ruby. Sans compter que nous partagions le Southern Comfort. Et la musique.

— Où as-tu pris ça ? demanda Ruby en désignant le bracelet en cuir noué au poignet de Frankie.

Frankie leva le bras pour admirer l'objet.

— C'est du cuir de chèvre.

— Cadeau d'une petite amie? demanda Ruby.

Frankie grogna.

— Elle est jolie? insista Ruby.

Je pinçai ma sœur aussi fort que possible. Elle se comportait en idiote et je craignais que Frankie ne nous chasse. Mais elle ne broncha même pas. À la place, elle lâcha :

— Et moi, tu me trouves jolie, Frankie?

— Tu es laide comme un pou, dit-il en riant.

— Non, sérieusement.

Je fredonnais à côté d'elle. Frankie se redressa un peu pour mieux l'examiner.

— Tu es... je ne sais pas... je veux dire, tu serais, tu sais, tu serais... Si tu n'étais pas comme tu es, je suppose que tu ne serais pas mal du tout.

Je sentis les joues de Ruby rougir.

— Tu es sûr?

— Certain.

— Si je n'étais pas comme je suis?

— Ouais.

— Assez pour te donner envie de m'embrasser? demanda Ruby, à ma grande stupeur et aussi à la sienne. (Sans parler de celle de Frankie Foyle, qui n'avait sans doute rien vu venir.)

J'observai le reflet déformé de Frankie dans le couvercle en plastique du tourne-disque. Il était bouche bée de nouveau.

— Et puis ?

— Je ne sais pas, répondit-il. Je suppose que oui.

— Embrasse-moi, alors, dit Ruby.

Je ne connaissais pas cette Ruby si brave et si hardie, cette sœur qui avait si envie de se faire embrasser qu'elle risquait le plus cruel des rejets.

— Pas question.

Frankie rit.

— Tu as peur ?

— Ouais, j'ai peur.

— Tu ne risques pas de te transformer en grenouille, tu sais.

— En quoi je me transformerai, alors ?

— Embrasse-moi et tu verras bien.

Il y eut une pause au cours de laquelle Ruby réussit à convaincre Frankie avec ses yeux ou ses lèvres ou d'une autre façon, les femmes ayant à leur disposition des moyens inexplicables de persuader les hommes de faire des choses surprenantes. Quoi qu'il en soit, j'entendis un bruit mouillé et je sus que Frankie Foyle embrassait ma sœur jumelle. Je me sentais malade, à cause de l'alcool, de la fumée et de l'envie.

Frankie détacha ses lèvres de celles de Ruby.

— C'est trop bizarre, dit-il en secouant la tête.

— Quoi ? Je n'embrasse pas bien ? demanda Ruby sans détour.

— Mais non. C'est juste trop bizarre.

— Allez, recommence. Je ne dirai rien à personne.

Sans me regarder, Frankie Foyle eut un geste vers moi.

— Et elle ?

Je fermai les yeux.

— Elle ne dira rien non plus. Je t'assure.

Bob Dylan chantait. Frankie embrassa Ruby. Je ne voyais rien. J'entendais seulement le bruit de leurs baisers et l'aiguille du stéréo qui sautait à cause de la poussière. Ils continuèrent de s'embrasser pendant toute la chanson suivante. Ils s'embrassaient toujours lorsque commença celle d'après. Je percevais de l'intérieur le bruit que faisait Ruby en déglutissant. Je pouvais presque sentir la langue de Frankie.

Je me demandai si oncle Stash et tante Lovey avaient enfin compris leur erreur. J'espérais que non. Je voulais que Frankie m'embrasse, moi aussi. Je ne voulais surtout pas rater mon tour.

Mais Frankie ne m'embrassa pas. Mon tour ne vint jamais. Frankie continua plutôt d'embrasser Ruby. Même quand ses doigts glissèrent sur mon épaule comme des araignées, s'insinuèrent sous mon chemisier et caressèrent le mamelon de mon sein droit. Même quand sa main descendit plus bas, parcourut mon ventre plat et mes cuisses. Et même quand il me déplaça pour être plus à son aise, même quand il ouvrit mes longues jambes, Frankie continua d'embrasser ma sœur.

Et même quand…

Même à ce moment-là.

Je ne protestai pas. Ma sœur non plus. Je crois que nous étions obnubilées par l'étrangeté du moment. Nous n'en parlâmes jamais directement, mais, pour que Ruby accepte de me laisser jouer un rôle, les baisers avaient sans doute été sensationnels.

Après. Tremblante. Honteuse. Je demandai à Frankie un mouchoir en papier.

— Utilise le couvre-lit, dit-il.

Oncle Stash nous trouva paisiblement debout près de la fenêtre du salon. Ouf, se dit-il.

Le lundi suivant, pendant que tante Lovey était à l'hôpital, nous prîmes notre place dans l'autobus. Nous avions répété la manière dont nous saluerions Frankie, avec désinvolture, de différentes manières et à différents moments. Mais il se fendit à peine d'un grognement et évita de croiser nos regards. Nous ne nous sommes plus jamais adressé la parole. Je haïssais ses regrets.

C'est ainsi que tout prit fin.

Et pourtant, ce n'était pas terminé.

~

C'est Ruby qui écrit.

Au moment où Rose et moi devrions être plus proches que jamais, nous sommes plus éloignées l'une de l'autre que nous ne l'avons jamais été. Son écriture la préoccupe. Elle soutient aussi que je suis jalouse de son livre, et je ne peux pas prétendre le contraire.

Rose croit que ma jalousie s'explique par le fait que son livre la détourne de moi, mais elle n'y est pas du tout. Si je suis jalouse, c'est parce que je ne suis pas écrivain. Parce que je ne suis rien du tout. Les jours et les semaines défilent en accéléré, et j'ai un sentiment de vide ; celui qui m'habite lorsque j'ai entendu une blague que je ne comprends pas, que j'ai passé la soirée à regarder un film que je n'aime pas ou que je me suis compliqué la vie inutilement. À quoi bon tout ça ?

Nous avons prudemment abordé la question de notre anniversaire et, en principe, nous ne sommes toujours pas d'accord, mais j'ai au moins persuadé Rose de renoncer à son projet de beuverie et d'accepter de sortir. Je peux lui laisser le soin de choisir l'endroit, car, où que nous allions, je pourrai toujours avoir oublié mon sac à la bibliothèque et l'entraîner dans la salle du personnel. Surprise !

Roz va préparer la trempette aux épinards qu'elle sert dans une miche de pain évidée. Whiffer s'occupe des boissons, ce qui veut dire un tonnelet de bière pression et du soda générique, dont j'ai horreur, mais je ne veux pas l'offenser. Pour préparer et organiser la fête, j'ai envoyé une succession de petits mots aux invités, et l'expérience s'est révélée frustrante dans la mesure où leurs réponses ne me sont pas toujours parvenues au moment où j'en avais besoin, ce qui m'a obligée à inventer toutes sortes de prétextes pour aller voir untel ou unetelle. Je n'ai pas encore évoqué cette soirée à haute voix et ça me ronge. J'espère que Rose me sera reconnaissante de tous mes efforts.

J'ai exigé une autre dose de Tatranax parce que j'aime changer de sac à main et qu'il m'est déjà arrivé à deux reprises de quitter la maison sans ma seringue.

J'ai demandé à Rosie si nous devrions renouer avec l'église. Je pense qu'il serait important qu'elle crée des liens sur le plan spirituel. Rose dit que le fait d'écrire son autobiographie donne un sens à sa vie. Si seulement elle en retirait de l'espoir.

Je me demande si la fatigue que je ressens s'explique par l'anévrisme de Rose.

C'est peut-être juste à cause des préparatifs de la fête.

Demain, au travail, je me sentirai mieux. Je me sens toujours mieux au travail. Nous recevons les élèves d'un cours de biologie de l'école secondaire de Leaford. En dernière année, ils s'intéressent à la division cellulaire, et nous ferons l'objet de leur prochaine étude de cas. Au téléphone, le professeur m'a confié que les élèves avaient beaucoup apprécié leur rencontre avec un « bonhomme thalidomide ». Un « *bonhomme thalidomide* ». Je parie que l'homme en question serait ravi de se faire appeler de cette manière.

La nuit dernière, j'ai rêvé que j'assistais à un barbecue, comme celui que tante Pivoine a organisé avant que nous quittions le Michigan. Dans mon rêve, oncle Stash faisait tourner un énorme cochon sur la broche. Il a arraché quelques morceaux de l'animal grésillant et nous a demandé, à Rose et moi, si nous voulions un peu de peau croquante. Rose a montré la broche et j'ai vu qu'un bébé tournait au-dessus du feu. Il était blanc et parfait, avec de grands yeux tristes, mais oncle Stash nous a dit de ne pas regarder et qu'il mourrait si nous devenions végétariennes. Vous en voulez, des symboles ? En voilà.

Je sais ce que certaines personnes veulent dire en affirmant qu'elles se sentent écrasées par le poids de la culpabilité. C'est ainsi que je me sens aujourd'hui. Lourde. Chaque fois qu'elle me soulève, Rose ahane et grogne, comme quand elle fait des haltères pendant les séances de physiothérapie. Je crois que je lui pesais moins autrefois.

Il y a longtemps, nous avons été examinées par le Dr Mau, célèbre neurochirurgien de l'hôpital de Philadelphie. Je crois que tante Lovey et oncle Stash envisageaient la possibilité de nous faire séparer, mais je n'en suis pas absolument certaine. Ce jour-là, un des internes a posé une question à mon sujet en utilisant l'expression « jumelle parasitique ». Le Dr Mau était furieux parce que l'expression était inappropriée et que l'interne en question était de toute évidence un crétin. Il y a eu des jumeaux parasitiques (par exemple, un garçon nommé Laloo avait des jambes qui lui sortaient du ventre), mais ce n'est pas notre cas, à Rose et moi : je suis une personne à part entière, dotée d'un cerveau, et non un simple appendice qui n'existe que par le truchement de sa sœur.

Je pense que nous devrions prendre rendez-vous avec Randy Togood, un ancien camarade d'école. J'ai vu son cabinet d'avocat près de la bibliothèque. Nous devons faire notre testament. Nous ne sommes pas des Rockefeller, mais la ferme et la maison de Chippewa Drive valent quelque chose. Tôt ou tard, Nonna, qui a dans les quatre-vingts ans, léguerait notre argent à son fils, Nick, qui a cinquante-cinq ans et est un bon à rien notoire, alors c'est hors de question. Mais nous pourrions désigner un autre héritier. Et nous devons décider du sort de nos restes.

Avant que l'échéance ne soit imminente, Rose et moi avions toujours parlé librement de la mort. Notre désaccord à propos de la disposition de nos restes était sans importance. Je veux être incinérée. J'aime bien l'idée de me transformer en fumée, de flotter dans l'air et de redescendre sur terre à cheval sur une goutte d'eau ou je ne sais trop quoi. Rose, elle, veut que nous donnions notre corps à la science. L'idée de finir dans un bocal au musée Mütter lui plaît, tandis que moi, à cette seule évocation, j'ai des haut-le-cœur.

Au sujet des préparatifs de notre anniversaire, nous avons donc réalisé certains progrès, mais, chaque fois que j'en parle, Rose remet la discussion à plus tard. « Quand j'aurai terminé le livre, répète-t-elle, quand j'aurai terminé le livre. » Lorsque je lui rappelle que nous risquons de mourir demain, elle répond qu'il n'en est pas question (elle en profite pour me demander pourquoi je tiens tant à nous porter malheur en parlant comme ça) : elle a encore des centaines de pages à écrire et elle n'a pas encore raconté les circonstances de la rencontre d'oncle Stash et tante Lovey.

À ce propos, je me contenterai de préciser qu'il s'agit d'une de mes histoires préférées, mais je me demande quand même ce qu'elle vient faire dans l'autobiographie de Rose. Elle dit que l'histoire de tante Lovey et oncle Stash est parallèle à la nôtre. Et que notre histoire à nous n'existerait pas sans la leur. Et que, s'il m'arrivait de lire autre chose que des livres sur les Indiens neutres de la rivière Thames, je saurais qu'il est possible de faire coexister des histoires concernant diverses personnes.

Si le livre la tourmente autant, elle n'a qu'à laisser tomber. Lorsqu'il sera terminé, dit-elle, elle en aura fini elle aussi. Quand elle fait son cinéma, elle me tape sur les nerfs comme ce n'est pas permis. Et moi, dans tout ça ? Aussitôt qu'elle aura terminé, mon compte est bon, c'est ça ? Et ma contribution personnelle, elle en fait quoi, au juste ?

Rose affirme que le fait de laisser une œuvre artistique derrière soi — un récit, une peinture ou une sculpture — est le seul moyen de s'approcher de l'immortalité. J'aime bien dessiner, mais je vois mal comment quelques lignes tracées sur le papier pourraient m'aider à attendre la mort de façon plus sereine. Pourtant, on entend souvent parler d'écrivains que des inconnus supplient de bien vouloir raconter l'histoire de leur vie (ou, à tout le moins, de les aider à trouver un éditeur). Il doit donc y avoir du vrai dans ce que Rose dit. Tante Lovey répétait toujours que tout le monde a une histoire à raconter et que même les gens ordinaires vivent des aventures extraordinaires. Elle avait peut-être raison.

Je voudrais tellement que tante Lovey soit là. Oncle Stash et elle me manquent énormément.

Je n'aime plus les choses qui me ravissaient auparavant, par exemple manger des œufs brouillés avec du cheddar ou porter le pull en cachemire saumon que Rose m'a offert pour Noël l'année dernière. Si je me demande pourquoi je vis, je réponds : ma sœur. Mais Rose est si loin…

Hier, j'ai demandé à Rose si elle avait déjà eu de la peine pour Mme Merkel. Elle a fait semblant de ne pas comprendre. De la peine, pourquoi ? Je lui ai rappelé que la bicyclette de Larry Merkel se trouvait autrefois au musée de Leaford, à côté d'une photo géante de nous. Je lui ai rappelé le poème qu'elle avait écrit pour la classe de composition, celui qui était tombé de son sac et que Mme Merkel avait lu, un jour que nous étions allées lui livrer des œufs.

Après avoir lu le poème, Mme Merkel a regardé Rose comme si elle lui avait volé quelque chose. Puis, elle a plié la feuille et l'a mise dans la poche de son tablier en déclarant : « C'est à moi. »

Rose est du genre à défendre ses droits, mais là elle n'a pas su comment réagir. Alors, j'ai dit : « En fait, c'est le poème de Rose ; c'est elle qui l'a écrit. »

Mme Merkel a fixé Rose et, très lentement, comme si Rose était une demeurée, elle a dit : « Il n'est pas à toi. Il n'est pas à toi. »

Rose a avalé difficilement, puis Mme Merkel s'est mise à pleurer et Cyrus s'est mis à japper et nous sommes parties. Rose a dit que ce n'était rien, mais je voyais bien qu'elle était secouée. Puis, sur le chemin du retour, elle m'a obligée à réciter le poème avec elle pour pouvoir s'en souvenir et le recopier. (Je crois bien avoir récité ce poème cent cinquante fois ce jour-là et plusieurs fois depuis. Encore aujourd'hui, il reste ancré dans ma mémoire.)

Lawrence

Je croyais que tu me retrouverais là-bas,
quand soudain je fus emporté dans l'au-delà,
plaqué contre le sol, conscient mais hébété,
là où les rochers gravent le lac argenté.

Écoute-moi, ma pauvre maman malheureuse,
car il me tarde tant d'entendre une berceuse,
chante pour moi, maman, que je rêve à mon aise :
dragons, chevaliers et glace aux fraises.

Enterre-moi, que je repose sous les nues,
car je ne suis plus ici-bas le bienvenu :
je suis un fantôme qui va par les sentiers
à la recherche de son si beau pommier.

Lorsqu'elle a présenté le poème pour qu'il soit publié dans l'album de fin d'année, Rose n'a pas signé son nom et elle a changé le titre. À ce propos, nous avons été en désaccord, elle et moi. Compte tenu de la réaction de Mme Merkel, j'étais d'avis qu'il aurait été préférable que Rose garde le poème pour elle. Elle en avait au moins une vingtaine d'autres dans ses cartons. Elle me les avait tous récités au moins une fois. Mais Rose soutenait que *Lawrence* était son plus beau. Je me souviens de l'avoir entendue dire que Mme Merkel ne le verrait jamais dans l'album. En plus, le nom de Larry ne servait plus de titre.

Le lendemain de la parution de l'album, la bicyclette de Larry Merkel, qui faisait partie de la collection du musée de Leaford, a été volée. Tout le monde croyait que Mme Merkel s'effondrerait. Rose et moi étions les seules à savoir qu'elle avait elle-même commis le larcin. Et nous avons été les seules à remarquer que l'énorme rocher sous le pommier avait été déplacé et que, tout autour, la terre avait été retournée. J'ignore comment, mais nous avons compris qu'elle avait poussé la pierre. Seule, à la faveur de la nuit. Elle a eu droit à toute notre admiration. Elle avait enterré la bicyclette sous le pommier. Je me suis toujours demandé si elle pensait que l'esprit de Larry s'était adressé à elle par l'intermédiaire du poème de Rose. Ce n'est pas du sarcasme. Je crois à ce genre de choses.

J'ai songé à la liste des personnes qui assisteront à nos funérailles. Le Dr Ruttle, Richie et les siens. Nonna et Nick. Roz et Rupert. Whiffer et Lutie. Je me suis rendu compte que la liste des invités à la fête était pratiquement la même. Les Merkel viendront aux funérailles, mais pas à la fête. Berb Foyle le Fou sera là. Il est comme ça, Berb. Et Frankie Foyle ? Sera-t-il présent ? (Après ses études, Frankie s'est installé à Toronto, où il est policier, mais je crois qu'il reste en contact avec son père.) Même si Berb lui annoncera sans doute la nouvelle, je doute que Frankie se déplace. N'oubliez pas qu'il n'a jamais rien su à propos du bébé de Rose, et je suis persuadée que ce qui nous est arrivé à tous les trois — je suis certaine que Rose en a parlé en long et en large, sans omettre le moindre détail scabreux — est un souvenir qu'il préférerait oublier.

Les membres de notre famille qui vivent au Michigan se contenteront sans doute d'envoyer des fleurs. Les connaissant, je suis sûre que ce sera une gerbe moche et bon marché. Nous n'avons pas vraiment de proches, à l'exception du bébé de Rose, évidemment. Aujourd'hui, Taylor a une douzaine d'années. Il n'y a que Rose et moi qui l'appelions Taylor. Dans le vrai monde, elle porte le prénom que lui ont choisi ses parents adoptifs. J'espère que c'est un prénom mignon, comme Courtney ou Alisha.

Elle n'est pas beaucoup plus jeune que Rose l'était lorsqu'elle lui a donné naissance. (Tante Lovey lui a dit de lui choisir un prénom, même s'il y avait peu de chances pour que les parents adoptifs décident de le garder.) Rose l'a prénommée Taylor, d'après notre mère biologique, ce qui, je crois, a un peu vexé tante Lovey, mais on peut comprendre Rose de ne pas avoir eu envie de donner un vieux nom comme Lovey à sa fille. Tante Lovey est issue d'une famille où les filles portaient des noms de lieux ou de fleurs. Elle tient son nom de Livonia, ville du Michigan. Ses sœurs s'appellent Pivoine, Salle (du nom d'une autre ville du Michigan), Iris et Marguerite. La mère de tante Lovey s'appelait Verveine parce que sa mère à elle était accro aux infusions de verveine citronnelle. (Rose dit qu'elle devait fumer le produit au lieu de le boire.)

Tante Lovey nous a raconté une multitude d'histoires sur sa mère, Verveine, mais l'impression qui se dégage de chacune, c'est qu'elle était plutôt excentrique. En fait, elle passait pour complètement cinglée. À l'époque où elle était jeune maman, par exemple, elle a tenté de guérir sa deuxième fille (la sœur de tante Lovey appelée Pivoine) de sa manie de se ronger les ongles. Pivoine devait avoir huit ans. Verveine lui a enduit les doigts d'un produit amer et lui a même mis du ruban à conduits sur les ongles, mais rien n'y faisait. Un dimanche, Verveine avait l'intention de demander conseil au curé, mais, en route vers l'église, son père est mort. L'homme a été exposé dans le salon familial, comme c'était la coutume à l'époque. Verveine a emmené sa fille Pivoine dans la pièce pour dire adieu à son grand-père et, tandis que Pivoine se tenait debout près du cercueil, Verveine s'est soudain emparée des deux mains de la petite et les a enfoncées dans la bouche du défunt.

Lorsque nous lui avons demandé si l'histoire était véridique, Pivoine s'est contentée de hausser les épaules, comme si, à ses yeux, le comportement de sa mère n'avait pas été si horrible. En tout cas, elle ne s'est plus jamais rongé les ongles. Tante Lovey avait l'habitude de dire : « Les épreuves forgent le caractère. » Comme si nous n'étions pas déjà au courant.

Je trouve que Taylor est un joli prénom, pour un garçon comme pour une fille.

Nous ne savons pas qui a adopté Taylor. Nous ne savons donc pas non plus où elle vit. Nous sommes allées habiter chez tante Pivoine, au Michigan, le temps que Rose accouche. À Leaford, personne, à part le Dr Ruttle, n'était au courant. L'adoption a été arrangée par le mari de tante Pivoine, un Polonais d'origine qui travaillait chez Ford. Pour ce que nous en savons, il n'existe aucun document. Mais Rose a sans doute déjà tout expliqué. Au fil des ans, Rose a évoqué la possibilité de chercher sa fille, mais la partie d'elle qui s'y refuse l'emporte chaque fois. Cette partie d'elle, c'est celle qui sait qu'une préadolescente serait sûrement toute retournée d'apprendre qu'elle est la fille de l'une des plus vieilles jumelles craniopages survivantes au monde. Il nous arrive de parler de Taylor. Un jour, j'ai dit : « Ce serait amusant si Taylor devenait écrivain comme sa mère. » Rose m'a renversée en répondant : « À moins qu'elle ne devienne chanteuse, comme sa tante Ruby. » J'aime bien chanter, mais je n'ai rien d'une chanteuse. C'était quand même gentil de sa part.

J'ai toujours cru que Rose avait eu tort de ne pas mettre Frankie au courant pour le bébé, mais personne ne m'a écoutée. De plus, tante Lovey s'opposait farouchement à cette idée, et elle avait plus d'influence que quiconque. Rose a des regrets, mais je crois qu'elle a pris la bonne décision. Quel genre de vie la petite aurait-elle eue avec nous, surtout si on tient compte du fait que Rose était elle-même encore une enfant ? Tante Lovey nous a dit que Dieu avait prévu quelque chose pour Taylor, exactement comme il avait prévu quelque chose pour nous, et c'était de trouver les bons parents, qui ne sont pas toujours les parents biologiques. Dans son cœur, Rose savait qu'une famille avec un père et une mère, des frères et des sœurs non conjoints, était l'environnement idéal pour Taylor. Je pense que son sacrifice est une preuve d'amour et de courage. Mais on ne se remet jamais tout à fait d'un arrachement comme celui-là. Peut-être qu'on ne guérit jamais de ses pertes, quelles qu'elles soient. Peu importe le dénouement final.

TOI

~

Lorsque son bateau accosta au port de Halifax, dans le courant de l'été 1946, Stanislaus Darlensky, vingt-deux ans, la tête ornée d'une crinière de cheveux noirs bouclés, était mince et beau comme une vedette de cinéma. Son père, sa mère et lui montèrent à bord d'un train à destination de Windsor, en Ontario. À Windsor, les Darlensky trouveraient une vie meilleure, loin de l'inimaginable perte que représentait la mort des deux frères de Stash, victimes de la catastrophe minière qui avait frappé Grozovo à peine six mois plus tôt. Les Darlensky auraient leur propre logement dans un immeuble appartenant à M. Lipsky, un ami de la famille. Un poste de commis attendait le père de Stash dans une boucherie slovaque du centre-ville, où Stash ferait son apprentissage. Beauté aux cheveux de jais, de l'avis général, la fille d'un des piliers de l'église locale (qui, fait plus important encore, possédait un établissement commercial) était considérée comme une épouse potentielle pour le jeune homme. Il y avait de nombreux Slovaques à Windsor (d'où le choix de cette ville), et ils tenaient tous à donner un coup de main aux Darlensky.

Le voyage depuis la Slovaquie avait été long et semé d'embûches, et la traversée de l'Atlantique n'avait pas été l'épreuve la plus dure. Le trajet de Halifax à Windsor, à bord d'un train surchauffé en proie à des ennuis de moteur, faillit tuer les parents d'âge moyen de Stanislaus. Le teint gris, malades, n'ayant mangé qu'un peu de pain noir rassis depuis deux jours, ils étaient arrivés à la gare et, avec découragement, avaient constaté que personne ne les attendait. Stash, celui des trois qui connaissait le plus de mots d'anglais, fut dépêché au comptoir. Comment faire pour communiquer avec celui — un oncle de la mère — qui avait promis d'être là pour les accueillir ?

Stash s'approcha. À sa grande surprise, une jolie blonde au nez couvert de taches de son suait à grosses gouttes derrière le guichet. La fille, qui avait à peu près son âge, portait une jupe brune et un pull jaune si moulant que la température de Stash s'éleva de plusieurs crans. Elle lisait un livre en léchant le bout d'une paille longue et fine, qu'elle trempait à l'occasion dans un verre de citronnade. Devant elle, un biscuit était posé sur une serviette de coton. Jeune et affamé, Stash, de son propre aveu, était attiré par le biscuit autant que par la fille.

Accoudé sur le comptoir, il souleva le coin gauche de sa bouche et plissa les yeux, ce qui lui donnait un air vaguement menaçant que les filles de Grozovo avaient trouvé irrésistible. Il attendit que la jolie jeune fille lève les yeux, mais, absorbée par sa lecture, elle ne remarqua Stash que quand il la fit sursauter en se raclant la gorge. Elle referma son livre et le regarda. Puis, elle lui sourit de toutes ses dents.

— Vous devez être *Stanislaus.* (Elle avait même prononcé son prénom correctement.) N'est-ce pas ? Je prononce bien votre nom ?

Mais il m'a dit que vous vous faisiez appeler autrement.

Stash connaissait assez l'anglais pour comprendre que la fille disait son nom ; à voir son expression, il trouva étrange qu'elle ait l'air de le connaître, alors que, bien entendu, il n'en était rien. Il hocha la tête d'un air un peu mufle.

— Stash. Moi. Je, dit-il.

Se rendant compte qu'il maîtrisait mal sa langue, elle parla plus lentement.

— Eh bien, votre oncle — dont je ne me risquerai pas à prononcer le nom — a multiplié les allées et venues. Pour le moment, il n'est pas là. Mais il m'a demandé de vous dire qu'il sera bientôt de retour.

Stash aimait bien l'assurance de la fille. Ses courbes aussi.

Elle examina le jeune étranger en souriant.

— Votre oncle a dit qu'il attendait un couple et un garçon. À mon avis, vous n'êtes plus exactement un garçon.

Il hocha la tête sans comprendre et fixa le biscuit.

— Il y a des noix dedans, dit-elle. Vous le voulez ?

Stash prit le biscuit qu'elle lui tendait et le fourra dans sa bouche en entier, de peur que sa mère le voie accepter la nourriture d'une inconnue.

— Personnellement, j'aime les biscuits aux pacanes, comme ceux de ma grand-mère, mais elle a des calculs biliaires, alors, cette semaine, c'est la voisine qui s'est occupée des biscuits et elle a fait des biscuits aux noix de Grenoble, ce qui est parfait si on aime ça, mais ce n'est pas mon cas.

Oncle Stash mâcha et avala sans comprendre un mot de ce que racontait la blonde dont il appréciait le sourire et le timbre de voix. Il aurait souhaité l'écouter davantage, mais, à ce moment précis, les portes battantes en chêne s'ouvrirent et ses parents se précipitèrent vers le vieux grippe-sou qui entra en boitillant.

— *Dobrý deň.* Merci d'être venu. Vous êtes bien aimable. C'est trop de bonté. Nous vous sommes très reconnaissants, s'épanchèrent ses parents en slovaque.

Ils débordaient tellement de gratitude que Stash se demanda s'ils ne risquaient pas de tomber à genoux et, ce faisant, d'achever de l'humilier devant la jeune fille blonde.

Le vieux Slovaque ne sourit pas. Il embrassa la mère de Stash sur les deux joues, tapota le dos de son père.

— C'est votre oncle, constata la jeune fille en plissant le nez. Vous feriez mieux d'y aller.

Elle se replongea dans sa lecture.

Dans le parking, le vieil oncle slovaque guida la famille réduite par le malheur vers une Ford noire toute luisante. C'était, déclarèrent aussitôt avec effusion le père et la mère de Stash, la plus belle voiture qu'ils aient jamais vue. Leur fils partageait leur enthousiasme, mais il se garda bien d'unir sa voix au concert de louanges. Il s'installa à l'avant et sentit à peine la main de sa mère lui taper la tête, l'entendit à peine murmurer :

— Dis « Merci », dis « Merci, mon oncle ».

Stash se prépara à avaler le Nouveau Monde.

L'oncle ne s'informa pas de leur terrible voyage, ce qui valait sans doute mieux, car Stash n'avait aucune envie de le revivre par le truchement de l'imagination convenue de sa mère. Il eut envie de rentrer sous terre lorsque celle-ci, désignant les rues animées de la ville, lança en slovaque :

— Les femmes ont toutes le visage barbouillé.

— Qu'est-ce que c'est ? demanda le père de Stash, l'air incrédule, en montrant les gratte-ciel qui se dressaient de l'autre côté de la large rivière aux eaux noires.

— C'est Detroit, répondit l'oncle en anglais. Le baseball des Tigers.

Il lâcha le volant le temps de s'emparer d'un bâton imaginaire, s'élança et fit claquer sa langue :

— Encore un coup de circuit de Charlie Gehringer ! s'exclama-t-il en faisant étalage de son accent nord-américain.

Puis, sans crier gare, il se lança dans une interminable tirade non pas sur Detroit ou le baseball, comme oncle Stash l'aurait souhaité, mais contre son cadet, qui voulait abréger son nom slovaque pour lui donner une sonorité plus anglaise. (Quelques années plus tard, oncle Stash transforma « Darlensky » en « Darlen », geste pour lequel son père et sa mère l'auraient déshérité s'il n'avait pas été leur seul fils survivant.)

Aux abords du quartier slovaque de l'ouest de la ville, leur destination, oncle Stash admira les maisons de briques à un ou deux étages aux toits en ardoise inclinés, véritables palaces par rapport aux cabanes en pierres trapues qu'ils avaient laissées derrière eux à Grozovo. Et les véhicules se comptaient par centaines, tandis que, dans son village natal, il y en avait une dizaine tout au plus, pour la plupart des camions.

L'oncle slovaque s'immobilisa à un feu rouge. À côté d'eux, dans leur voiture bien astiquée, trois jeunes hommes de l'âge de Stash, hilares, s'éloignèrent en trombe, enveloppant la Ford dans un panache de gaz d'échappement qui grisèrent complètement le jeune Stanislaus. Dans la rue, des enfants s'éclaboussaient dans une fontaine, et un grand nombre de splendides jeunes femmes sortirent sans escorte d'un restaurant bondé. Partout, de l'activité. Partout, des rires. Et les magasins, innombrables, déversaient dans la rue leur trop-plein d'articles luxueux, étonnants.

Bientôt, la voiture s'arrêta devant un immeuble de trois étages en forme de boîte blanchie à la chaux, et les Darlensky furent conduits au sous-sol. Là, dans un logement qui sentait la moisissure, les attendait un sombre comité d'accueil. Stash connaissait quelques-uns d'entre eux : c'étaient de lointaines connaissances de Grozovo qui avaient émigré avant eux, et même les personnes qu'il ne reconnaissait pas avaient une apparence si distinctive et tenaient des propos si familiers qu'elles auraient pu passer pour des proches. Du regard, Stash parcourut la pièce enfumée, où tous les invités étaient habillés en noir parce que, quelque part dans le monde, ils avaient perdu un être cher. Il avait espéré rencontrer plus de Nord-Américains, comme les garçons de la voiture et la jeune fille de la gare, au lieu de ce rassemblement de corneilles taciturnes. La cuisine était tout aussi décevante : c'étaient des plats à la mode de Grozovo — *haluski, palacsinta* et saucisses au riz, du chou et encore du chou — alors qu'il avait envie de citronnade et de biscuits aux noix.

De jeunes Slovaques encerclèrent Stash près de la cuisine. Ils étaient méprisants, comme si la tâche de faire son éducation leur pesait. Le plus arrogant de la bande, celui qui était là depuis le plus longtemps (c'était le fils de l'oncle slovaque), demanda en exhibant son excellent accent nord-américain :

— Tu bois un coup, Stash ?

Évidemment, oncle Stash ne savait pas ce qu'était un « coup », qu'il s'agisse d'un coup de feu ou d'autre chose, et il fut étonné de constater que l'un des garçons lui pressait dans la main un verre rempli d'un liquide clair (l'équivalent d'une centaine de millilitres). Il comprit tout de suite.

— *Slivovitz* ?

Le liquide sentait le diesel. Les garçons hochèrent la tête, attendirent. Stash leva le verre, conscient d'être mis à l'épreuve.

— *Nostrovia,* dit-il avant d'avaler le liquide d'un trait.

Le verre terminé, il réfréna son envie de se tenir les oreilles (selon l'habitude qu'il prit plus tard pour nous faire rire, Ruby et moi, chaque fois qu'il buvait de l'alcool, de la même façon que, quand il éternuait, il disait « whisky » et non « atchoum »).

Le cousin arrogant s'imposa de nouveau et, en exagérant sa prononciation, précisa :

— Ici, on ne dit pas : « *Nostrovia* » ; ici, on dit : « Cul sec ».

Les autres éclatèrent de rire et Stash, qui ne comprenait pas, se dit qu'on le tournait en ridicule.

Étourdi par la bibine, Stash se laissa tomber dans un fauteuil. Sentant une bosse dans son dos, il se retourna et trouva une balle de baseball coincée entre les coussins. Stash connaissait un peu ce sport, même s'il n'y avait jamais joué (à Grozovo, on n'en avait que pour le foot). Il n'avait encore jamais tenu une balle. Le cousin remarqua l'objet dans la main de Stash.

— C'est ma balle, patron.

Craignant que son cousin ne lui propose de lancer la balle ou, pis encore, de l'attraper, Stash se leva d'un bond, traversa la foule en titubant, la balle à la main, erra d'une pièce à l'autre, étourdi, incertain de ce qu'il cherchait. Il tomba sur sa mère en train de discuter avec d'autres femmes. Lequel de leurs maris enverraient-elles chercher du beurre à la boutique ? (Les femmes faisaient leur crème sure et leur babeurre, et certaines égorgeaient des poulets dans leur cour, mais aucune femme slovaque vivant à Windsor dans les années 1940 ne barattait son propre beurre.) Stash se porta volontaire, et sa mère, après avoir appris que la boutique était juste un peu plus loin (et que la fille qu'on destinait à Stash travaillait justement au comptoir cet après-midi-là), consentit à le laisser partir.

Dans la rue, Stash sentit davantage les effets du double (triple ?) verre de *slivovitz* qu'il avait ingurgité. Le soleil chauffait sa tête aux cheveux noirs et il regretta de ne pas avoir mis son chapeau. Il se demanda s'il valait mieux trouver un endroit où s'asseoir ou encore rebrousser chemin. Il n'était pas ivre au point de ne pas se rappeler qu'il n'avait qu'à marcher en direction de la rivière Detroit, dans la même rue que le logement, et à traverser deux carrefours. La boutique était sur la gauche. Cependant, il n'était pas assez dégrisé (peut-être ne le serait-il jamais) pour avoir envie de rencontrer la fille que ces braves Slovaques qu'il ne connaissait ni d'Ève ni d'Adam lui destinaient. Il ne se souvint de la balle que quand il la laissa tomber sans le vouloir sur la chaussée poussiéreuse et qu'elle commença à dévaler une côte.

Stash envisagea la possibilité de la laisser aller, mais alors il se dit que le cousin arrogant se moquerait (en anglais, par-dessus le marché) de sa négligence. Sans doute les balles de baseball valaient-elles une petite fortune. Le cousin exigerait peut-être une indemnité. Sa mère serait furieuse. Quelle façon d'entreprendre sa nouvelle vie en sol nord-américain ! Stash s'élança à la poursuite de la balle qui, dans la côte, prenait de la vitesse.

Étourdi à force de suivre l'objet des yeux, Stash risquait à chaque pas de tomber tête première sur le pavé. Enfin, il arriva à la hauteur de la balle. Il n'avait plus qu'à la cueillir. En se penchant, il faillit perdre pied, mais se redressa avec grâce. Fier d'une telle prouesse athlétique, heureux du contact de la balle dans sa paume, le jeune Stash ne faisait pas attention lorsque, passant entre deux voitures garées le long du trottoir, il s'engagea dans la rue, où il fut aussitôt fauché par un vélo roulant à vive allure.

Le bolide heurta Stash du côté gauche et le propulsa sur un panneau de circulation. Il se cogna la tête avant de s'écrouler sur le béton. Cramponnée au guidon de son bolide, la cycliste s'arrêta sans encombre au terme d'un dérapage contrôlé.

La cycliste n'avait rien, mais Stash était à plat ventre sur le trottoir. Du sang s'échappait de son front et de sa bouche. La cycliste, une toute jeune femme en l'occurrence, posa la tête de Stash sur ses genoux, indifférente au sang qui risquait de tacher sa jupe. Oncle Stash ouvrit les yeux. Ses pupilles se dilatèrent.

Il avait une vilaine entaille au front et s'était mordu la langue, mais il était plus soûl que gravement blessé. Stash regarda la jeune femme sur les genoux de qui sa tête reposait si confortablement — une jolie blonde au visage parsemé de taches de son vêtue d'un pull jaune si moulant que sa température monta de plusieurs crans.

— Toi, dit-il.

— Moi ?

La jolie jeune femme en question était tante Lovey, qui rentrait chez elle après sa journée de travail au Bridge Diner.

— Toi, répéta oncle Stash.

Ayant pris tante Lovey pour la fille de la gare, il se dit que leurs retrouvailles, malgré les circonstances, tenaient du miracle.

— Ça va ? demanda Lovey.

Stash mit un moment à reprendre son souffle. Fixant les yeux de la jeune Lovey, en qui il voyait encore une autre, il prit son accent du dimanche et dit d'une voix hésitante :

— Je penser que Dieu vouloir nous ensemble.

Lovey, qui n'avait jamais vu ce bel étranger, fut frappée par la familiarité qu'elle lut dans ses yeux. Jamais au grand jamais un homme ne l'avait-il abordée en invoquant Dieu. Elle essuya la bouche de l'homme avec un mouchoir sorti de sa poche. (Comme elle serait infirmière, elle y voyait une occasion de s'exercer.)

— Vous sentez l'alcool, dit-elle sur un ton neutre.

Stash, qui comprit le mot, hocha la tête.

— *Slivovitz.*

Tante Lovey hocha la tête à son tour.

— Pareillement, dit-elle.

Stash se redressa. Sa chute lui avait légèrement désembué l'esprit. Après un moment, il se sentit en état de se relever. Tante Lovey l'aida à se remettre sur pied et en profita pour mieux l'examiner. Il avait le teint bistre et était plutôt beau garçon. Elle décida qu'elle arriverait à oublier qu'il était étranger ; son père, en revanche, en serait incapable.

— Vous être de Windsor ? demanda poliment oncle Stash.

— Je viens de Leaford, répondit-elle. Mon père est un Tremblay. Ma mère est une St. John, Verveine St. John. Elle a grandi du côté de Chatham. Son père cultivait les betteraves à sucre.

Oncle Stash opina lentement du bonnet.

— Je passe l'été chez tante Lily. Là-bas.

Elle désigna une modeste maison en bardeaux blancs, au coin.

Oncle Stash se rendit compte qu'il tenait toujours la balle de baseball.

— Je être slovaque, dit-il.

Il espérait expliquer ainsi sa mauvaise maîtrise de la langue et sa présence au milieu de la rue, une balle de baseball à la main.

— Enchantée de vous connaître, Slovaque, dit-elle en accompagnant ses paroles d'une révérence pour faire joli. Je m'appelle Lovonia Tremblay. Je suis née à Livonia, au Michigan. Mon père ne voulait pas que je me prénomme Livonia parce qu'on m'aurait appelée Livy et qu'il a une tante nommée Olivia, qu'on surnomme Livy et qu'il déteste copieusement, d'où Lovonia. Mais vous pouvez m'appeler Lovey. Tout le monde m'appelle comme ça.

Stash sourit, impressionné par l'assurance de la blonde, exactement comme il l'avait été à la gare.

Tante Lovey lui rendit son sourire.

— Vous aimez le baseball ? Mon oncle Jerry va souvent à Detroit voir jouer les Tigers. Il a des autographes de Stubby Overmire, Dizzie Trout, Pinky Higgins, Hoot Evers, Earl Webb, Cy Perkins, Goose Goslin, Charlie Gehringer et Steve Larkin.

Stash n'avait compris que le début.

— Oncle Jerry aller à Detroit ?

— Souvent.

Lovey hocha la tête et ses bouclettes tressautèrent.

— Oncle Jerry avoir un bateau ?

Stash mima les mouvements d'un rameur.

Elle ricana.

— Il prend la Dodge, tout simplement. Vous êtes mignon.

— Lui prendre la Dodge ?

— Évidemment. Il passe par le pont, c'est tout.

— Je ne pas voir le pont.

Lovey ricana de nouveau.

— Vous ne connaissez pas le pont Ambassador? Vous êtes vraiment très mignon. Quand êtes-vous arrivé à Windsor?

— Aujourd'hui.

— Aujourd'hui?

— Maintenant.

Oncle Stash comprit qu'il souriait bêtement.

— C'est votre premier jour à Windsor?

Elle grimaça.

— Et vous êtes déjà soûl?

Stash hocha vigoureusement la tête, son visage trahissant l'incompréhension la plus totale.

— Bon, je suis quand même désolée de vous avoir frappé avec mon vélo. Mais vous devriez regarder de chaque côté avant de traverser la rue. Et, dit-elle en se déhanchant un peu, si vous avez envie de voir la collection d'autographes d'oncle Jerry, la maison est là.

Elle montra la maison en bardeaux blancs, au coin.

— Là?

Il la montra à son tour, pour être bien sûr.

Elle enfourcha sa monture et mit le cap sur la maison. Elle se retourna une fois pour voir si le bel étranger la suivait des yeux et une autre fois pour ajouter:

— Si vous venez, ne dites pas tout de suite que vous êtes polaque!

Stash regarda Lovonia Tremblay entrer dans la maison, puis, caché derrière les voitures à l'arrêt, il vomit. Une fois délesté de la *slivovitz*, il se sentit mieux et partit à la recherche de la boutique où il achèterait une brique de beurre et dirait à la fille aux cheveux sombres qui travaillait derrière le comptoir qu'il avait rencontré sa future épouse et qu'elle s'appelait Lovey Tremblay.

Le lendemain matin, Stash se leva de bonne heure et avala un petit déjeuner composé de *palacsinta* froids et de confiture de mûres. Puis, tandis que ses parents se querellaient bruyamment dans leur chambre, il entrouvrit la porte grinçante de l'appartement. Il la refermait lorsqu'un objet lui heurta le pied. La balle de baseball, qu'il avait complètement oubliée, roula. Il la ramassa et, rasséréné par le contact des coutures, se dirigea vers la petite maison blanche et la jolie blonde nord-américaine que Dieu, croyait-il, avait placée sur son chemin.

Cette semaine-là, au cours du premier été qu'il passa en Amérique du Nord, Stash découvrit ses deux amours les plus précieux et les plus tenaces : Lovonia Tremblay et le baseball. Dès que les intentions de Stash à l'égard de Lovey ne laissèrent plus aucun doute, oncle Jerry, ayant découvert dans le jeune homme un fan loyal des Tigers et, de surcroît, un élève prêt à écouter avec ravissement le récit des exploits de l'équipe, prit l'habitude d'emmener celui-ci au stade des Tigers. Affectueusement, Jerry surnommait Stash « le Polaque ». Quand tante Lovey lui expliquait, comme Stash l'avait fait pour elle, que la Pologne et la Tchécoslovaquie étaient deux pays entièrement différents, chacun doté d'une langue et de coutumes différentes, il se contentait de rire. Oncle Jerry mit des mois à se rendre compte que Stash comprenait à peine ce qu'il lui racontait. De son côté, Stash mit des mois à apprendre assez de mots d'anglais pour avouer à Lovey, dans l'espoir de la faire rire, qu'il l'avait d'abord prise pour la fille de la gare. À ce moment-là, ils étaient déjà amoureux. Mais entre-temps, tante Lovey était rentrée à Leaford. Le samedi soir, oncle Stash empruntait la voiture de la famille pour sortir avec elle. À la même époque, le père de tante Lovey avait scellé le destin des deux tourtereaux en frappant du poing la longue table en pin de la maison de ferme orange et en interdisant à sa fille d'épouser ce « bon à rien de Polaque ».

Je me souviens, petite fille, d'avoir demandé à tante Lovey comment elle pouvait connaître les circonstances de l'arrivée d'oncle Stash. Après tout, quatre-vingt-dix pour cent des événements s'étaient produits en son absence.

— Eh bien, Stash m'a raconté, a-t-elle répondu. Et j'ai moi-même ajouté certains éléments. Je le connais tellement bien. Quant au reste…

Elle donna l'impression de découvrir la vérité en cet instant précis.

— … je l'ai inventé, je suppose.

~

C'est Ruby.

En me réveillant, la nuit dernière, j'ai aperçu oncle Stash au pied du lit. Il m'a dit que tout irait bien, puis il a remonté la couverture sur mes jambes. J'ai su que ce n'était pas un rêve parce qu'il est parti si vite que mon cœur a failli flancher. J'avais eu froid, mais la couverture était sur mes jambes. Or, je n'aurais pas pu la remonter toute seule. En me rendormant, j'ai cru sentir sur moi la pluie tiède provenant de l'arrosoir de tante Lovey.

Tante Lovey et oncle Stash me hantent. Je sais qu'ils hantent Rose aussi. Seulement, elle emploie d'autres mots pour dire qu'elle est hantée. Elle dit qu'elle s'est sentie triste toute la journée, qu'elle a pensé à l'un, à l'autre ou aux deux. Elle fait jouer à répétition la cassette de Ray Price qu'oncle Stash aimait tant. Elle dit : « Offrons-nous une soirée slovaque et préparons des *palacsinta.* » Ou elle écrit un poème sentimental sur tante Lovey. Ou un poème drôle sur oncle Stash.

Rose a écrit beaucoup de poèmes sur le chagrin. Si, par une journée pluvieuse, elle écrit un poème comme ça… Attention. Je me souviens d'un poème dans lequel elle disait que la bruine était brune. J'ai ri de l'association des mots « bruine » et « brune » et elle s'est fâchée. Rose n'a jamais très bien pris la critique.

Ces derniers temps, l'écriture est pour elle source de frustration. Je ne comprends pas pourquoi. Elle dit qu'elle se sent perdue : elle a l'impression d'être dans une ville qu'elle connaît comme le fond de sa poche, où elle essaie de trouver la rue où elle a habité toute sa vie, mais elle se trompe sans cesse de chemin et finit toujours par revenir à son point de départ. Je n'y comprends rien du tout. Elle écrit l'histoire de sa vie. Comment peut-elle ne pas savoir où aller ?

L'écriture ne me frustre pas, moi. Peut-être parce que je n'y attache pas autant d'importance. Mais je devrais écrire plus souvent. C'est une bonne façon de faire le point sur chaque jour qui passe.

Voici donc comment se déroule une journée typique de notre vie, abstraction faite des détails intimes. Nous arrivons au travail vers dix heures trente. Dernièrement, le matin, nous mettons un peu plus de temps à nous préparer. Nous prenons nos divers médicaments avec du jus de fruit. Nous avalons des aliments riches en fibres et nous nous rendons à la bibliothèque en taxi. À moins que Nick nous y conduise. Je dois avouer qu'il nous aide souvent de cette manière.

Quoi qu'il en soit, nous faisons la lecture aux enfants, nous nettoyons le tableau d'affichage en supprimant les avis périmés, vous voyez le genre. Puis, nous nous octroyons une longue pause repas et, en général, nous nous allongeons un moment sur la vaste causeuse de la salle du personnel. Puis, nous travaillons encore un peu. S'il peut sembler monotone, le boulot est parfois plutôt amusant. Ensuite, nous rentrons. J'aime bien faire la cuisine, et Rose mange à peu près n'importe quoi, sauf les œufs. Je refuse carrément de préparer deux plats différents. Si Rose ne veut pas de ce que j'ai cuisiné, elle se fait un sandwich au beurre d'arachide. Ce soir, nous n'avions pas très faim et nous nous sommes contentées de faire griller du pain. Des bagels, en réalité. L'un d'eux est resté coincé dans le grille-pain et a brûlé comme ce n'est pas permis. Le détecteur de fumée a commencé à hurler et Rose a tiré sur le cordon qui sert à dégager les piles. L'une d'elles lui est tombée sur la tête, et j'ai été sonnée. Rose a dû avoir très mal. Elle a sorti la fiche d'alimentation de la prise, a saisi un couteau et s'est mise à poignarder le bagel. Bientôt, le couteau a commencé à déloger des bouts de fil et des ressorts. J'ai compris qu'il était foutu, notre grille-pain. Se rendant compte qu'elle l'avait démoli, Rose l'a lancé à travers la porte moustiquaire.

Nous étions fâchées l'une contre l'autre à cause de la puanteur, du gâchis et du gros trou dans la porte moustiquaire. Nous sommes allées au salon, Rose a commencé à lire et je me suis dit que je lui en voulais vraiment beaucoup d'avoir détraqué notre grille-pain. Puis, nous avons entendu une sorte de grattement. Nous nous sommes levées pour aller voir s'il y avait une souris dans la cuisine. Soudain, une casserole est tombée par terre. Qu'est-ce que c'est que ça ? avons-nous pensé. Nous nous sommes dirigées vers la cuisine. Au moment où nous ouvrions la porte battante, une autre marmite est tombée en faisant un bruit d'enfer. Sur l'un des brûleurs de la cuisinière était assis un écureuil. Imaginez ! En nous apercevant, la pauvre petite bête s'est mise à courir à gauche et à droite en cherchant la fenêtre, mais les nombreux miroirs la désorientaient et elle était complètement affolée. Elle a fini dans l'armoire des céréales, où elle a commencé à courir en cercle en faisant voler des Raisin Bran un peu partout. Au bout du compte, elle a trouvé le trou dans la porte moustiquaire, celui qu'avait fait Rose en lançant le grille-pain. Évidemment, c'est par là qu'elle était entrée. Dans les miroirs, nous avons vu les têtes que nous faisions, Rose et moi, et nous avons éclaté de rire. Nous avons ri, ri jusqu'à en perdre haleine. Après, nous avons contemplé le dégât. Là, nous avons eu envie de pleurer. Nous avons mis deux heures et demie à nettoyer la cuisine. Le coupable, c'est le sale caractère de Rose et non l'écureuil.

Ce n'est pas ainsi que se termine notre journée typique. Mais c'est de cette façon qu'a pris fin celle d'aujourd'hui. Je suis sûre que Rose en fera le compte rendu. Mieux que moi.

Il y a un peu plus de deux mois que nous avons reçu le diagnostic. Les maux de tête de Rose s'aggravent, mais les analgésiques que le Dr Singh lui a prescrits ne me dérangent pas, et son humeur est un peu moins sombre. Dans l'ensemble, notre état de santé est stable.

Hier soir, Rose m'a demandé ce que je pensais de la possibilité de contacter les filles de tante Pivoine, Diane et Gail, et de leur demander de nous aider à retrouver Taylor. Elles vivent toutes les deux au Michigan et nous savons que c'est là que l'adoption a été arrangée. Nous avons rompu les liens avec la famille de tante Lovey. Ou plutôt, la famille de tante Lovey a rompu les liens avec nous. Après les funérailles, les sœurs de tante Lovey sont venues à la maison manger des sandwichs aux œufs et sont reparties avec quelques souvenirs, choisis sans aucun égard pour Rose et moi. Après, nous leur avons écrit et téléphoné à quelques occasions, mais elles ne nous ont pas répondu. Si elles avaient pitié de nous, elles ne nous ont jamais aimées, sauf peut-être tante Pivoine, mais elle est morte il y a longtemps d'un foudroyant cancer des ovaires.

Je ne crois pas que les cousines du Michigan pourront nous aider à retrouver Taylor et, franchement, je ne crois pas que ce soit une bonne idée. Remarquez, je comprends très bien Rose. Oui, elle aimerait rencontrer sa fille avant de mourir, mais elle doit savoir que ce n'est pas nécessairement la meilleure chose pour Taylor ou Dieu sait comment elle s'appelle à présent. Rose s'est même demandé si elle devait dire à Frankie (policier à Toronto, il est marié et a des enfants) qu'il a une fille de douze ans quelque part au Michigan. C'est maintenant qu'elle voudrait le mettre au courant ? Je pose de nouveau la question : à quoi bon ? Elle se dit qu'il réussira à retrouver Taylor parce qu'il fait partie de la police. Je ne crois pas qu'il aurait envie de s'engager dans cette voie. À sa place, je ne voudrais probablement rien savoir. Je le dis comme je le pense.

Évidemment, je ferai de mon mieux pour dissuader Rose d'entreprendre des démarches, mais si elle tient à retrouver Taylor, je ne pourrai pas l'en empêcher. Je crois malgré tout que ce serait cruel. Que dirait Rose ? Salut, je suis ta mère. Rose Darlen. Tu me connais peut-être par Internet. La femme attachée à ma tête, c'est ta tante, Ruby Darlen. Nous risquons de mourir d'un jour à l'autre. Pas la peine de nous retenir des places à ton bal de fin d'études. Nous voulions seulement te dire bonjour.

Pourtant, une petite partie de moi rêve encore de retrouver Taylor et de faire en sorte qu'elle assiste à notre soirée surprise. Ce serait extraordinaire, non ? Ou peut-être pas, je n'en sais rien.

Quand elle écrit, Rose s'imagine dans la peau d'autres personnes. Si je m'imagine à la place de Taylor, je suis partagée : d'un côté, je suis heureuse de retrouver ma mère biologique ; de l'autre, je préférerais ne jamais l'avoir rencontrée. Pas parce qu'elle est conjointe. Seulement parce qu'elle va mourir bientôt.

Quoi qu'il en soit, Rose dit qu'il est ironique de m'entendre parler des probabilités concernant ceci ou cela, de m'entendre dire que les chances de faire publier son livre sont minimes et celles de retrouver Taylor, plus minimes encore. Que deux jumelles ne se divisent pas complètement est à peu près la chose la plus improbable qui soit. Et pourtant, nous sommes bien là, nous.

LA TRANCHE

~

L'été de nos quatorze ans, tante Lovey et oncle Stash m'emmenèrent au zoo. Étant donné notre situation de jumelles craniopages, la formulation peut paraît bizarre, mais le voyage était pour moi. En huitième année, j'avais obtenu un « A » dans toutes les matières. (Ruby, qui ne réussissait pas très bien à l'école, ne déployait pas vraiment de grands efforts.) La balade au zoo de Detroit était ma récompense, de la même façon que l'interdiction de regarder la télé les soirs de semaine était une contrainte imposée à Ruby.

Nos déplacements étaient (et demeurent) limités. À cause du mal des transports dont souffre ma sœur, nous y pensons à deux fois avant de prendre la route. Oncle Stash travaillait souvent les week-ends, nous avions des devoirs et des cours d'été, et tante Lovey faisait du bénévolat. Il y avait aussi la question de notre confort et de notre sécurité sur la banquette arrière, au milieu du fouillis des ceintures et de la montagne de coussins sur laquelle Ruby doit s'asseoir pour être à la même hauteur que moi. En déplacement, nous requérons beaucoup d'attention (même si nous prenons l'autocar et surtout le train, où il y a plus d'espace, avec un certain succès). Nos voyages ont donc été rares et mémorables.

J'avais toujours voulu voir le zoo de Detroit. Quand j'étais petite, l'un de mes livres favoris de la bibliothèque de Leaford était *Les animaux de A à Z*. Les photos — le lionceau reniflait des marguerites, le loup gris contemplait la ligne d'horizon d'un air sagace, l'ourse gracieuse se léchait les pattes — me fascinaient. Sous de nombreuses photos, il était écrit : « Avec l'aimable autorisation du zoo de Detroit », et j'avais supplié oncle Stash et tante Lovey de m'y emmener. Detroit n'était pas très loin. Nous avions traversé la frontière à quelques reprises pour nous rendre à Hamtramck, une des banlieues de Detroit, où vivait tante Pivoine, la sœur préférée de tante Lovey, mais l'excursion au zoo avait été reportée indéfiniment. Puis, on en fit la récompense pour mes bons résultats en huitième année, même si je n'avais pas regardé le livre depuis des années et que j'avais depuis longtemps cessé de m'intéresser au loup et à l'ourse.

Ruby réussit à garder deux comprimés de Gravol et dormit pendant les deux heures que dura le trajet. Ce n'était pas vraiment un voyage aussi long, mais oncle Stash aimait prendre son temps, suivre la route sinueuse qui longe la rivière près de Chatham, là où les maisons sont immenses et les jardins bien entretenus, sans voitures montées sur des briques dans les allées ni tas de bois à proximité du perron. Puis, nous traversions le petit pont qui enjambe la rivière et prenions la route n° 2 jusqu'à la ville frontalière. Chemin faisant, tante Lovey signalait les sites qui revêtaient une importance historique : dans le monde selon tante Lovey, disait Ruby, on ne pouvait respirer pendant plus de trente secondes sans apprendre quelque chose de nouveau ou se faire rappeler les choses que l'on savait déjà.

Voici le genre de leçons que nous donnait tante Lovey lorsque nous étions petites et que nous roulions en voiture : les Indiens neutres qui vivaient dans la région il y a des siècles appelaient la rivière Thames « *Eskinippsi* », ce qu'on pourrait traduire par « bois de cerfs ». La rivière, en effet, s'incurve et, de boucle en boucle, revient sur elle-même. Plus tard, les explorateurs français donnèrent à la rivière large et sinueuse le nom de « La Tranche » : les berges étaient si à pic et les magnifiques arbres qui la bordaient — saules, châtaigniers, noyers et bouleaux — si hauts et si touffus qu'ils avaient l'impression de naviguer au creux d'une tranchée profonde. D'où La Tranche. (Monsieur LaTranche ! Quel nom merveilleux pour un personnage de roman !) Le territoire était marécageux, ponctué de bosquets et de champs où poussaient les bergamotiers, refuge des cerfs et des ratons laveurs où de rares oiseaux migratoires s'arrêtaient pour se distraire. La plupart des terres du coin où nous avons grandi, Ruby et moi, furent défrichées par les colons français de la première heure, venus du Québec et de Detroit.

Passé le casse-croûte où nous achetions des friandises, il y avait une parcelle de terre d'une importance particulière. Pendant que nous dégustions nos petites douceurs (un *popsicle* en forme de fusée pour moi, un cornet pour Ruby), tante Lovey nous racontait l'histoire de Sally Ainse, une femme oneida qui avait défendu son droit de posséder cent cinquante arpents de terre le long de la rivière et était devenue l'une des premières occupantes du territoire. Elle avait navigué sur les lacs pour faire du commerce.

— Une femme, disait tante Lovey en secouant la tête d'un air faussement incrédule. Une femme autochtone par-dessus le marché.

En une autre occasion, elle déclara, à propos du petit village bâti au bord du lac où nous nous étions rendus pour assister à une course de stock-cars :

— Cette localité a été fondée par des esclaves fugitifs en provenance du sud des États-Unis.

À l'idée que des descendants des premiers colons cultivaient toujours les terres où leurs ancêtres avaient trouvé la liberté, tante Lovey secoua de nouveau la tête d'un air incrédule.

— Comme quoi... ajouta-t-elle.

Puis, comme elle me l'avait déjà dit un million de fois, elle répéta :

— Soit dit en passant, Rose, les ancêtres de la mère de Ferguson Jenkins sont venus à Chatham par le chemin de fer clandestin.

Avec sincérité, comme chaque fois, je répondis :

— Cool.

(Ferguson « Fergie » Jenkins était un phénoménal joueur de baseball, un droitier qui lançait des balles de feu. Au cours de sa carrière, il a enregistré un nombre record de retraits au bâton, soit plus de trois mille. Plus de trois mille ! Quiconque s'intéresse au baseball connaît cette statistique et ne peut s'empêcher de pousser un sifflement d'admiration long et bas. Fergie a lancé pour les Phillies, les Rangers, les Red Sox et, surtout, les Cubs de Chicago. Fergie Jenkins est le seul Canadien à avoir été admis au Temple de la renommée du baseball. Remarquable distinction en vérité ! Fergie Jenkins était prodigieux et il était l'un des nôtres. Il a respiré l'air du pays, parcouru ses champs, arpenté ses rues. Et il est né à quelques kilomètres seulement de notre vieille maison de ferme orange. C'est pour moi une sacrée source d'inspiration.)

Les routes que nous empruntions traversaient des champs de maïs et de haricots luxuriants, longeaient des carrières de gravier et des parcs à ferraille. Dans les prés, de petits renards roux pourchassaient des mulots. Des nuées d'oies effleuraient les herbes hautes. Un soir que nous rentrions à la maison par une route de campagne, un cerf se découpa dans la lueur des phares. Oncle Stash nous raconta alors l'histoire d'un père de famille de quarante ans, emballeur chez Vanderhagen's, un Allemand que tout le monde appelait Whitey en raison de ses cheveux blancs comme neige. (Deux ans plus tôt, Whitey s'était coupé l'index de la main droite à la hauteur de la première phalange. L'accident n'était pas lié à son travail, et d'ailleurs il est sans incidence sur la suite de l'histoire.) Sous une pluie battante, Whitey roulait sur une route de campagne lorsqu'un gros cerf mâle jaillit d'un fossé et glissa sur le gravier mouillé. Le pare-chocs de la vieille camionnette Ford de Whitey faucha les pattes grêles du cerf, dont le corps, ainsi soulevé de terre, glissa sur le capot. La créature fracassa le pare-brise et Whitey vit une masse indistincte où se mêlaient du poil, du sang, des bois et du verre. Puis, plus rien. Lorsque Whitey reprit connaissance, cinq ou dix minutes après la collision, la pluie avait pratiquement cessé. Il avait au front une entaille petite mais profonde. Sinon, à sa grande surprise, il était indemne. Il tourna la tête : le cerf avait atterri, l'arrière-train en premier, sur le siège du passager, les sabots avant sur le tableau de bord, comme s'il attendait son tour au service à l'auto et que, fatigué de patienter, il avait renversé la tête. Whitey était sur le point de rire du cerf, de sa position dans l'habitacle et de son expression irritée et très humaine quand il se souvint qu'il n'était pas seul au moment de l'accident. En y regardant de plus près, il constata que sa passagère, une jeune femme de petite taille, était restée sur son siège, coincée sous l'énorme animal, et qu'elle avait manifestement perdu la vie. Il tenta de pousser l'animal mort, qui refusa obstinément de bouger. Selon oncle Stash, la morale de cette histoire était : « Ne jamais rouler sous la pluie en compagnie de sa maîtresse. »

— C'est quoi, une « maîtresse » ? demanda Ruby.

Tante Lovey se retourna à moitié pour nous regarder sur la banquette arrière, Ruby et moi.

— Une maîtresse, c'est une femme qui couche avec un homme marié. Une femme qui a des relations sexuelles avec un homme marié.

Sur ce plan, tante Lovey avait adopté la politique suivante : si on a l'âge de poser la question, on a celui d'entendre la réponse.

— Et comment est-ce qu'on appelle un homme qui couche avec une femme mariée ? demandai-je.

Tante Lovey se racla la gorge.

— Ça dépend. S'il est marié lui aussi, c'est un adultère.

Oncle Stash montra sur la gauche la maison victorienne remise à neuf où les docteurs Ruttle vivaient depuis des générations.

— Richie se faire construire un nouveau garage, constata-t-il.

Nous passâmes devant des vergers, des ranchs et des maisons comme la nôtre, aux briques usées par le vent. De l'intérieur de la voiture, ces maisons semblaient exotiques, de la même façon que le ciel paraissait plus bleu, le soleil plus grand, le vent plus fort. Quant à la pluie, on aurait dit qu'elle était moins chassée par le ciel qu'attirée par le sol.

Le moins qu'on puisse dire, c'est qu'oncle Stash ne faisait pas d'excès de vitesse. Le contraire, ce serait quoi ? Des excès de lenteur ? Quoi qu'il en soit, il roulait à petit régime, s'arrêtait aux bornes historiques des deux côtés de la route, obligeait Ruby ou moi à lire le texte à haute voix et à recommencer si nous commettions trop d'erreurs ou s'il était particulièrement intéressé. Ruby apprit par cœur les mots qui figuraient sur la borne consacrée à l'illustre chef indien Tecumseh. (Elle rêvait de lui être apparentée, mais uniquement parce qu'il était célèbre et qu'elle aurait aimé l'être, elle aussi, pour autre chose que son statut de jumelle conjointe. Tecumseh était un prophète indien qui, en 1812, s'était allié aux Britanniques dans leur lutte contre les Américains. Il participa à la prise de Detroit, mais il fut tué à Chatham au cours de la grande bataille de la Thames. Dans le parc, il y a une plaque commémorative devant laquelle Ruby et moi aimons nous recueillir en imaginant qu'il était notre arrière-arrière-arrière-grand-père. Ruby pourrait vous en dire beaucoup plus à son sujet.)

Ce qui me plaisait bien, c'est que, après une vingtaine de minutes dans la voiture qui avançait à pas de tortue, Ruby s'endormait, et je pouvais me perdre dans mes pensées et faire semblant d'être seule.

Avant le voyage au zoo, nous avions franchi la frontière cinq fois exactement (une visite du musée Henry Ford et quatre visites chez tante Pivoine, à Hamtramck). J'avais décidé que je préférais le sombre tunnel d'un kilomètre et demi aux multiples voies surchargées du pont Ambassador. Oncle Stash empruntait donc toujours le tunnel, même si cela nous faisait faire un autre détour.

Oncle Stash jeta quelques pièces de monnaie dans le panier en métal treillissé et, une fois la barrière levée, nous quittâmes la cuisante lumière blanche du jour pour nous engager dans le goulot noir qui, en passant sous la large rivière Detroit, relie le Canada et les États-Unis. Ruby endormie à côté de moi, j'écoutai le glissement des pneus sur la route lisse et sans vent et je regardai les carreaux jaune pâle défiler à grande vitesse. De loin en loin, je remarquais une tuile manquante ou fissurée, et j'imaginais la rivière tombant goutte à goutte sur les voitures. Je craignais que le tunnel ne s'écroule sous le poids de l'eau et que nous mourions tous noyés.

(Digression. Enfant, je croyais que le tunnel était en suspension dans l'eau, à la manière d'une énorme paille en position horizontale. Ce n'est que beaucoup plus tard que j'appris qu'il avait été creusé dans le sol, vingt-cinq mètres sous la large rivière. À l'école secondaire, à l'occasion d'une visite à la bibliothèque, j'avais mis la main sur un livre consacré à cette structure et j'en avais fait le sujet du compte rendu de livre que nous devions présenter devant la classe une fois tous les semestres. Ruby, pour sa part, avait lu *Les trente ans de Barbie* et s'était couverte de ridicule en apportant en classe sa valise remplie de poupées comme aides visuelles. Nous avions alors seize ans. Curieux, tout de même, les détails dont on se souvient. Le tunnel fut achevé en 1930. À Washington, le président Herbert Hoover tourna une clé, et des sirènes retentirent des deux côtés de la frontière pour marquer l'ouverture. L'ouvrage, qui coûta vingt-trois millions de dollars, fut terminé une année plus tôt que prévu. À la bibliothèque, il m'arrive encore de regarder ce livre. Comme celui du musée Mütter, d'ailleurs. De temps en temps, je relis la scène de la mort de Beth dans *Les quatre filles du docteur March* et la dernière page des *Raisins de la colère.* Les derniers mots au sujet du sourire énigmatique de Rosasharn me font toujours frissonner. Lorsque je tiens ces livres dans ma main, que je les soupèse et que je respire la poussière qui s'en dégage, j'éprouve pour eux un amour qui ne mourra jamais. Ils m'inspirent confiance, plus que mon ordinateur, dont je ne saurais pourtant me passer. Les livres sont faits de chair. Les livres font partie de ma chair. Qu'aurais-je fait pendant toutes ces années sans la bibliothèque de Leaford et ses trésors fabuleux ?)

De retour à notre histoire : à la sortie du tunnel, la lumière vive et subite tira Ruby du sommeil et je tins le récipient en plastique pendant qu'elle vomissait. Tante Lovey mit le couvercle sur le dégueulis. Plus tard, dans le parking, elle nettoierait tout à l'aide de la bombe aérosol remplie d'eau mêlée d'un peu d'eau de Javel qu'elle avait apportée. Chaque fois que nous nous déplacions, c'était la même chose.

L'énorme douanier qui sortit de la guérite d'un pas sautillant prit nos quatre passeports dans ses grosses mains. (Du côté gouvernemental, on avait hésité pendant un certain temps. Fallait-il nous délivrer deux passeports ou un seul ? Pour convaincre les autorités de la nécessité de produire deux documents, tante Lovey avait envoyé une série de photos prises par oncle Stash. Sur certaines, on voyait Ruby de profil. Sur d'autres, c'est moi qu'on voyait. Il y avait aussi un mot succinct : « Deux filles. Deux noms. Deux passeports. S'il vous plaît. »)

Oncle Stash se fascina pour un brin de poussière sur le tableau de bord. Il ne regardait pas le douanier dans les yeux. Selon tante Lovey, c'est parce qu'il conservait de mauvais souvenirs de la Slovaquie. (Comme moi, du reste.)

Oncle Stash n'était pas né au Canada. Il avait un accent, les yeux brillants et le crâne dégarni. À l'âge mûr, il avait la gueule du méchant Russe hollywoodien. Les douaniers se méfiaient systématiquement de lui. L'hiver, il portait une sorte de calotte noire, et il avait toujours un cure-dent dans la bouche. Vous voyez le genre.

Oncle Stash retira sa calotte lorsque le douanier lui demanda sur un ton sarcastique :

— Où allez-vous comme ça, patron ?

— Au zoo.

— Oiseau ?

En articulant avec soin, oncle Stash répéta :

— Au zoo.

Tante Lovey, qui se mettait du rouge à lèvres corail, priait dans son miroir de poche.

— Vous transportez des armes à feu ?

— Non.

— Dis « monsieur », murmura tante Lovey.

— Non ! répondit oncle Stash.

— Pardon, patron ?

— Je parler à ma femme.

— Vous pouvez répéter, patron ?

— Je parler à ma femme.

— Il s'adressait à moi, monsieur, expliqua tante Lovey en souriant.

— Vous avez l'intention d'introduire des drogues aux États-Unis ?

— Non…

Oncle Stash marqua une pause avant d'ajouter :

— … monsieur.

— Vous transportez des plantes ou des animaux ?

— Non, monsieur.

— Vous apportez…

— J'emmener mes filles au zoo, c'est tout.

Le douanier referma le passeport d'oncle Stash. Ensuite, il ouvrit celui de Ruby, puis le mien. Nos photos avaient été taillées : dans chacune des cases, seul le visage approprié apparaissait. L'homme aux muscles saillants se pencha pour mieux voir la banquette arrière. Je sentis sa confusion. Je sentis sa répulsion. Je voyais bien que Ruby le trouvait bel homme.

Le douanier se redressa et examina nos photos une fois de plus. Il ne dit pas : « C'est bon, vous pouvez passer », comme le font les douaniers en général. Il fit plutôt signe à un de ses collègues de venir examiner les passeports. Le collègue en question, un petit homme noir et mince, se pencha à son tour. Ruby et moi avions déjà décidé qu'elle allait sourire poliment, mais pas moi. L'air surpris, l'homme fit de son mieux pour sourire.

Oncle Stash sourit à l'homme noir, lui aussi, sûr d'avoir trouvé un interlocuteur qui comprendrait et apprécierait son genre d'humour :

— Vous m'avoir pris. Une seule fille être vraie. L'autre être bombe.

L'homme noir ne rit pas. Tante Lovey non plus, car on nous retint et on nous interrogea pendant plus de deux heures avant de nous renvoyer en nous rappelant qu'il était criminel de faire des blagues aux frontières.

Il faisait chaud, ce jour-là, et je ne me sentais pas bien. Pendant que nous attendions la fin de l'interrogatoire d'oncle Stash, je me frottais le ventre en gémissant. Je me demandais si j'avais attrapé le mal des transports dont souffrait Ruby ou, pis encore, sa colite. Le comprimé de Gravol que me donna tante Lovey ne me fit aucun effet. Je voulais qu'elle me donne de l'argent pour acheter une tablette de chocolat de la distributrice automatique, mais elle prétexta ne pas avoir de monnaie. Ruby et moi n'avions pas encore l'habitude de trimballer notre propre argent.

Arrivés enfin au zoo, nous filâmes directement aux cages abritant les singes. Dans les annonces publicitaires présentées à la télé, nous avions vu les orangs-outangs si souvent que nous avions l'impression qu'ils nous reconnaîtraient. L'aînée de la bande, celle qui agitait la main devant la caméra pendant la publicité de soixante secondes, se prélassait sur une branche tombée, dos à la vitre. Elle refusait obstinément de nous regarder, Ruby et moi. Même pas un coup d'œil. Bientôt, je me pris à souhaiter que tous les visiteurs du zoo s'intéressent aussi peu à nous.

À côté de la cage des orangs-outangs, deux gibbons surgirent brusquement d'une enceinte. Depuis la clôture, l'un d'eux se jeta contre la vitre. Nous sursautâmes, Ruby et moi. Nous vîmes les jeunes singes s'installer tranquillement sur une souche, le plus petit épouillant le plus gros et se régalant du fruit de son labeur. Désenchantées, nous étions sur le point de partir quand le plus grand se leva, s'étira, s'accroupit et déféqua juste à côté de son frère. Loin de s'offusquer d'un tel comportement, le plus petit se mit à tripoter les excréments, à prélever des graines entières et... à les manger. Tante Lovey s'émerveilla de leur coexistence harmonieuse. Oncle Stash établit une analogie avec la politique.

Le zoo était bondé et la plupart des animaux se cachaient dans leur petite maison ou dormaient au frais dans leur enceinte, sous des surplombs rocheux où nous pouvions à peine les voir. À plusieurs reprises, je dus attendre qu'un banc se libère pour pouvoir me reposer un peu. Je corrigeais sans cesse la position de Ruby sur ma hanche. Je la serrais trop fort. J'avais chaud et j'étais irritable. Tante Lovey crut que j'avais attrapé un coup de chaleur et nous reprocha, à Ruby et à moi, de ne pas avoir mis le double chapeau qu'elle avait confectionné pour aller avec nos ensembles (un chacune — jamais nous ne portions la même chose). Je foudroyais du regard quiconque osait nous fixer trop longtemps. Après avoir mangé une banane glacée recouverte de chocolat, je me sentis un peu mieux.

Ruby ne pouvait pas savoir que le sang était le mien, bien sûr, mais je ne lui pardonnerai jamais tout à fait la réaction qu'elle eut lorsque nous nous levâmes du banc en pin près de la cage des gorilles et qu'elle vit la tache rouge poisseuse sur les lattes de bois. Elle cria alors :

— Tu t'es assise dans du ketchup ! Tu t'es assise dans du ketchup !

— Tiens, tiens, murmura tante Lovey en se retournant. Ce sont tes règles, ma puce. Tes premières règles.

(À l'école, les filles disaient qu'elles avaient « leurs ours », mais tante Lovey préférait l'expression consacrée, qu'elle jugeait plus raffinée.)

Lorsque Ruby comprit que c'était du sang, mon sang, celui de mes premières menstruations, elle se calma. Tante Lovey nous accompagna aux toilettes, acheta une serviette hygiénique de la distributrice, nous entraîna dans la cabine la plus grande et m'aida à fixer la serviette à ma culotte. Lorsque j'éclatai en sanglots, elle lissa mes cheveux frisottés en disant :

— C'est seulement une question d'hormones, ma puce. Les menstruations ne font pas mal.

Tante Lovey noua un pull autour de ma taille pour cacher la tache de sang sur mon short brun clair et dit :

— Bienvenue dans la grande famille des femmes, Rose Darlen.

Oncle Stash évita mon regard. Il me tapota l'épaule et marmonna «Désolé», comme si c'était sa faute.

J'étais trop mal en point pour apprécier la métamorphose à sa juste valeur et trop consciente de notre état pour ne pas comprendre qu'«être femme» n'était pour moi rien d'autre qu'un désagrément de plus. Nous regardâmes un tigre malade chasser les mouches avec sa queue et je demandai à voix basse si nous pouvions rentrer.

Cette nuit-là, Ruby pleura dans son sommeil. J'eus envie de la réveiller pour lui dire que j'aurais donné n'importe quoi pour avoir des ovaires déficients comme les siens et ne jamais avoir mes règles, mais ce n'était pas tout à fait la vérité. Or, je ne disais de faussetés à Ruby que quand j'étais sûre qu'elle les croirait.

Moins de quarante-huit heures après avoir eu des rapports sexuels avec Frankie Foyle, je sus que j'étais enceinte. Je me réveillai avec un goût métallique dans la bouche et des picotements dans les seins différents des syndromes prémenstruels auxquels j'étais habituée. Je sentais une plénitude dans mon bas-ventre et une douleur dans mon urètre. L'indice le plus significatif et le plus net, c'était, je m'en souviens très bien, que ma peau avait une odeur différente. Un soupçon de moisissure, de pisse doucereuse, d'aliments crus. Ruby la remarqua, elle aussi.

— Qu'est-ce que tu as mangé? Tu pues.

J'ai lu des témoignages d'autres femmes qui avaient tout de suite compris qu'elles étaient enceintes. Quelle sensation de savoir que vous avez été envahie de la façon la plus mystérieuse et la plus sublime qui soit ! Dans mon utérus juvénile parfait, un ovule parfait s'était uni à un spermatozoïde parfait pour former une grappe de cellules magnifique qui, en se divisant complètement, deviendrait une personne, moitié moi, moitié Frankie Foyle, et elle-même à part entière. Un enfant qui ne serait soudé à personne, sinon à moi, par un cordon spongieux et les lois de la nature.

Dans mes rêves éveillés d'adolescente (mais pas dans les fantasmes que je partageais avec Ruby, qui aurait été blessée), je m'étais souvent représentée en tant que mère. Mais jamais, au grand jamais, je n'aurais cru que je deviendrais une véritable mère, comme celles que Ruby et moi voyions à la bibliothèque ou à l'épicerie, ces femmes exténuées et dépassées par les événements, leurs vêtements amples de tous les jours tachés de morve et de beurre d'arachide. Les cheveux remontés en chignon, un pantalon blanc et la jeunesse éternelle : c'est ainsi que je voyais la maternité. Bref, je n'avais jamais pensé être mère pour de vrai. Plus exactement, je n'avais jamais pensé avoir de rapports sexuels. Et je n'avais jamais pensé tomber enceinte. Encore moins à l'âge tendre de dix-sept ans.

La nausée qui m'accabla les premiers jours finit par s'apaiser et, pendant les deux ou trois premiers mois, il fut facile de faire comme si rien n'avait changé. Chaque soir, j'écrivais une lettre au bébé parfait qui grandissait dans mon corps imparfait et que j'aimais si bien et si profondément. Pour me punir d'écrire et de garder un secret pour moi, Ruby regardait des reprises à la télévision et mangeait des œufs, seul aliment dont l'odeur m'était insupportable.

Au début de ma grossesse, je ne pris pas beaucoup de poids ; pendant les premiers mois, la différence se remarqua à peine. Bientôt, ma sœur commença à se plaindre qu'elle avait du mal à s'accrocher à ma taille, de plus en plus épaisse. Au cours du sixième mois, elle entrevit mon corps dans un des miroirs de la salle de bains et, en riant, dit :

— Je t'avais bien dit que tu étais grosse, Rose. Ma parole, on croirait que tu es enceinte !

Ruby ne pouvait pas apercevoir mon visage dans la glace. Il y eut un long silence.

Je m'arrangeai pour dérober mon visage et, au moment où les propos de ma sœur m'ouvraient enfin les yeux, je compris que je n'allais pas, et que je ne pouvais pas, garder mon bébé.

Ruby lâcha mon cou et je resserrai mon étreinte. Lentement, prenant appui sur le bord de la vanité, elle tendit la main et toucha le renflement de mon ventre. Nous trouvâmes nos reflets respectifs fragmentés par le miroir embué.

Où nous étions deux.

Et maintenant trois.

~

Une fois par mois, le dimanche en général, tante Lovey décrétait la tenue de ce qu'elle appelait la « soirée slovaque ». Ruby et moi laissions alors en plan ce que nous étions en train de faire et la suivions dans la grande cuisine embuée au fond de la vieille maison de ferme. Déjà, oncle Stash épluchait des pommes de terre devant la longue table en pin ou faisait sauter des jarrets de porc fumés dans du beurre brun pour la soupe de Noël (une préparation grasse à base de saucisses et d'orge que nous mangions — à l'exception de Ruby — à longueur d'année). Il fallait aussi préparer les *haluski* (plat composé de boulettes de pâte, de chou, de bacon et de fromage de chèvre). Les cigares au chou. Les saucisses au riz. Les *horkí*. Les strudels aux pommes. Et les *palacsinta*. Notre petite famille passait des heures à préparer des plats traditionnels slovaques, que nous faisions congeler en prévision des soirs où tante Lovey rentrait tard de l'hôpital. C'étaient nos « rations », et nous prenions très au sérieux la moindre diminution de nos réserves.

Ruby et moi avions la responsabilité des *palacsinta*, la version slovaque des crêpes. Nous faisions frire la pâte à base d'œufs dans une poêle peu profonde et tartinions les crêpes ainsi produites d'une fine couche de confiture de mûres avant de les rouler selon la méthode traditionnelle. Les *palacsinta* n'étaient pas destinés au congélateur. En fait, ils avaient plutôt pour fonction de nous soutenir pendant que nous préparions les repas qui seraient congelés en écoutant, fascinées, les histoires d'oncle Stash (qui nous changeaient de celles de tante Lovey). Oncle Stash, que la choucroute rendait nostalgique, nous parlait de Grozovo, son village d'enfance, décrivait la vue qu'on avait depuis l'église au sommet de la colline, laquelle, chaque fois, nous semblait plus merveilleuse et plus étrange, comme dans un conte des frères Grimm. Oncle Stash nous parlait sans fin de ses cousines. Zuza qui était la plus belle, Velika la meilleure danseuse. Il nous parlait de son cousin Marek, qui avait été pour lui comme un petit frère. De Grigor et de Milan, ses amis d'enfance. Il évoquait pour nous les journées consacrées aux saints dans le calendrier slovaque traditionnel, sainte Katarina, saint Ondrej, sainte Lucia, et les superstitions entourant chacun, et nous buvions ses paroles en avalant nos crêpes. Je n'arrivais jamais à me souvenir si les jours des sorcières débutaient à la Sainte-Katarina ou à la Sainte-Lucia, et j'oubliais de fois en fois en quoi la Saint-Ondrej se distinguait de toutes les autres fêtes.

Fusion du chou et du bacon, de notre monde et du sien. Encore aujourd'hui, je respire une bouffée de paprika et je suis en pleine soirée slovaque, je lèche la confiture qui me tache les doigts et j'écoute l'histoire du cousin Marek qui faillit se noyer dans l'étang à cause de ses poches bourrées de morceaux de charbon. Oncle Stash avait sauvé la vie du garçon, qui était son cadet, en le tirant de l'eau et en appuyant sur sa poitrine.

Puis, il avait savouré les éloges que lui avait valus sa bonne action. Lorsque le village avait décidé d'organiser une fête en son honneur, oncle Stash avait toutefois eu un sursaut de conscience. Après tout, c'était lui qui avait eu l'idée de voler le charbon et de le cacher dans les poches de Marek plutôt que dans les siennes. L'idée de traverser l'étang à la nage était aussi de lui. Ployant sous le poids de la culpabilité, il alla se confesser à l'église sur la colline. Il avait oublié que c'était le jour où sa grand-mère astiquait la chaire. Après avoir dit la vérité sur les événements de ce jour-là, il ouvrit les rideaux du confessionnal et trouva la vieille femme devant lui, le torchon à la main, la rage dans les yeux. Soulevant le bras, elle gifla violemment oncle Stash. Elle avait la main si sèche et si rude qu'il eut l'impression d'avoir pris sur la figure cinq serpents tout recroquevillés. Le prêtre tint sa langue. Par respect pour la sainteté du sacrement (même si elle n'avait pas hésité à écouter la confession), la grand-mère ne dit rien, et la célébration eut lieu comme prévu. Oncle Stash mangea tant de saucisses et de gâteaux de toutes sortes qu'il fut malade pendant plusieurs jours. S'il regardait d'assez près, avait-il coutume de dire, il voyait encore l'empreinte de la main de sa grand-mère sur son visage.

Un de mes récits favoris, du simple fait qu'il était riche en mystères et en intrigues (et dépourvu d'enseignements sur le mensonge), avait trait à l'homme qui avait frappé un jour à la porte de la maison d'oncle Stash. L'inconnu, qui portait une arme et un uniforme militaire, fut accueilli par la mère d'oncle

Stash, qui échangea quelques mots aimables avec lui, puis elle lui confia le petit Stash pendant qu'elle allait chercher son mari. L'étranger dit à oncle Stash qu'il était son frère aîné et éclata de rire quand oncle Stash affirma que c'était impossible. L'homme sortit son revolver de son étui.

— Tu veux le tenir? demanda-t-il avec désinvolture.

Lentement, oncle Stash hocha la tête. Il prit l'arme que lui tendait l'homme et caressa le métal noir du mince canon. Toute sa jeune vie, il avait rêvé de tenir une arme pareille. Il l'éleva à la hauteur de ses yeux et l'appuya sur son avant-bras, comme il l'avait vu faire en photo. L'inconnu, cependant, lui ébouriffa les cheveux, et oncle Stash, surpris, appuya sur la gâchette et tira dans la fenêtre qui, par chance, était ouverte. Oncle Stash était paralysé. L'homme tendit l'oreille, attendit un moment. Si le coup de feu avait été entendu, on n'en avait pas fait de cas ou encore on avait cru qu'il s'agissait d'un chasseur. Oncle Stash trembla, d'abord de terreur, puis de ravissement. L'homme rit, à la manière d'un conspirateur. Ensuite, il prit le revolver et le remit dans son étui. Regardant autour de lui, il remarqua la bible familiale, seul livre de la maison, sur une tablette au-dessus du poêle à bois. Il s'en empara et commença à la feuilleter. Levant les yeux, il sourit à oncle Stash. En apparence spontanément, il sortit de sa poche un gros rouleau de billets de banque (des *korunas* slovaques) et se mit à en glisser entre les pages de l'Ancien Testament. D'abord quelques-uns, puis tellement que la reliure faillit se rompre. Au moment où l'homme remettait la bible à sa place, la porte s'ouvrit et le père d'oncle Stash apparut. Il ne sourit pas, n'embrassa pas l'inconnu, n'utilisa pas le mot slovaque voulant dire «fils». Il commença plutôt à crier en agitant les poings. L'étranger baissa les yeux, ni fâché ni effrayé. C'était autre chose. Oncle Stash, incapable de supporter l'attaque de son père contre l'inconnu qui l'avait laissé tenir son arme, aurait protesté si l'homme n'avait pas tourné les talons et quitté la maison. Personne ne lui expliqua de qui il s'agissait. C'était peut-être son frère. Ou pas. Lorsque, le lendemain, il mobilisa enfin le courage de jeter un coup d'œil dans la bible, oncle Stash constata que les billets avaient disparu. La famille avait beau être pauvre, l'argent, il le comprit aussitôt, avait été brûlé dans le poêle à bois.

Un jour, le père et la mère d'oncle Stash emmenèrent leur fils au cimetière où étaient enterrés ses frères. Puis, n'ayant mis que quelques villageois au courant de leur projet, les Darlensky s'installèrent à l'arrière d'un chariot à destination de l'aéroport de Košice. Le jeune Marek devait les accompagner au Canada, mais, à la dernière minute, le père du garçon, ivrogne notoire, avait cueilli son rejeton dans le chariot en déclarant qu'il ne le laisserait pas trahir sa mère patrie comme le faisait oncle Stash. Le cœur brisé, celui-ci s'imagina entendre les pleurs de son cousin jusque dans les montagnes.

La soirée slovaque me sembla un moment aussi valable qu'un autre pour avouer ma grossesse à mes parents. Devant la cuisinière, oncle Stash remuait des boulettes de pâte dans une casserole. Sur la longue table en pin, tante Lovey farcissait des poivrons. Ils levèrent les yeux sur Ruby et moi, frappés par notre mine grave.

Tante Lovey resta derrière sa montagne d'oignons hachés et s'adressa des reproches en silence, tandis qu'oncle Stash tapait sur les marmites en maudissant le malade, le pervers, le *hajzel,* le *prdel,* le *sračka* qui avait pu faire une chose pareille à ses filles. Oncle Stash évoqua la possibilité de tuer le *kokot* de fils de pute pendant que tante Lovey débattait intérieurement de l'opportunité d'aller chez Mme Foyle ou de les inviter, Frankie et elle, à venir à la ferme pour discuter de la question. (Personne ne songea à mêler Berb à l'affaire.)

J'avais complètement oublié Frankie Foyle.

— Il va nier, dis-je.

Tante Lovey ne me contredit pas. Qui croirait qu'un beau garçon comme Frankie Foyle ait pu coucher avec l'une de nous (ou les deux) ? Tante Lovey se contenta de hocher la tête à quelques reprises.

— Nous ne lui dirons rien.

Oncle Stash hocha la tête encore plus rapidement.

— Le petit salaud de *sračka* ne jamais rien savoir, confirma-t-il.

Une fois réglé le problème posé par Frankie Foyle, tante Lovey prit une profonde inspiration.

— Dans ce cas, quelles sont tes intentions, Rose ? Tu es presque au troisième trimestre. Tu as eu le temps de réfléchir à ce que tu voulais faire du bébé, non ?

— Je veux le donner en adoption, murmurai-je.

Faisant fi de ma voix qui chevrotait, tante Lovey opina du bonnet.

— C'est la bonne décision.

— O.K.

— C'est le plus beau cadeau que tu puisses faire à cet enfant, Rose.

— O.K.

— Tu es beaucoup trop jeune pour avoir un bébé.

— Je sais.

— Ta santé est vacillante.

— Je sais.

— Tu es très brave.

— O.K.

Je sentis Ruby trembler à côté de moi.

Contre toute attente, ma sœur ne dit presque rien à propos de l'affaire. Même si je ne crois pas officiellement en Dieu (aujourd'hui), je suis reconnaissante du petit miracle qu'a été le silence de Ruby au sujet du bébé et de ma décision.

Ni tante Lovey ni personne d'autre ne savait si c'était la meilleure solution. Elle s'agenouilla près de moi et, à mon oreille (pour empêcher Ruby d'entendre), elle chuchota :

— Si tu veux garder le bébé, Rose, je ferai l'impossible pour t'aider.

Je compris soudain qu'elle faisait référence à de possibles querelles avec les tribunaux et les services d'aide à l'enfance, qui risquaient d'en venir à la conclusion qu'une jumelle conjointe ayant des parents âgés ne faisait pas une mère idéale. Je me mis à fredonner et tante Lovey comprit que j'étais partie, pas physiquement, bien sûr, mais que j'avais franchi une porte, que je l'avais refermée derrière moi et que je resterais absente pendant un moment. (Ruby possède la même faculté de fuir en pensée, et j'ai un jour lu qu'on a observé le même phénomène chez d'autres jumeaux conjoints. Certains le qualifient d'« errance ». C'est un état de conscience plus profond que le rêve éveillé qui se situe quelque part entre la présence et l'absence, entre la veille et le sommeil. C'est une technique que Ruby et moi avons découverte plutôt qu'apprise, et je me demande si tout le monde n'est pas doté de la même capacité, dans une certaine mesure. Dans l'autobus bondé de Leaford, j'ai vu des maris se distancier de leurs femmes pourtant assises à côté d'eux. J'ai vu un petit garçon errer, la main dans celle de sa mère, et retourner un oiseau mort du bout d'un bâton, bien que cette dernière ait répété huit fois : « Arrête, Steven. ») Après avoir avoué ma grossesse, j'ai beaucoup erré. Je trouvais insupportable la façon qu'avait tante Lovey de me regarder. Et celle qu'oncle Stash avait de ne pas me regarder.

Ce soir-là, tante Lovey autorisa oncle Stash à fumer une pipe dehors. Sans bruit, Ruby et moi ouvrîmes la fenêtre pour laisser entrer la fumée de son tabac Amphora Red. Mon oncle reniflait et expirait bruyamment. Je compris qu'il pleurait comme le font les hommes, silencieusement, honteusement. Je mis ma main dans le nuage de fumée qui s'était formé au-dessus de ma tête. Jamais nous ne fûmes plus près de parler de mon bébé, oncle Stash et moi.

Il fut décidé que je réussirais facilement à cacher ma grossesse pendant quelques semaines de plus, jusqu'après les fêtes de Noël. Ensuite, nous passerions les deux derniers mois chez tante Pivoine, au Michigan. Tante Lovey se chargerait de l'accouchement et le mari de tante Pivoine trouverait chez Ford une personne disposée à accueillir l'enfant chez elle. (Les risques que mon enfant soit atteint d'une anomalie congénitale n'étaient pas plus grands que ceux de la population en général, mais, dans mon for intérieur, j'étais sûre — et je le suis toujours — que mon bébé ne serait pas comme les autres. En fait, je suis certaine que ma fille est extraordinaire.)

Nées réunies par la tête, selon un dessein qui nous dépassait, Ruby et moi étions normales à nos propres yeux. Pour nous, il était normal d'être qui nous étions et de vivre comme nous le faisions. Mais être enceinte ne me paraissait pas normal. Pour la première fois de ma vie, je me sentais tout à fait anormale et monstrueusement, hideusement difforme.

Dans mon esprit, ma grossesse prend la forme d'une succession d'arrêts sur image. Sur une photo, on voit Ruby vêtue d'un chemisier marine trop grand (qu'elle portait par solidarité) et moi attifée d'un pantalon noir distendu et d'un twin-set vert lime (acheté au rayon des tailles fortes plutôt qu'à celui de la maternité) en train d'étreindre Nonna chez elle au jour de l'An. Nonna, je m'en souviens, me flattait le ventre, le frottait et le tapait, répétait que je prenais du poids, sans jamais se douter que j'étais enceinte. J'avais peur que le bébé lui donne un coup de pied sur la main et lui flanque une peur bleue. Cette année-là, Nick était en prison. Nonna pleurait parce qu'il était injustement accusé d'avoir commis un crime passé sous silence (ou indicible ?). Tante Lovey pleurait, elle aussi, et Nonna croyait que c'était de l'empathie.

Il y a la photo qu'oncle Stash prit le matin où nous partîmes pour Hamtramck, où habitait tante Pivoine. Une épaisse couche de neige d'un blanc éclatant recouvrait les champs. Au loin, quelques dizaines de corneilles se pavanaient sur la croûte de glace. Debout dans l'allée, nous attendions que le moteur réchauffe. J'avais déjà des contractions. C'étaient de toutes petites contractions de rien du tout, dont j'ai oublié le nom. Grâce à elles, mon utérus se préparait à expulser la petite merveille qui grandissait en moi.

Je ne suis pas vaniteuse, à la différence de ma sœur. En général, je me soucie peu de mon apparence sur les photos, mais, enceinte, j'avais horreur d'être saisie sur la pellicule. À mon grand dam, oncle Stash avait insisté pour aller chercher son appareil photo avant notre départ. Figées, Ruby et moi regardâmes oncle Stash grimper sur la table de pique-nique et cadrer de manière à avoir les corneilles en arrière-plan. C'étaient elles, dit-il, qui feraient l'intérêt de la photo. Sur un ton acide, je lui demandai pourquoi, dans ces conditions, il nous avait obligées à poireauter dans le froid, Ruby et moi, et il marmonna quelques mots en slovaque. En voyant la photo, plus tard, je dus convenir que le résultat était intéressant : Ruby et moi à l'avant-plan, et les corneilles, saupoudrées comme des grains de poivre sur une assiette, au fond. Sur la photo, je m'attendais à arborer une mine contrariée ou frustrée. Or, j'ai simplement l'air effrayé.

Sur de nombreuses photos, on me voit en compagnie d'un ordinateur portatif en appui sur le promontoire que formait mon ventre de femme enceinte. (Tante Lovey et oncle Stash avaient débattu de l'opportunité de m'offrir cet article à l'époque rare et coûteux. Aux yeux d'oncle Stash, je risquais d'y voir une forme de récompense. Mais tante Lovey savait que l'écriture serait ma planche de salut.) Pendant ma grossesse, j'écrivis mille poèmes. Portant sur les liens entre les êtres, ils n'arrivaient jamais à exprimer clairement le ravissement et l'horreur, la douleur et la souffrance que j'éprouvais à l'idée que mon corps était occupé par un autre.

Ma grossesse eut sur Ruby des effets insoupçonnés. Elle était affectée par mes hormones, naturellement, pleurnicharde et épuisée. Elle avait des envies de chips au ketchup et de réglisse, tandis que je n'avais aucune fringale. Mon volume sanguin augmenta et le sien aussi : chaque fois qu'elle éternuait, son nez évacuait des torrents, ses lèvres et ses autres zones érogènes se gonflèrent. Une nuit, je me réveillai à cause des tremblements du lit. J'avais l'habitude de ces réveils. Ruby bouge. Je me réveille. Ruby ronfle. Je me réveille. Ruby frissonne. Du pied, je remonte les couvertures sur ses jambes tremblantes. Cette nuit-là, ce n'étaient pas les jambes de Ruby qui tressautaient, et elle ne dormait pas. Elle tentait de reproduire les cercles concentriques que je lui avais décrits un soir qu'elle m'avait interrogée en pleurant au sujet de ma répugnante nouvelle habitude (elle se demandait pourquoi elle n'était jamais portée à faire de même). En raison de ma grossesse, Ruby avait été tirée du sommeil par ses organes sexuels gorgés de sang.

J'encourageais ma sœur à mettre la main sur mon gros ventre, à deviner l'origine des diverses bosses : coude, genou, petit derrière tout rond. Lorsque le bébé donnait des coups de pied, je guidais sa paume. Nous parlions au bébé, lui racontions des histoires et lui chantions des chansons. Mais je savais que je pleurerais la perte de cette créature dont j'étais la mère d'une façon que Ruby ne pourrait pas connaître.

J'aimais bien l'idée d'attendre le bébé chez tante Pivoine. Nous étions déjà allées à Hamtramck pour assister à des réunions de famille des Tremblay, et j'avais apprécié la façon dont tante Pivoine nous avait parlé séparément, à Ruby et à moi, sa manière de me saisir doucement l'épaule et de se pencher pour me demander :

— Tu t'amuses ?

Nous nous perchions sur la table de pique-nique (moi assise, Ruby en équilibre sur ses pieds bots pour ne pas avoir à s'agripper à moi comme un bébé) et souriions aux enfants que les parents apitoyés poussaient vers nous en se disant : « Grâce à Dieu, on nous a au moins épargné ça. »

Tante Pivoine était la sœur préférée de tante Lovey parce qu'elles étaient toutes deux infirmières et avaient épousé un Européen de l'Est malgré l'opposition de leur père francophone. Tante Pivoine habitait une maison sans étage modeste, mais toute neuve avec une piscine hors sol dans un quartier découpé par des trottoirs blancs et nets et des pelouses manucurées. Elle aimait aussi nous raconter des histoires, en particulier sur sa mère, que ses sœurs et elle appelaient « mère » ou même « Verveine », mais jamais « maman ». Tante Pivoine évitait de porter des jugements catégoriques, même si elle établit clairement que je prenais la bonne décision en donnant mon bébé en adoption.

Désormais adultes, les deux filles de tante Pivoine avaient elles-mêmes des enfants. Elles habitaient à quelques kilomètres de la maison de leur mère, dans des quartiers identiques à celui dans lequel elles avaient grandi, et leurs maris travaillaient à l'usine de Ford, aux côtés de leurs pères vieillissants. Pendant que nous étions là, les deux filles de tante Pivoine vinrent à la maison à quelques reprises, mais jamais avec leurs maris et leurs enfants. Je compris qu'elles ne tenaient pas à expliquer à leur progéniture comment leur cousine adolescente et jumelle conjointe (Dieu merci, elle n'était pas de leur sang) avait pu se faire engrosser.

La cadette de tante Pivoine, Diane, était belle, mais Gail, l'aînée, était plutôt moche, avec un nez en bec d'aigle, un gros menton et des cheveux qui, comme les miens, frisottaient. Avec tout ce que nous avions en commun, nous aurions dû être amies, me disais-je. Mais sa sœur et elle restaient loin de Ruby et moi, et nous regardaient avec trop d'intensité ou ne nous regardaient pas du tout.

Le mari de tante Pivoine, oncle Yanno, était un homme renfrogné avec une aigrette de cheveux blancs et des joues rougies à vif par le feu de son chalumeau. Il portait un luxueux survêtement en molleton et, pour se garder en forme, s'entraînait sur la machine à ramer qu'il avait installée dans son garage double. Il avait des biceps en béton armé. Et il n'avait pas d'accent. Absolument aucun.

Lorsqu'il croyait que personne ne regardait et même dans le cas contraire, oncle Yanno avait l'habitude de chatouiller la raie des fesses de tante Pivoine avec son majeur. Elle lui assénait alors une violente claque, même si elle semblait prendre plaisir au jeu. Je ne compris donc pas quand, un jour, j'entendis tante Pivoine confier à tante Lovey en sanglotant qu'oncle Yanno avait une maîtresse beaucoup plus jeune.

Ruby et moi dormions dans la chambre du fond. Ruby, du moins. Pour ma part, je frissonnais à côté d'elle, malgré deux édredons, en me demandant pourquoi l'air chaud ne parvenait pas à franchir la double bouche d'aération de la pièce, qu'oncle Yanno avait pourtant vérifiée deux fois. (Pour la première et unique fois de notre vie, je fus celle qui grelottait.)

Oncle Stash me manquait tellement que j'en avais mal. Il traversait la frontière sans incident (disait-il) et venait nous rendre visite chez tante Pivoine trois fois par semaine, et je boudais parce que je jugeais son assiduité insuffisante. Blessée et malmenée par les hormones, je laissai entendre qu'il serait venu tous les jours si c'était Ruby qui avait attendu un enfant. Tante Lovey m'envoya immédiatement réfléchir dans ma chambre. (Dans notre monde, l'ingratitude était un péché grave.) Enceinte et confinée dans ma chambre, je fus profondément humiliée. Ruby, qui avait jugé mes propos cruels et indélicats, étant donné qu'elle ne pouvait pas avoir d'enfant, savoura fort ma punition, même si elle fut elle aussi enfermée.

Notre chambre donnait directement sur la fenêtre du garage adjacent. Ruby et moi avions l'habitude d'épier oncle Yanno quand il s'entraînait sur sa machine à ramer et nous laissions entendre un petit rire sot lorsque, en se retournant, il nous surprenait en train de l'admirer. Nous ne parlions pas beaucoup avec oncle Yanno, mais nous jouions au jeu des regards furtifs, à la façon de véritables conspiratrices. Ce jour-là, furieuse contre tante Lovey qui m'avait confinée dans ma chambre et agacée par Ruby, qui jugeait son sort plus injuste que le mien, je jetai un coup d'œil dans le garage.

Oncle Yanno était là, comme j'y comptais. Il portait son pantalon de survêtement et un t-shirt. Au lieu d'être assis sur son appareil, il s'appuyait contre la porte en métal du garage, les bras croisés. Sans doute Ruby décela-t-elle un mouvement dans son champ de vision périphérique. Au moment où elle bougeait un peu pour voir oncle Yanno, j'aperçus oncle Stash. Peut-être était-il là depuis le début. Soudain, sans provocation (car oncle Yanno ne dit rien et ne broncha pas), oncle Stash se rua sur l'homme plus jeune et plus en forme et le poussa violemment. Oncle Yanno se laissa rebondir contre la porte de son propre garage, sans répliquer, ce qui nous sembla curieux. Ruby et moi savions qu'oncle Yanno aurait pu tuer oncle Stash s'il en avait eu envie.

Le soir venu, je m'informai de la nature du différend entre oncle Stash et oncle Yanno, et tante Lovey répondit que, dans les circonstances présentes, j'avais déjà assez de soucis. En nous aidant à prendre notre bain, ce soir-là (mon état rendait nos ablutions extrêmement complexes), elle nous rappela que nous avions beaucoup de chance de pouvoir compter sur l'hospitalité d'oncle Yanno en ces temps difficiles.

— Tout n'est pas toujours blanc et noir, les filles. Il faut être deux pour danser le tango. Vous devriez le savoir mieux que quiconque.

Je ne comprenais pas. Pas vraiment. À l'époque, du moins.

— Eh bien, moi, je pense qu'oncle Yanno est un salaud, dis-je.

— Ah bon ?

— Absolument. Et je sais juger les gens.

— Vraiment ?

— Oui, répondis-je.

— Tiens, voici une énigme, commença tante Lovey. Dieu dit : « Ne jugez point. » Comment, dans ce cas, peut-on être un *bon* juge ? des gens ou du reste ?

— En tout cas, oncle Stash le déteste, répliquai-je.

J'en voulais à tante Lovey d'être capable de citer la Bible avec tant d'à-propos.

— C'est une histoire qui remonte au vieux pays, dit-elle en réfutant l'argument d'un geste.

— Oncle Yanno et oncle Stash se sont connus à Grozovo ? dis-je, révoltée de ne pas avoir été mise au courant.

— Non, répondit tante Lovey.

D'une certaine manière, ce fut suffisant.

Par la suite, oncle Stash vint moins souvent, et il ne passa jamais la nuit. Chaque fois qu'il arrivait à Hamtramck, je poussais un soupir de soulagement, mais ses visites, si nous les attentions avec impatience, nous plongeaient aussi dans une grande frayeur. D'abord, nous nous étions réjouies de le voir maigrir (le Dr Ruttle lui avait recommandé de perdre du poids avant même sa crise cardiaque). De mince, toutefois, il devint maigre, puis émacié. Sans tante Lovey, oncle Stash, nous le comprîmes, ne mangeait rien du tout. Ses dents prirent une teinte orangée et il avait l'haleine fétide. Évidemment, il fumait la pipe dans la maison. Je pense qu'un mois de plus de ce régime l'aurait tué.

(Digression. Je me suis souvent interrogée sur les effets du travail d'oncle Stash sur sa psyché. S'il était resté plus longtemps que raisonnable chez Vanderhagen's à abattre des animaux, c'est qu'il se faisait du souci pour nos dépenses médicales de même que pour notre avenir, à Ruby et à moi. Et donc, huit heures par jour, cinq jours par semaine, pendant presque quarante ans, oncle Stash était confiné dans une antichambre froide (ou, à Dieu ne plaise, chaude) dans laquelle des carcasses d'animaux étaient suspendues à des crochets. Hommes renfrognés. Sang coagulé. Fumée de cigarette. Couteaux luisants. Sol rendu glissant par les globules de graisse dorés. Ma sœur et moi n'étions pas autorisées à entrer dans l'abattoir, mais, en quelques occasions, nous avions aperçu oncle Stash par les fenêtres sales des portes argentées. Brandissant son hachoir derrière son billot en bois massif, il avait l'air plus imposant, plus grand que dans la vraie vie. Il tenait la patte couverte de sang de quelque pauvre créature et, d'un geste rapide, séparait le membre du corps. Puis, il attaquait une autre articulation, et encore une autre, jusqu'à ce que les diverses parties de l'animal soient prêtes à emballer dans des barquettes en polystyrène et enveloppées de pellicule plastique. Comme il avait dû souffrir sans sa famille pendant notre long séjour à Hamtramck, avec, pour seule compagnie, ses collègues à la mine renfrognée, les animaux morts et sa pipe !)

Aussi inquiète fût-elle, tante Lovey était la seule à avoir la certitude qu'oncle Stash ne mourrait pas de faim.

— D'ailleurs, c'est pour bientôt, disait-elle en tapotant mon ventre. D'un jour à l'autre, en fait.

Depuis ma grossesse, je n'ai pas souffert d'insomnie généralisée et lorsque, comme aujourd'hui, l'inquiétude ou les soucis m'empêchent de dormir, je me souviens des nuits passées à Hamtramck, des bottes du voisin crissant sur la neige à cinq heures et quart du matin. Sa vieille camionnette prenait vie en bâillant et il laissait le moteur se réchauffer pendant cinq ou dix minutes, le temps d'aller se faire un café pour la route. Puis, j'entendais la fourgonnette d'oncle Yanno qui, au lieu de partir tôt, rentrait tard. La porte grinçait dans l'obscurité. Dans la cuisine retentissaient des récriminations et des dénis. À pas furtifs, tante Lovey parcourait le couloir pour aller sécher les larmes de sa sœur. À côté de moi, Ruby dormait paisiblement, tandis que, par la fenêtre surmontée d'une cantonnière en vichy bouffant, je contemplais les étoiles frissonnant dans un ciel froid et noir et une unique branche effeuillée qui, un soir, se brisa net sous le poids soudain de l'hiver.

Je n'imaginais pas la vie avec mon bébé. Je n'imaginais pas la vie sans lui. C'était tout bonnement inconcevable. Je me consolais en me disant que nous aurions un point en commun, lui et moi : nous ne connaîtrions jamais notre mère biologique. Je l'appelai Taylor (ce qui, dans mon esprit, convenait à un garçon ou à une fille).

Nous passâmes donc tout ce long mois d'hiver cloîtrées chez tante Pivoine. Je songeais au livre, à l'histoire de ma vie qui, à l'époque, était deux fois moins longue qu'aujourd'hui. Même si je ne couchais rien sur le papier, je me disais qu'écrire m'aiderait à comprendre ma décision. Des poèmes. Je ne savais que faire d'autre.

Vers la fin de ma grossesse, j'étais confinée au lit et, par conséquent, Ruby aussi. J'avais perdu le sens de l'équilibre, et les jambes de Ruby n'arrivaient plus à s'accrocher au ballon qu'était devenu mon ventre. Nous passâmes le mois à regarder des feuilletons à la télé en mangeant des poudings aux nouilles froids et des *pierogis* avec du fromage râpé.

J'avais vu des femmes accoucher dans des émissions de télévision et dans les films éducatifs qu'on nous présentait à l'école, mais je n'avais jamais eu de contractions. Lorsque j'en eus une, je ne compris pas tout de suite que j'étais sur le point de donner naissance à mon bébé, deux semaines avant terme. Tante Lovey m'entendit pousser un petit cri et courut dans la chambre d'amis. Tante Pivoine et elle retirèrent le dessus-de-lit chic et recouvrirent le matelas d'une enveloppe protectrice faite de quatre nappes en plastique retenues par du ruban adhésif. Par-dessus, elles étendirent un drap à motif floral. J'étais sûre d'avoir vu le même plié au fond du panier du chien, mais tante Pivoine nia avec véhémence. Devant ma réaction un tantinet hystérique, elles remplacèrent le drap par trois serviettes de plage que tante Pivoine gardait à l'intention de ses petits-enfants et qu'elles installèrent en vitesse sur le lit à deux places trop étroit pour nous.

Tante Lovey avait discuté avec Ruby et moi des difficultés de l'enfantement, imputables en grande partie au fait que j'allais devoir abandonner mon corps aux instincts de l'enfant à naître, aux souffrances du travail et de l'accouchement. Je me tortillerais. Je me crisperais. Je grognerais. Je pousserais. Et Ruby aussi. Parce que nous risquions ainsi de subir de graves blessures au cou et à la colonne vertébrale, deux autres personnes (des amies de tante Pivoine, infirmières comme elle, que nous ne connaissions pas) nous prêteraient main-forte. Ces dernières auraient pour tâche de nous maintenir sur les oreillers, assurant la stabilité de nos têtes et de nos épaules pour éviter les blessures, tandis que tante Lovey et tante Pivoine s'occuperaient du bébé. (Tante Pivoine avait constaté que le fait de tirer doucement sur le périnée au moment où émergeait la tête du bébé réduisait considérablement les risques de déchirure des tissus et, par voie de conséquence, la nécessité du recours à l'épisiotomie.)

Tante Lovey positionna un miroir en pied qui nous permettrait de voir l'accouchement.

Les contractions — élans de douleur cuisante qui prenaient naissance dans le bas de mon dos, s'étendaient à mon aine et à mes cuisses avant de remonter mon épine dorsale jusqu'à la base de mon cou — vinrent rapidement.

— Elle a des contractions dans les reins, constata tante Pivoine. Ce sont les plus douloureuses.

Comme nous n'avions pas assez de temps pour permettre à ses collègues de faire le trajet depuis le comté d'Oakland, tante Pivoine ordonna à ses filles de prendre leur place et, à contrecœur, celles-ci se campèrent de part et d'autre du lit d'un air effrayé. Leur tâche consistait à écarter mes jambes et à empêcher celles de Ruby de se mettre en travers. Allongée sur ce lit, les genoux remontés et ouverts, entourée de cinq femmes, dont une attachée à ma tête, j'eus plus peur que jamais et je me sentis totalement et absolument seule.

— Elle veut de l'eau, Diane, dit Ruby. Elle aime boire avec la paille recourbée.

Mais je n'en voulais pas et je ne pus rien avaler lorsque Diane porta la paille à ma bouche.

Pendant que j'étais enceinte, tante Lovey m'avait encouragée à lire les livres sur la grossesse et l'accouchement qu'elle m'apportait de la bibliothèque (elle disait donner un cours d'obstétrique à des apprenties infirmières). J'avais tenté de suivre sa recommandation en choisissant des ouvrages au hasard dans la pile, mais ils n'étaient pas faits à l'intention des femmes qui attendaient un bébé. Ils étaient destinés aux mères. Parmi les détails que j'avais retenus, un chiffre ressortait, trente-six, c'est-à-dire la durée en heures du travail d'une femme dont on racontait l'histoire. La douleur était lancinante. Si intense qu'elle excluait les larmes. Pour ma part, je ne survivrais pas à trente-six heures d'une souffrance pareille. Ma douleur torturait Ruby, elle aussi, même si elle ne la sentait pas directement. Elle était désorientée. Et impuissante.

— Pourquoi il ne vient pas ? demanda-t-elle à tante Lovey d'une voix larmoyante. Ça fait déjà neuf heures que ça dure !

Tante Lovey se racla la gorge, mais elle ne dit rien. Elle échangea un regard avec tante Pivoine.

— Ça fait mal, gémis-je.

Ruby me caressait le lobe de l'oreille et faisait « chut, chut » sans arrêt, comme si j'étais une enfant fatiguée.

Tante Lovey repoussa la main réconfortante de Ruby, l'éloigna de mon lobe. Se penchant, elle me chuchota à l'oreille :

— Tu vas y arriver, Rose Darlen. Concentre-toi. Reste concentrée. Fais le vide autour de toi. Tu crois que tu peux y arriver ?

— Je ne sais pas, gémis-je.

— Il le faut, pourtant.

— Pourquoi ?

J'avais peur de ne pas pouvoir y arriver seule.

— C'est important, Rose. Chasse-nous de ton esprit. Moi, Pivoine, tes cousines et Ruby, même Ruby.

— O.K.

— Quand tu auras besoin de nous, nous serons là. Pour le moment, il faut que tu nous ignores. Ton col ne se dilate pas, ma puce. C'est mauvais.

— Je n'y peux rien, dis-je en pleurnichant.

— Il le faut, pourtant, il le faut, répondit-elle en tentant de m'empêcher de fuir son regard.

— Je vais essayer, murmurai-je.

— N'essaie pas, Rose. Fais-le ! dit tante Lovey.

— Mais…

— Fais-le !

Je laissai passer la contraction suivante en respirant à fond.

— Représente-toi ton corps et le bébé à l'intérieur. Tu sais comment tu es faite. Tu comprends le fonctionnement de ton anatomie. Ton col ne se dilate pas et il faut qu'il le fasse. Tu comprends, Rose ?

— Oui.

— Fais comme si ton col était un bourgeon de fleur.

— Un bourgeon ?

— Imagine le bourgeon qui s'ouvre, les pétales qui se déploient. Vois-les s'épanouir. De plus en plus. Imagine ton magnifique bébé qui sort du centre de cette fleur ouverte, parfaite. Tu peux faire ça, Rose ?

— Oui.

Je m'exécutai. Et je découvris à mon grand étonnement de quoi les humains sont capables à force de volonté. Ma fleur était une rose.

Dans le miroir en pied, Ruby vit apparaître la tête du bébé.

— Rose, souffla-t-elle. Oh, Rose.

J'écoutais les commentaires, mais je fus incapable de regarder ma petite fille émerger avec sa crinière de cheveux auburn, son petit visage furieux, ses longues jambes qui battaient l'air, ses poings serrés. (C'est ainsi que Ruby la décrivit plus tard.)

— C'est une fille, dit Ruby en sanglotant. Oh, mon Dieu.

Tante Lovey, frappée de stupeur par le miracle de la naissance, murmura :

— Elle te ressemble comme deux gouttes d'eau.

J'eus envie de crier et de pleurer jusqu'à ce que tante Pivoine s'exclame :

— Elle est absolument parfaite, cette petite princesse.

Je compris alors : tante Lovey voulait dire que ma fille ressemblait à Ruby.

On entendait le tic-tac d'une horloge et le miaulement d'un chaton, mais, bien entendu, il s'agissait plutôt des pleurs de mon bébé.

— Chut, bébé, gazouillait tante Pivoine. Chut, mon ange.

Je n'avais pas posé de questions au sujet des parents adoptifs. Je ne voulais pas avoir d'image d'eux. Et j'évitai de regarder la petite, même lorsque tante Lovey dit :

— Rose, ma puce, c'est ta dernière chance de la voir.

Je ne bronchai pas.

— Tante Pivoine est sur le point de partir avec elle. C'est ta dernière chance, Rosie. Ta dernière chance.

— Taylor, dis-je sans ouvrir les yeux.

— Pardon ?

— Elle s'appelle Taylor.

— Tu ne veux pas la prendre, Rose ?

— Non.

— Rose ?

— Non.

— Tu pourrais...

— Non.

— Tu vas le regretter...

— Non.

Je me mis à fredonner.

Ruby restait parfaitement silencieuse. Je crois qu'elle faisait semblant de dormir.

— Très bien.

Tante Lovey pleurait.

— Comme tu veux.

Tante Pivoine et tante Lovey sortirent de la chambre. J'ignore où étaient passées mes cousines. En tout cas, elles ne s'étaient pas attardées. Ruby, vidée, sombra dans le sommeil. J'attendis que la porte se referme et que la voiture s'éloigne avant d'ouvrir les yeux.

Je vis la chambre avec une clarté nouvelle. Les tableaux floraux dans leurs cadres blancs sur les murs jaune pâle. La tablette avec ses poupées gigognes alignées, de la plus grande à la plus petite. (Je ne reverrais jamais cette pièce. Oncle Yanno quitta tante Pivoine et elle emménagea dans un appartement situé près de la maison de son aînée. Elle mourut l'année suivante d'un cancer des ovaires.)

Tante Lovey me fit prendre une pilule pour empêcher mes seins de produire du lait, mais ils étaient quand même durs et douloureux. Je laissai ma main descendre sur mon ventre, comme je l'avais déjà fait un million de fois, caressant Taylor à travers ma peau, lui déclarant mon amour, me délectant de mon péché, et je fus stupéfaite et alarmée de trouver la bosse encore là — c'était moins qu'une bosse, en fait, mais il y avait quand même quelque chose — et soudain je compris qu'il y avait un deuxième bébé, un jumeau que nous avions raté. Je réclamai tante Lovey à grands cris. Ruby se réveilla. Je lui racontai tout et elle se mit à pleurer. Je savais que ma sœur ne survivrait pas à un second accouchement.

Tante Lovey accourut. Elle trouva Ruby en sanglots. Quant à moi, je parlais si vite qu'elle n'entendait rien. Elle finit par comprendre que j'avais peur que mon utérus, encore gros et dur et rond et saillant, ne contienne un autre bébé.

— Il n'y a pas de jumeau, Rose, dit tante Lovey sèchement.

Ruby cessa de pleurer. Je pris une profonde inspiration. Pour tout ce qui touchait la médecine, j'avais en tante Lovey une foi inébranlable.

— Il faut un certain temps pour que l'utérus se contracte, expliqua-t-elle. Il faut qu'il passe de ceci (elle désigna mon ventre) à cela (elle serra le poing). Je fus soulagée, mais, cette nuit-là, je rêvai qu'il y avait bel et bien un deuxième bébé. Un bébé que ma sœur me laissait garder.

Au cours des semaines suivantes, je me concentrai obstinément sur la douleur physique parce que l'autre était intolérable. J'essayai d'écrire ou plutôt de récrire un poème intitulé *Un baiser*. Malgré tout ce qui m'était arrivé, je regrettais que Frankie Foyle ne m'ait pas embrassée.

Lorsque je me sentis assez bien et capable de transporter ma sœur sans risquer une hémorragie, oncle Stash vint nous chercher à Hamtramck. Il n'était plus que l'ombre de l'homme que nous avions laissé à Leaford. Pour tenir son pantalon, il avait besoin de bretelles. Au cours des dernières semaines, la chair de son visage avait pour ainsi dire fondu. Il avait l'air vieux. Et desséché. Je priai pour qu'il pleuve.

Nous nous glissâmes sur la banquette arrière et Ruby arrangea ses coussins. J'en avais assez d'avoir mal. Il était tôt et je n'avais pas envie de rentrer directement à Leaford. J'avais peut-être peur de tomber sur Frankie Foyle, qui risquait, à la vue de mon visage, de deviner mon secret. Peut-être aussi n'avais-je pas envie de rentrer dans un endroit qui serait comme avant, alors que j'étais moi-même changée en profondeur.

— Allons au zoo, dis-je.

Tante Lovey et oncle Stash ne répondirent pas tout de suite.

— Et si on s'arrêtait plutôt au resto chinois à Windsor avant de rentrer à la maison ? proposa tante Lovey, pleine d'espoir.

— Je ne veux pas aller au zoo, déclara Ruby sur un ton sans appel.

J'étais furieuse. Car c'était moi l'écorchée. *Moi.*

— Je veux aller au zoo, insistai-je.

Oncle Stash jeta un coup d'œil à tante Lovey.

— Pas de problème. Nous aller au zoo.

Ruby fit la tête jusqu'à ce que les effets du Gravol commencent à se faire sentir.

Le zoo n'était pas bondé et il ne faisait pas trop chaud. Nous fîmes une petite balade en train, ce qui me mettait toujours en joie. Je n'avais pas de préférence à propos des animaux à voir, et oncle Stash nous guida. Décharné et vidé, il était enchanté de voir sa famille à nouveau réunie. Il oublia que nous n'étions plus des enfants et que je venais moi-même d'accoucher.

Les orangs-outangs ne m'inspirèrent aucune nostalgie. Les ours polaires me laissèrent de glace. En voyant les amphibiens derrière leurs petits enclos fermés par une vitre, je me demandai ce qui m'avait pris d'exiger de venir en ce lieu. Je me dis que la raison se révélerait peut-être à mes yeux, comme cela arrive parfois. Je mangeai une banane glacée recouverte de chocolat et je me sentis un peu mieux.

Sur le chemin du retour, je m'endormis dans le tunnel. Je rêvai que Ruby se cramponnait à un poteau et que je tentais désespérément de l'entraîner. Je ne savais pas pourquoi. Puis, j'entendis des clapotis : mon bébé se noyait dans la baignoire, et je ne pouvais pas l'atteindre parce que Ruby se cramponnait au poteau. Je me réveillai en sursaut. Oncle Stash disait :

— Oui, monsieur. Nous seulement aller au zoo pour la journée.

Il s'adressait au douanier du côté canadien de la frontière.

Depuis sa naissance, je pense à ma fille tous les jours. Elle a douze ans. Elle est grande. Elle ressemble à Ruby. Elle est belle, élégante et originale. Un peu solitaire. À l'aube de l'âge ingrat. Elle lit beaucoup. Elle est intelligente. Sportive. Même si Taylor n'en saura évidemment rien, je me rends compte, après tout ce temps, que c'est pour elle que j'écris ce livre.

~

C'est Ruby.

Cette année, les Red Wings de ma sœur ont craqué. Whiffer et Rose s'attendaient à ce que l'équipe profite des derniers matchs pour rehausser son jeu d'un cran, mais non. Conclusion décevante d'une saison de rêve. (Je ne m'intéresse pas vraiment aux sports, alors je suis plutôt sarcastique.)

Le lendemain de l'élimination des Red Wings, Whiffer est arrivé au travail avec un fanion pour ma sœur. C'était un souvenir du match auquel des copains et lui avaient assisté la veille. Rose a agité le fanion comme une idiote. Puis, à propos de rien, elle s'est mise à pleurer. Elle qui ne pleure jamais. Même Whiffer a dit : « Mon Dieu, Rose, c'est juste un jeu. » Puis, il a enchaîné sur les succès des Pistons au basketball. Il a ajouté qu'elle devait avoir une attitude positive.

Moi, je savais qu'elle ne pleurait pas à cause du hockey. Si elle pleure, c'est parce qu'elle s'est rendu compte, comme cela m'arrive parfois, que c'était sa dernière saison, qu'elle avait été témoin de son dernier but. Les mots « dernier », « plus jamais » et « final » nous passent souvent par la tête. Quand on y réfléchit bien, il y a peu de choses qu'on a hâte de voir finir.

Il y a longtemps déjà, Whiffer a promis d'emmener Rose (de nous emmener, évidemment, mais surtout elle) à un match des Red Wings au Joe Louis Arena (au bord de la rivière Detroit, du côté de Windsor, on le voit), mais il n'a jamais donné suite. De toute façon, je répugnais à l'idée de me geler les fesses sur des sièges inconfortables. Et si on braquait une caméra sur nous et que, par plaisanterie, on nous montrait sur l'écran géant ? Rose ne s'en remettrait pas. Mais elle aurait bien aimé voir ses chers Red Wings en personne. Dommage. (Là, je ne suis pas sarcastique.)

Les Flames de Calgary, l'équipe qu'encourage Rose quand les Red Wings ne sont plus dans la course, s'est rendue jusqu'en finale, mais elle a perdu la Coupe aux mains de Tampa Bay. Le résultat est peut-être attribuable à une décision des arbitres, lesquels ont refusé un but, même si, à la reprise, on a bien vu la rondelle franchir la ligne rouge. (Même moi, je l'ai vu !) Je sais qu'elle aurait été heureuse qu'une de ses équipes chouchous gagne la Coupe. En revanche, je ne comprends pas d'où lui vient cet attachement pour Calgary. Elle devrait plutôt favoriser les Maple Leafs, ne serait-ce que parce que Toronto est plus près de chez nous que Calgary.

Rose prétend qu'on doit encourager d'abord l'équipe la plus proche, mais que, après, tout est ouvert, à condition que l'équipe en question appartienne à la même division ou au même pays. Elle parlait avec émotion du rapatriement de la Coupe au Canada. J'ai demandé à Rose ce qu'elle ferait de sa fierté nationale si les Red Wings affrontaient les Maple Leafs de Toronto ou les Oilers d'Edmonton. Elle a répondu que sa loyauté envers son équipe préférée, dictée par la proximité, l'emporterait sur sa loyauté envers l'équipe qui vient au deuxième rang dans l'ordre de ses préférences, dictée par l'appartenance à une division ou à un pays. Elle continuerait donc d'encourager les Red Wings. Je rapporte les propos de Rose. Pour moi, c'est de la bouillie pour les chats.

Bon, je la comprends d'être déprimée à cause du hockey, mais les Pistons participent aux séries éliminatoires. Whiffer soutient qu'ils vont sûrement battre les Lakers parce qu'ils ont été bien dirigés et bien entraînés, en plus de jouer comme une vraie équipe.

Hier, Rose a trouvé dans Internet une liste de personnes célèbres qui ont souffert d'anévrismes et de je ne sais quelles autres affections. Elle a imprimé la liste et me l'a tendue. Pour elle qui déteste parler de l'anévrisme, le geste était pour ainsi dire spectaculaire. Elle se comporte comme si l'anévrisme ne concernait qu'elle, mais, étant donné que cette saloperie va me tuer, moi aussi, je dirais qu'il m'appartient tout autant. Elle refuse toujours de parler des dispositions à prendre, c'est-à-dire des questions juridiques qui restent en suspens. Qu'arrivera-t-il à notre argent, essentiellement ? Sans parler de nos corps. Mais je dois avouer que le geste de me remettre la liste a bien failli me faire pleurer.

La semaine dernière, nous étions assises dehors dans notre grande berceuse, Rose et moi, et elle a commencé à se taper sur les jambes, ce qui est curieux, et elle a dit : « Bon Dieu, ces satanés concombres vont finir par avoir ma peau. » Elle voulait dire « moustiques ». Puis, hier, tandis qu'elle versait du thé dans son thermos avant de partir pour le travail, je lui ai demandé quelle heure il était, et elle a répondu : « Vert ». Elle a voulu ajouter quelque chose, mais elle a dit : « Blémoute ».

Blémoute. Ce n'est même pas un mot. J'ai vu Rose dans la glace, et j'ai été bouleversée par l'expression de son visage, car cette femme-là ne ressemblait pas à ma sœur. Rose n'est jamais désorientée. Quand je lui ai demandé ce qu'elle avait, elle s'est déplacée pour me cacher son reflet. Je lui ai dit : « Laisse-moi te voir, Rose, s'il te plaît. » Mais elle s'est plutôt dirigée vers la chambre, où elle a sorti son ordinateur sans aucun égard pour moi. Comme si je n'étais pas là. Nous ne nous sommes pas adressé la parole de toute la journée tellement j'étais fâchée. Et humiliée.

Pour des raisons évidentes, je ne suis pas restée en colère contre Rose aussi longtemps que j'en ai l'habitude. Nous avons fini par renouer le dialogue et elle a admis avoir certaines faiblesses dans les jambes. C'est peut-être un signe que l'anévrisme grossit et commence à exercer plus de pression sur son cerveau. Nos cerveaux. Le Dr Singh se contentera de répéter la même chose. L'anévrisme prend de l'ampleur. Il n'y a rien à faire. Il peut se rompre d'un instant à l'autre. Ou vous pouvez vivre encore pendant des jours, des semaines ou des mois.

Nous plaisantons beaucoup à propos du Dr Singh, Rose et moi. J'imite assez bien son accent, mais Rose dit que je devrais m'en abstenir parce que c'est raciste.

Rose a eu la bonne idée de réaliser une vidéo à l'intention des enfants qui fréquentent la bibliothèque. Leur dire adieu serait trop triste. De toute manière, que leur raconterions-nous ? Nous avons donc décidé de nous filmer en train de lire certains de nos livres pour enfants préférés.

Pour les tout-petits, j'ai lu *Dans une grange rouge et blanche,* et Rose, *Max et les Maximonstres.* Puis, nous avons interprété un des poèmes de Rose, pour lequel j'ai fait des illustrations tordantes. Nous le réservons pour les élèves de la troisième année et plus, et ils rient comme des fous. Je ne le dirai jamais à Rose, mais je crois que c'est un de ses meilleurs poèmes.

(Elle m'en voudrait parce qu'elle a mis vingt minutes tout au plus à l'écrire et qu'elle a consacré des heures et des jours à des poèmes plus courts portant sur des sujets plus importants, et elle a même mis trois semaines à pondre un poème de six vers intitulé *Un baiser.* Allez y comprendre quelque chose.)

Ce n'est pas de la morve

Un petit garçon nommé Bobby
Est si vilain qu'on le met au lit.
Sa maman l'a vu trop souvent
Faire quelque chose de dégoûtant.
Il plante son doigt dans son nez,
Y trouve autre chose que du thé,
Puis dans sa bouche fourre le butin !
Sa mère en est complètement zinzin.
Je t'ai vu te décrotter le nez, dit-elle.
Bobby sourit, secoue la tête de plus belle.
Je t'ai vu ! En plus, je t'ai vu mâcher
Et je crois même t'avoir vu avaler.
Elle pose sur le coupable un regard torve.
T'en fais pas, maman, c'est pas de la morve.
Maman, cependant, sait que son fils ment.
File dans ta chambre, vilain garnement !
La morale, vous l'avez sûrement deviné,
C'est qu'il ne faut pas manger ses crottes de nez.

Pour la vidéo, Rose lit le poème tandis que je fais défiler les illustrations, où les dialogues figurent dans des bulles, à la façon des bandes dessinées. Nous avons dû recommencer trois fois parce que Rose a trébuché sur certains mots, même si elle connaissait le texte par cœur. À la fin, nous disons au revoir, ce qui est tout de même moins définitif qu'adieu. J'ai demandé à Rose si elle voulait laisser une vidéo à quelqu'un d'autre. Elle a répondu que non.

Demain, Nick Todino nous conduira chez le Dr Singh à Toronto, et Rose s'en réjouit. Pour ma part, j'aurais préféré prendre l'autocar, mais ma sœur craint de devoir s'arrêter pour aller aux toilettes ou je ne sais trop quoi. La semaine dernière, elle a perdu l'équilibre (phénomène de plus en plus fréquent qui, pour des raisons évidentes, nous préoccupe) chez Nonna, qui, en général, ne nous reconnaît plus et ne semble pas toujours comprendre que nous sommes deux. Quoi qu'il en soit, Nick nous a attrapées juste à temps et nous a aidées à nous asseoir sur le canapé. Même s'il s'est plaint de notre poids, il a été gentil, je suppose, de ne pas simplement nous laisser tomber par terre. D'autres auraient été pris de panique, effrayés à l'idée de nous toucher. C'est comme ça. Pourtant, je n'aime pas trop Nick. Peut-être en partie parce que son fils Ryan a tenté de nous noyer quand nous étions petites. On pardonne difficilement ce genre de choses.

Plus que cinq semaines avant notre anniversaire. Nous sommes en juin, et c'est un de ces jours bizarres où le soleil brille d'un côté de la rue, tandis qu'il pleut de l'autre. Au début, pas un souffle de vent. Puis, les rideaux diaphanes du salon se sont dressés à l'horizontale et un million de samares en forme d'hélice sont tombées de l'érable de notre cour. Rose et moi avons dû courir pour attraper le couvercle de la poubelle avant qu'il n'atterrisse chez les Todino ; nous l'avons solidement remis en place pour empêcher les écureuils de fouiller dans nos ordures. S'ils y réussissent, nous devons faire appel à Nick pour tout nettoyer et c'est gênant. J'ai horreur de lui demander des faveurs. Il vit avec Nonna depuis environ cinq ans. Oncle Stash et tante Lovey sont morts avant même d'avoir eu l'occasion de le rencontrer, ce qui me semble étrange, puisqu'il donne l'impression d'être là depuis toujours. À Windsor, il y a une seconde famille dont il ne peut s'approcher, par ordre de la cour. Lorsque Nick a trouvé un boulot de livreur pour la boulangerie Oakwood de Chatham, Nonna a été ravie, car il n'était pas le raté que tout le monde croyait, après tout, mais il a donné raison à ses détracteurs en se faisant congédier dès le premier jour pour avoir bu de la bière dans le camion. Il y a des années de cela, et je ne crois pas qu'il ait cherché du travail depuis. Il dit vivre de prestations d'invalidité.

J'ai préparé les invitations sur un bloc de papier jaune pour laisser croire à Rose que je travaillais au livre. Je crois que la vitesse à laquelle j'écris et la quantité de feuilles que je noircis lui font un peu peur. J'ai glissé les invitations dans de petites enveloppes que j'ai remises aux invités pendant que Rose ne regardait pas. C'est amusant de jouer les conspiratrices, mais j'aimerais beaucoup avoir organisé cette soirée surprise il y a des années, à une époque où il n'était pas encore question d'anévrisme et où tous ces préparatifs n'auraient pas risqué de tomber à l'eau. J'ai déjà commandé les gâteaux à Nonna, qui a sept douzaines de boulettes de viande dans son congélateur. Whiffer apportera sa chaîne stéréo et quelques-uns des CD préférés de Rosie.

Même si, le moment venu, nous ne sommes pas en mesure d'assister à notre fête d'anniversaire, les gens devraient danser.

Je ne suis pas une grande voyageuse : presque chaque fois que je monte dans un véhicule en mouvement, je suis très malade. Quand je regarde la télévision, certains mouvements me donnent le vertige. Rose a sans doute évoqué en long et en large les millions d'occasions que nous avons ratées à cause de mon mal des transports. J'ai essayé de suçoter du gingembre, j'ai porté des bracelets antinausée, rien ne m'aide. Quand nous étions petites, nous avons fait quelques voyages en famille : le zoo, Hamtramck, où vivait tante Pivoine, les chutes du Niagara, sans oublier, bien sûr, notre périple en Slovaquie. Et quelques visites chez le médecin. Mais, à cause de mon estomac capricieux, le moindre déplacement se transformait et se transforme encore en expédition. Cependant, nous irons au musée d'archéologie de London. Même si je dois y laisser ma peau.

Chaque année, oncle Stash prenait la voiture pour aller rendre visite à sa mère dans l'Ohio. Le trajet était beaucoup trop long pour moi. Nous ne l'avons donc jamais accompagné. Quant à tante Lovey, elle refusait de nous laisser aux soins de quelqu'un d'autre. Oncle Stash partait donc seul. Nous n'avions jamais rencontré maman Darlensky, même si, en principe, elle était notre seule grand-mère vivante.

Puis, un jour, la mère d'oncle Stash a téléphoné pour dire qu'elle était mourante et qu'elle souhaitait voir oncle Stash une dernière fois. Tante Lovey a dit que, depuis vingt-cinq ans, maman Darlensky se disait à tout bout de champ atteinte de telle ou telle maladie mortelle. Chaque fois, c'était une fausse alerte. Son fils, lui, l'a crue cette fois encore. Et si sa mère ne souffrait pas d'une maladie mortelle, a-t-il dit, elle se mourait sans doute de vieillesse et de tristesse.

Tante Lovey a déclaré qu'il était exclu que nous nous rendions en Ohio, ce qui aurait signifié un trajet de sept heures pour Rose et moi. Alors, oncle Stash a envoyé à sa mère l'argent nécessaire pour un billet d'autocar jusqu'à Chatham. Dans un premier temps, elle a refusé tout net, se disant beaucoup trop malade, puis elle s'est ravisée et nous sommes donc partis l'attendre à l'arrêt d'autocar, en réalité une station-service doublée d'une petite épicerie, non loin du centre commercial de Chatham.

Tante Lovey et oncle Stash ont eu une grosse dispute : ce dernier tenait à ce que, au lieu de « grand-maman », nous utilisions l'expression slovaque « *stará mama* » pour nous adresser à sa mère. Puis, il a soutenu qu'elle devait s'asseoir à l'avant parce qu'elle était vieille et malade. Tante Lovey ne s'est pas montrée très sympathique à un tel argument. D'autant plus étonnant qu'elle a été infirmière pendant la majeure partie de sa vie.

En voyant Mme Darlensky sortir de l'autocar, tante Lovey a eu un sacré choc : la vieille femme avait effectivement l'air très mal en point. Elle avait une mince couche de cheveux blancs de part et d'autre de la tête et presque rien sur le dessus. Elle était minuscule et anguleuse. Elle a descendu les marches du gros véhicule en sifflant comme une asthmatique. Je croyais qu'oncle Stash allait la serrer très fort dans ses bras. Or, ils ne se sont pas touchés. Même pas les mains. Oncle Stash lui a dit qu'elle n'avait pas l'air dans son assiette et elle lui a fait en slovaque une réponse qui l'a obligé à se voiler les yeux. Tante Lovey a lancé : « Bonjour, maman Darlensky. Nous sommes heureux que vous rencontriez enfin nos filles. » À ce moment-là, nous nous sommes avancées, Rose et moi. Nous arborions probablement le même sourire, chose que nous haïssons parce que, dans ces moments-là, nous avons l'air vraiment stupides. La mère d'oncle Stash a semblé effrayée.

Chaque année, oncle Stash avait envoyé à sa mère une copie de nos photos scolaires et des portraits qu'il réalisait lui-même à l'aide d'énormes lentilles. Les photos prises par oncle Stash étaient les meilleures et les plus ressemblantes. Nous voir en personne est tout de même, je suppose, une expérience saisissante. Mme Darlensky s'est éventée avec ses mains et a dit quelques mots en slovaque. Comme je ne les avais jamais entendus, j'ai compris que ce n'étaient pas des jurons. Elle a demandé à s'asseoir dans la voiture.

Tante Lovey l'a prise par le coude et guidée vers la voiture. Puis, elle lui a tenu la portière avant, comme si elle n'avait jamais contesté le droit de la vieille femme d'occuper cette place.

Mme Darlensky s'est tournée vers la banquette arrière, où nous étions installées, et a secoué la tête. Puis, elle a regardé oncle Stash et a dit encore quelques mots en slovaque, mais il a fait comme s'il n'avait rien entendu.

Oh ! Merde.

Le téléphone vient de sonner. Et il est passé dix heures.

Mon DIEU ! C'était Whiffer. Il va éventer la surprise. Rose a décroché parce que le combiné sans fil est de son côté du lit. Elle a eu un choc en entendant la voix de Whiffer, qui nous téléphonait pour la première fois. Après dix heures, par-dessus le marché !

Dieu merci, il a reconnu la voix de Rose à temps. Il a inventé un prétexte absurde, des CD qu'il souhaite emprunter à Rose, mais j'ai peur qu'elle s'imagine qu'il s'intéresse à elle. Avec tout ce qui nous arrive en ce moment, la dernière chose dont ma sœur a besoin, c'est un cœur brisé.

Je suis trop fatiguée pour continuer à écrire. Je ne sais toujours pas comment Rose fait, mais je commence à comprendre pourquoi.

ÉTÉ

~

Nonna avait l'habitude de confectionner une tarte qu'elle appelait « *Quattro Stagioni* ». Elle comportait quatre quartiers, séparés par une bandelette de pâte en zigzag et remplis de symboles des quatre saisons : des fraises pour le printemps, des pêches pour l'été, des pommes pour l'automne et de la confiture de cassis pour l'hiver. Je choisissais toujours le printemps. Les fraises. Et Ruby optait pour la confiture.

Autrefois, le printemps était ma saison préférée, mais, aujourd'hui, il a pratiquement disparu. Avant, il y avait un temps d'arrêt entre le frisson des crocus et le foisonnement des forsythias et le violet timide des lilas et le bouquet des châtaigniers. À présent, tous se bousculent et jouent des coudes en se ruant sauvagement vers l'été.

Nous allons mourir bientôt.

Ruby vous en a parlé. Je le sais parce que je la connais bien. J'imagine que c'est la première phrase qu'elle a écrite sur le bloc de papier jaune que je lui ai offert. La connaissant, je suis sûre qu'elle n'a pas réfléchi un seul instant à la façon de présenter cette information cruciale sur ses principaux personnages. Ruby n'est pas écrivain. Elle peut s'offrir le luxe de la franchise, mais je n'arrive même pas à imaginer qu'on puisse commencer par pareille confession. N'auriez-vous pas peur de poursuivre votre lecture ? D'être abandonné, dépossédé de personnes que vous auriez entre-temps appris à aimer, à apprécier ou dont le sort vous inspirerait une certaine curiosité ? C'est peut-être moi qui aurais dû commencer ainsi :

Chapitre 1

Nous mourons. Vous aussi, vous mourez. Et certains d'entre vous sont peut-être au courant.

J'ai un anévrisme. Dans une veine de mon cerveau, il y a une obstruction qui s'étire, gonfle et finira par se rompre. Cet anévrisme nous tuera, ma sœur et moi. Ce soir, pendant que je me servirai du fil dentaire. Mercredi après-midi, quand Ruby lira aux enfants un livre couronné par la médaille Caldecott. Ou dans deux mois et demi, par un après-midi torride, lorsque je n'aurai qu'une envie, me perdre dans un roman de John Irving, tandis que Ruby regardera un feuilleton à la télé. Il n'y aura pas de miracle. L'anévrisme ne va pas disparaître. J'espère juste qu'il attendra encore un peu. Que nous ayons fait le ménage dans nos affaires. Que le livre soit terminé. Que, depuis notre poste discret dans l'allée sous les vitraux, nous ayons entendu une fois de plus la chorale de l'église de la Sainte-Croix et ses glorieuses harmoniques de Noël.

Mes maux de tête s'aggravent. Par moments, ma vue s'embrouille, et j'ai parfois les jambes flageolantes. Il y a aussi eu un épisode bizarre, marqué par une hallucination, dont je n'ai encore parlé à personne, mais, pour une mourante, je me porte étonnamment bien.

L'anévrisme est inopérable. Sur ce point, nous avons déjà recueilli trois opinions concordantes. Je ne souhaite pas entrer dans les détails, sinon pour dire que j'ai trouvé une certaine poésie dans la terminologie médicale : sacciforme, fusiforme, artère communicante, hémorragie sous-arachnoïdienne, acouphène pulsatile ipsilatéral, néoplasmique, granulome, protéinique.

J'ai peur de perdre la maîtrise de mon corps. Je suis terrifiée à l'idée de perdre celle de mon esprit. Et aussi horrifiée à la pensée que j'emporterai Ruby avec moi. Son calme me contrarie et me désarme.

La structure de mon livre me donne du fil à retordre. Au départ, j'avais l'intention de commencer le récit de ma vie (de notre vie — sur ce point, je dois peut-être donner raison à Ruby) par notre naissance et attendre la fin pour parler de la mort ou ne pas en parler du tout, comme si, à l'instar de la majorité de mes semblables, je ne l'attendais pas et ne savais pas ma fin imminente. Mais le chant de mon passé a été si chamboulé — du point de vue du ton plutôt que de la succession des notes à proprement parler — que je ne vois plus comment décrire ce passé sans vous faire part aussi de mon présent. De mes peurs aussi. Et de mes regrets. Et de la joie que j'éprouve à l'idée que vous ayez pris la peine de me lire jusqu'ici.

Je ne saurais dire avec précision pourquoi j'ai choisi les événements que j'ai racontés jusqu'ici. Il y a sans doute des anecdotes plus savoureuses que j'ai oubliées, des incidents et des escapades dont, par manque de discernement, je mésestime l'importance. Si le paradis est tolérant et que les écrivains y sont admis (bien qu'ils forment une sacrée bande de menteurs), je me demande s'ils se réunissent autour d'un café pour parler des textes qu'ils auraient dû écrire à la place de ceux qu'ils ont écrits.

La bizarre hallucination dont j'ai été victime s'est produite la semaine dernière. Ruby et moi nous trouvions alors chez Nonna. (Je n'avais encore jamais eu d'hallucination, mais c'est un peu comme un premier orgasme : on sait tout de suite à quoi on a affaire.) Depuis quelque temps, je me fatigue vite et j'ai perdu un peu de poids. Souvent, je suis étourdie et la station debout me semble désormais inconfortable. Ruby a maigri, elle aussi, même si je la trouve plus lourde que jamais.

Assise sur le canapé, je regardais Nonna regarder *Coronation Street* à la télé en me demandant comment notre chère grand-maman italienne arrivait à comprendre ce que racontaient les personnages au lourd accent londonien lorsque j'ai senti la chaleur du corps de Nick Todino. J'ai bougé mes yeux (vous aurez à présent compris que je ne peux pas faire pivoter ma tête) trop vite et la pièce a commencé à tourner. J'ai senti un afflux de sang dans mes veines, des picotements dans mon cerveau. Certaine que l'anévrisme s'était rompu, j'ai été prise de panique. La sensation de chaleur s'est répandue dans ma tête, et j'avais les lèvres mouillées et tremblantes. Mes mains et mes pieds brûlaient comme une langue au contact du piment fort.

La peur était si violente qu'elle m'empêchait de parler, même si je voulais désespérément attirer l'attention de Ruby. Mais pas pour la prévenir. J'avoue que, à ce moment-là, j'étais purement motivée par l'égoïsme. Je voulais que Ruby sache ce qui m'arrivait. Je ne voulais pas mourir seule.

J'ai fermé les yeux un instant et écouté mon cœur qui, à ma grande stupeur, battait toujours. Lorsque le truc que j'ai dans la tête éclatera, a dit le Dr Singh, je m'évanouirai aussitôt. Je me suis rendu compte que je n'étais pas en train de mourir, après tout. En soulevant les paupières, j'ai eu la surprise de déceler un mouvement dans mon champ de vision périphérique. Et j'ai été encore plus étonnée de constater que c'était Ruby qui s'avançait dans le couloir. L'hallucination a été d'une brièveté indescriptible : à peine un instantané dans un rêve éveillé. Je ne me souviens ni de ce que ma sœur portait ni de son expression. Seulement qu'elle était là, sans moi, et que cela semblait parfaitement naturel. Je me suis de nouveau laissée aller. Rapidement. Comme si je sautais dans un lac. Ou que je sortais du sommeil. Puis, au bout de mon nez, j'ai vu les poils noirs et frisés de l'avant-bras musclé de Nick et j'ai compris que je m'étais évanouie, que nous étions tombées et qu'il nous avait attrapées au vol. (Nick a proposé de nous conduire une fois de plus à Toronto, où nous avons rendez-vous avec le Dr Singh. Il nous y a déjà emmenées à deux reprises et prétend que ce n'est rien. Comme il déteste Toronto, c'est en réalité un gros sacrifice. Il se plaint des gens, de la circulation et des huit dollars qu'il faut débourser pour le parking de l'hôpital, même si c'est Ruby et moi qui payons ! La dernière fois, il n'a pas bu une seule goutte d'alcool. Il nous a tenu compagnie dans la salle d'attente au lieu de rester assis dans sa voiture. Il a lu des magazines de mode parce qu'il n'y avait rien d'autre. J'ai trouvé ce détail charmant. Sur le chemin du retour, nous avons parlé des Pistons. Il aime mieux le basketball que le hockey. Il a cinquante-deux ans.)

Lorsque nous avons quitté la ferme pour nous installer dans la maison de Chippewa Drive, oncle Stash nous a fabriqué une berceuse surdimensionnée. Les durs hivers qu'elle a passés sur le perron ont gauchi le pin tendre, mais on sent un petit creux réconfortant lorsqu'on va vers l'avant et une petite bosse lorsqu'on va dans l'autre sens. Dans ses tressautements, la berceuse semble murmurer : « Mes filles, mes filles, mes filles. » Les soirs d'été, nous nous balançons jusqu'à l'invasion des moustiques. (Ils me dévorent, mais ils n'importunent pas Ruby. Bizarre. Comme le fait que Ruby peut manger des asperges sans que son urine change d'odeur.) Les voisins de Chippewa Drive nous saluent d'un geste de la main, mais ils respectent notre intimité. Officiellement, nous en sommes heureuses, mais je crois que Ruby et moi aimerions qu'on empiète parfois un peu sur notre tranquillité. Il serait agréable de causer avec les voisins à l'occasion, surtout que Nonna a perdu la tête et que Nick (à cause de son passé ou malgré lui) n'est guère bavard. À moins qu'il n'ait tout simplement pas confiance en nous. Le mouvement de la berceuse endort Ruby. Je sens sa respiration se transformer et son corps s'alourdir. Sur mon épaule, sa poigne se desserre, et elle déserte le monde. Le poids de l'émerveillement. Le poids de l'inquiétude. En fredonnant, je fais apparaître un lieu secret et je convoque cet autre moi, que je suis seule à voir, une fille qui s'appelle « Elle » plutôt que « Nous », une fille que je ne serai jamais.

Un soir de la semaine dernière, nous avons eu beau nous bercer longuement, Ruby ne s'est pas endormie. La brise venant de Mitchell's Bay a fraîchi. Au-dessus des toits, un nuage noir a voilé les dernières lueurs du jour. Au moment où la foudre déchirait le ciel, du côté est, les feuilles des arbres ont frissonné et le tonnerre a grondé au-dessus de nos têtes. Sous la violence de l'éruption, mon corps a tremblé et celui de Ruby aussi. Nous n'avons pas évoqué la possibilité de rentrer. Pas un geste. Pas un mot. Respirions-nous seulement ? La pluie martelait le toit en métal du porche, et des rapides se sont formés à même les pierres du jardin. Nous avions une peur bleue. Il y a eu un moment de silence et d'immobilité, puis une rafale si violente que le couvercle de la poubelle (posée au bord de la rue) s'est envolé et que, dans la berceuse, nous avons été poussées vers l'arrière. J'ai eu la curieuse sensation qu'une tornade s'approchait, celle-là même qui nous avait emmenées jusqu'ici. On aurait dit qu'elle venait de se rendre compte qu'elle avait commis une grave erreur. Pourtant, tels des animaux craignant de se faire voir, nous n'avons ni quitté le porche ni bougé d'un poil. Le vent secouait les rideaux de pluie, comme s'il se doutait que nous nous cachions derrière. Furieux, puis frustré, il a fini par tomber.

La pluie a cessé et les nuages se sont dispersés. Nous avons vu le soleil descendre derrière les maisons d'Indian Crescent. Nous avons continué de nous bercer sous le regard des étoiles, puis, avec précaution, nous avons marché à petits pas sur le gazon court et mouillé jusqu'au couvercle de la poubelle. Je me suis penchée pour le ramasser. Quand je me suis relevée (en utilisant mes jambes à la façon d'un treuil, selon ma vieille habitude), j'ai été de nouveau prise de vertige, mais pas au point de tomber ni de perdre l'équilibre (ou d'halluciner). Juste assez pour oublier où j'étais, comme quand on referme un livre par mégarde et qu'on le feuillette pour retrouver sa page. Pendant mon étourdissement, j'ai pensé à tante Lovey et à Verveine, sa mère, et à l'histoire de la robe de mariée. J'ignore comment elle m'est revenue en mémoire. Mais je me suis dit que je devais l'écrire, car elle veut sûrement dire quelque chose.

L'HISTOIRE DE LA ROBE DE MARIÉE

~

Il y a longtemps, avant que tante Lovey ne rencontre oncle Stash, on demanda à la mère de tante Lovey, Verveine, de confectionner la robe de mariée de la fille du maire de Leaford. Pour la couturière émérite, c'était une occasion inespérée : en effet, la plupart des notables du comté de Baldoon assisteraient à la noce, et chacun saurait qui avait créé la robe de la mariée. Faisant fi des rumeurs selon lesquelles la fille du maire était une affreuse enfant gâtée, Verveine accepta avec empressement.

Elle constata rapidement que la réputation de la fille du maire était amplement méritée : elle était simple d'esprit, méchante, impossible à satisfaire. Comble de malheur, Verveine commit une erreur stratégique en acceptant un paiement unique et en achetant le coûteux tissu à même la somme qui lui avait été versée. La future mariée avait choisi du satin blanc comme neige, étoffe qui, comme toute femme aurait dû le savoir, ne convenait qu'aux silhouettes les plus droites et les plus élancées (aux antipodes donc de celle de la fille du maire). À chaque essayage, la future mariée donnait d'ailleurs l'impression d'avoir pris deux kilos sur les hanches, d'où mille points de couture qu'il fallait couper et reprendre, sans parler des retouches compliquées qui exigeaient de nouveaux métrages de tissu. À l'aube du mariage, Verveine avait déjà dépensé une petite fortune pour fabriquer la robe de l'affreuse fille.

Tante Lovey, adolescente à l'époque, avait caressé le satin, tandis que sa mère maudissait l'étoffe glissante et, au moyen de petits claquements de langue, désapprouvait les cent boutons de nacre que la jeune femme, dans sa folie des grandeurs, avait exigés au dos du vêtement. La veille des noces, Verveine rougit de fierté. La robe était spectaculaire, et la méchante future mariée serait forcément enchantée lorsqu'elle viendrait à la ferme pour le dernier essayage. La fille du maire, cependant, ne fut pas enchantée. Elle avait encore pris du poids (Dieu seul sait comment), et les cent boutons du corsage de satin ajusté refusaient obstinément de se refermer. La future mariée était folle de rage. Elle menaça de poursuivre la couturière. En larmes, cette dernière se dit capable de retoucher la robe.

Verveine abandonna la fille grasse à la porte et, au volant de la camionnette de la ferme, fila au magasin de tissus et d'articles de mercerie de Leaford. Il ne restait plus un seul bout de satin blanc. Étourdie, Verveine faillit s'évanouir. Mais alors, elle aperçut un rouleau de dentelle antique qu'elle acheta à crédit à la patronne compréhensive. Elle rentra à la ferme, s'enferma dans sa salle de couture avec une paire de ciseaux, le rouleau de dentelle et une pleine théière d'infusion à la menthe. Aux enfants, elle ordonna de se trancher du jambon pour le repas et de rappeler à leur père de vérifier la pompe à eau avant de se mettre au lit.

Quand les autres membres de la famille se couchèrent, Verveine était encore dans sa salle de couture. Tante Lovey s'arrêta pour lui souhaiter bonne nuit, mais Verveine ne répondit pas. En se réveillant, le lendemain matin, tante Lovey alla frapper à la porte de la pièce. Elle tendit l'oreille, frappa encore à trois reprises. Et encore une autre, cette fois un peu plus fort. Pas de réponse. Elle ouvrit et trouva sa mère affalée sur sa chaise, trois mètres de satin chiffonné sur les genoux. Tante Lovey la secoua pour la réveiller et, à sa grande consternation, découvrit trois énormes taches de sang et une sorte de ver rose tout ratatiné sur le corsage refait de la robe de mariée. Tante Lovey suivit des yeux la traînée de sang qui, longeant le tablier et la poitrine de sa pauvre mère, s'arrêtait à la hauteur de son menton creusé d'un sillon. Entrouvrant délicatement les lèvres de sa mère, tante Lovey constata qu'elle s'était salement mordu la langue. Verveine avait déjà eu des crises, et tante Lovey savait qu'elle s'en remettrait, même amputée d'un bout de langue. La robe, en revanche, était fichue.

Lorsque, le matin de la noce, la mariée arriva plus tôt que prévu (à l'époque, à la ferme, il n'y avait pas encore le téléphone), tante Lovey ne parvint pas à lui bloquer le passage. Elle trouva Verveine en train de serrer la robe dans ses mains, vit le satin taché de sang et poussa un cri si strident que Verveine eut une nouvelle crise. La fille du maire sortit de la maison en jurant comme un charretier. On raconte qu'elle dut emprunter la robe de mariée de l'organiste obèse. (Sans doute était-elle fort laide, car, dans les pages mondaines du *Leaford Mirror*, on n'en vit ni photo ni description.)

Il va sans dire qu'on ne fit plus jamais appel aux services de Verveine comme couturière. Après avoir remplacé les panneaux tachés de sang du corsage, celle-ci parvint à l'ajuster pour qu'elle fît à tante Lovey lorsque, quelques années plus tard, elle épousa oncle Stash. Si la fille du maire n'avait pas pris tant de poids, jamais tante Lovey n'aurait eu droit à une robe aussi splendide et coûteuse, avec cent boutons de nacre dans le dos.

Hier soir, Ruby m'a demandé ce qui arrivera à nos chapitres, aux multiples pages qui flottent dans mon disque dur de même qu'aux mots qu'elle gribouille sur son bloc de papier jaune si nous mourons avant d'avoir terminé. Je lui ai expliqué que rien n'arriverait aux chapitres puisque personne ne les lirait jamais. Je ne ferai pas lire un seul mot avant d'avoir terminé. (La cousine de Whiffer sort avec un type qui sort avec un type qui travaille dans une maison d'édition new-yorkaise. Whiffer, qui est lui-même écrivain, a apprécié certains des poèmes que je lui ai montrés. Il m'a demandé la permission d'utiliser l'un d'eux, intitulé *Le gâteau de Patty,* dans une chanson qu'il compose. L'ami de l'ami de la cousine de Whiffer a lu quelques-unes des nouvelles de Whiffer et a affirmé qu'il devait trouver sa voix. À l'heure actuelle, il planche sur un scénario. Je ne crois pas qu'*Autobiographie d'une jumelle conjointe* soit le titre qui convienne pour mon livre, mais je ne vois pas autre chose.)

Nous célébrerons notre anniversaire dans trois semaines. Je suis au courant de la soirée surprise qu'organise Ruby. Tous ces petits mots échangés de main à main... À quoi pouvait-elle penser? Croyait-elle vraiment que je ne me douterais de rien? (Évidemment, je feindrai la surprise, et elle ne saura jamais que je savais.) Pour marquer l'occasion, je préférerais cependant quantité d'autres activités. En fait, l'idée même d'une soirée surprise me fait horreur. Je sais bien que Ruby cherche à se montrer gentille. Elle n'a jamais pensé vivre jusqu'à trente ans. Pour ma part, j'ai toujours été convaincue de pouvoir déjouer les probabilités. Et je n'ai pas l'intention de durer seulement jusqu'à la soirée surprise. Je compte bien revoir Noël, Pâques, le printemps et l'été.

Je suis peut-être superstitieuse. Je suis réticente à l'idée de discuter de ce qu'il adviendra de notre patrimoine, en particulier de nos effets personnels et de nos restes. Une fois ces questions réglées, j'ai peur que mon corps lâche. J'ai la bizarre impression que le truc dans mon cerveau a une vie qui lui est propre et je l'imagine également vindicatif. Je ne tiens pas à le faire fâcher. Je ne tiens pas à ce qu'il sache que toutes mes affaires sont en règle. Je ne tiens pas à ce qu'il me croie prête à partir.

Car je ne le suis pas.

~

J'ai vu Ruby trier ses affaires, faire des séries et des piles, jeter, emballer et étiqueter. Ce sont, dit-elle, ses « effets intimes », expression que je juge inutilement mélodramatique. (Je ne comprends pas ses choix. Pourquoi laisser à Roz un vieux foulard rose ? Rupert a-t-il vraiment envie d'une collection de films sur vidéocassettes ?) Tout cela me rappelle notre emménagement dans la maison de Chippewa Drive au cours de l'été ayant suivi notre retour de la Slovaquie. Gravement blessé au genou, oncle Stash se déplaçait difficilement. À le voir clopiner avec sa canne, on comprenait qu'il ne survivrait pas à un autre hiver sur la ferme. Frankie Foyle et sa mère avaient déménagé à Toronto, et on n'avait toujours pas trouvé de locataires convenables pour la maison. Le moment était venu de revenir dans Chippewa Drive.

C'était en août, au milieu d'une vague de chaleur. Les rebords des vieilles fenêtres de la maison de ferme orange n'auraient pas pu supporter le poids d'un climatiseur, même si nous avions eu les moyens d'en acheter un. Entre mes glandes sudoripares hyperactives et la colite de Ruby, nous étions franchement malheureuses. Tante Lovey était entrée dans notre chambre (non sans avoir frappé d'abord, car elle respectait notre intimité), nous avait tendu une boîte en carton et nous avait prévenues : la maison de Chippewa Drive était petite et nous ne pouvions pas tout emporter. Nous devions nous montrer impitoyables. Elle avait ouvert la porte du placard :

— Purgez-moi ça, les filles.

Lorsque Ruby et moi affirmâmes sur un ton geignard que jamais nous ne trouverions une pleine boîte d'objets à mettre au rancart, tante Lovey rit et déclara :

— Vous êtes drôles, les filles. La boîte, c'est pour les articles que vous pouvez conserver. J'en ai cinq autres pour ceux dont vous devrez vous débarrasser.

Tout au long de ce cuisant après-midi, Ruby et moi travaillâmes d'arrache-pied en débattant avec acharnement de la valeur de ceci, de l'importance de cela. Lorsque nos querelles devinrent sonores et physiques (nous nous pincions l'une l'autre), tante Lovey n'intervint pas. Elle savait que nous nous lasserions vite de la chamaillerie et même de la tâche qu'elle nous avait confiée. Soudain, nos trésors nous parurent si encombrants que nous ne remplîmes même pas la boîte sur laquelle nous avions écrit : « Choses à emporter ». Mes cahiers de composition. Les cartes de Ruby et les croquis qu'elle avait réalisés de ses découvertes archéologiques sur la ferme. Ruby et moi remarquâmes que tante Lovey, à propos de ses propres possessions, ne s'était pas montrée aussi impitoyable. Jamais elle n'avait songé à se départir de son énorme collection de livres. Au contraire, elle les avait emballés avec amour après avoir épousseté les jaquettes défraîchies en se promettant de les relire tous. En fait, elle n'en rouvrit jamais un seul.

Vivre en ville offrait toutes sortes d'avantages. Depuis Chippewa Drive, Ruby et moi pouvions nous rendre à pied à la bibliothèque et au centre-ville de Leaford, et l'autobus nous conduisait là où nous le voulions (Ruby et moi mîmes toutefois des mois à apprécier pleinement notre indépendance). Le premier jour, tante Lovey nous accompagna au snack Brekkie Break, siège social officieux de la commission des transports de la ville. Elle nous présenta aux chauffeurs qui prenaient leur café au comptoir. (Nous fûmes horriblement gênées.) Puis, elle nous acheta un laissez-passer d'un jour, nous remit un plan de la ville et dit :

— Si vous n'êtes pas de retour à cinq heures trente, c'est la dernière fois que je vous laisse hors de ma vue. Compris ?

Nous effectuâmes tous les trajets indiqués sur le plan, et Ruby était si excitée qu'elle en oublia d'être malade. Nous eûmes à peine le temps de rentrer avant le couvre-feu.

Dans Chippewa Drive, nous n'étions qu'à quelques pas de la maison de Mme Todino (ce qui, en cas d'urgence de part ou d'autre, était rassurant). S'il y avait un incendie ou une inondation, on arriverait à nous rejoindre.

Avant que nous nous installions, oncle Stash, pour lui comme pour moi, démolit à coups de masse les murs de la chambre que Frankie Foyle avait occupée au sous-sol. Les nuits d'insomnie, couchée dans mon lit, tandis que Ruby ronronne à côté de moi, je songe aux événements survenus dans le sous-sol, cet après-midi-là. L'odeur de la mari monte d'entre les lattes et je sens sur mon palais le goût de la liqueur sucrée. Je ferme les yeux, je vois Frankie frémir et frissonner et s'arc-bouter comme un chat — est-ce que tous les hommes font ça ? — et je songe au soulagement que doit procurer un tel épanchement. Je songe au moment où Frankie a brusquement cessé d'embrasser ma sœur et où j'ai cru qu'il allait m'embrasser, moi. Il n'en a rien fait, et Ruby a tiré doucement sur le lobe de mon oreille. Par ce geste, elle m'a dit qu'elle m'aimait, que tout irait bien.

Depuis la mort de tante Lovey et d'oncle Stash, il y a des années de cela, je me suis souvent dit que nous devrions vendre la maison et emménager dans l'immeuble à logements voisin de la bibliothèque. Les souvenirs et la fumée spectrale de l'herbe me perturbent encore. (Je pense à Taylor, résultat de ma brève union avec Frankie, et je me demande où elle est aujourd'hui, à quoi elle ressemble. Ruby a beau répéter que ce serait cruel et égoïste, je veux rencontrer ma fille avant de mourir. Pourtant, au moment même où j'écris ces mots, je ne suis pas du tout certaine qu'il soit légitime d'entreprendre des recherches. Que penser d'une telle confusion ? Aujourd'hui, j'ai reçu de ma cousine Gail de Hamtramck un message électronique dans lequel elle affirme n'être au courant de rien et ne pas pouvoir m'aider, mais je ne suis pas certaine de la croire.) À quoi bon quitter la maison, maintenant que le temps nous est compté ? Et si Taylor venait ici dans l'espoir de me retrouver ? Si, par miracle, elle perçait à jour le mystère de sa naissance et se mettait en tête de me voir? Si elle me ratait d'un jour ou d'une heure? On lit des anecdotes de ce genre. C'est très fréquent, en fait. (Pas dans les romans, cependant, où de telles coïncidences passeraient pour des solutions de facilité.)

À notre arrivée en ville, je détestais l'uniformité des maisons en parpaings, les hideux jardins clôturés, les voisins indiscrets (à l'exception de Nonna, bien entendu). Dans Chippewa Drive, il n'y avait pas de fleurs sauvages. Pas d'orchidées. Pas de bergamotiers. Pas de fraises des champs ni de ténidias à feuilles entières. Mais j'en suis venue à apprécier les différences subtiles, les taches de couleur que les gens sèment çà et là pour affirmer leur caractère unique, les clôtures en lisse, les nains de jardin et les boîtes aux lettres artisanales. Les fleurs sauvages me manquent, mais j'ai réussi à faire pousser un magnifique lierre sur la maçonnerie qui entoure la fenêtre du salon. Et il y a aussi le treillis de roses jaune pâle sur le mur qui fait face à la maison de Nonna. (Tante Lovey m'a enseigné à enlever les fleurs mortes en en pinçant la tige entre mes ongles, tâche qui me procure une grande satisfaction.)

À l'époque, après la fin du secondaire, j'avais été triste de quitter la maison de ferme orange. Je m'ennuyais de la longue table en pin, je regrettais les murs qui s'effritaient, j'avais la nostalgie du maïs, du ruisseau, de mon enfance et de Larry Merkel. Nous ne parlions plus beaucoup de Larry Merkel, Ruby et moi. C'était un compagnon de jeu dont nous nous étions détachées. Mais, en cette journée d'été torride où nous remplîmes notre boîte en nous préparant à dire au revoir à la ferme, il était là comme une grosse boule dans notre gorge. Dans l'allée, près du pommier, nous attendîmes qu'oncle Stash avance la voiture. Lorsque Ruby me demanda si je pensais que Larry était là, je lui répondis que je ne croyais plus aux fantômes (j'avais alors vingt ans) et que je ne m'imaginais plus qu'il était encore en vie. L'indéniable vérité, c'est que j'avais le sentiment qu'il nous épiait à travers les verges d'or, les yeux noirs des corneilles. Ruby et moi lui dîmes au revoir à voix basse. J'insistai pour que nous conservions le petit camion de pompiers rouge (celui que nous avions trouvé le jour où Ryan Todino nous avait baptisées dans le ruisseau) au lieu de l'apporter à Cathy Merkel. Ruby était d'avis que le jouet la réconforterait. J'étais sûre qu'il ne ferait que raviver son chagrin. Sur un plan purement égoïste, je n'avais nulle envie d'effectuer le trajet jusqu'à la maisonnette des Merkel, de parcourir le champ, de longer le ruisseau et de traverser le petit pont qui l'enjambait. Je ne voulais pas que cette excursion soit la dernière que je ferais à la ferme. Un souvenir se rattache à la maison des Merkel. Un souvenir que j'ai réussi à ignorer pendant la majeure partie de ma vie. J'ai vu quelque chose. Et je n'en ai parlé à personne, même pas à Ruby. Je n'aurais pu expliquer et je n'ai jamais vraiment compris ce que j'avais vu. J'évite d'y penser, comme à la plupart des choses inconcevables.

Un jour (nous devions avoir douze ou treize ans et fréquentions toujours l'école élémentaire), nous allâmes livrer des œufs, et Ruby demanda à Mme Merkel si elle croyait que Larry s'ennuyait de sa bicyclette bleue. (Pour mettre les choses en contexte, je précise que Mme Merkel nous parlait souvent de lui. De son amour de la confiture aux mûres, de ses talents de patineur, du fait qu'il savait écrire son nom — son prénom et son nom de famille. Elle nous avait même fait voir une image qu'il avait coloriée pour elle avant de signer son prénom au verso avec les deux *r* à l'envers.)

Je compris sur-le-champ que Ruby avait commis un impair en interrogeant Mme Merkel sur Larry et sa bicyclette. Cette dernière resta immobile pendant un long moment, le chagrin creusant les rides de son front. Dans ses yeux, nous voyions notre reflet et l'immanquable vacillement de la répulsion. Je n'ai jamais été d'une rapidité fulgurante, et je me demandais comment je ferais pour contourner la table si elle levait la main sur nous, comme elle semblait en mourir d'envie. Mais Cathy Merkel ne nous frappa pas. Elle se laissa tomber sur une chaise et dit :

— Je vais vomir.

Aussitôt dit, aussitôt fait. Ruby vomit à son tour. Ce qui aurait été amusant, jusqu'à un certain point, si, à ce moment précis, je n'avais su avec exactitude ce que pensait Cathy Merkel : « Quel genre de Dieu emporte mon Larry et laisse vivre un monstre pareil ? »

Le lendemain, oncle Stash inventa un prétexte quelconque pour livrer les œufs lui-même, et nous ne nous chargeâmes plus jamais de cette corvée. Cette année-là, nous croisâmes quelquefois Cathy Merkel à l'épicerie ou à la bibliothèque, où elle photocopiait des recettes et louait des films d'action pour son mari. On déchirait les numéros de téléphone des avis punaisés sur le tableau d'affichage. Elle avait alors un sourire pincé, comme chaque fois qu'elle nous voyait. Tante Lovey et elle échangeaient quelques civilités, puis Cathy Merkel s'éclipsait et tante Lovey disait :

— Vous n'y êtes pour rien, les filles. Ça n'a rien à voir avec vous.

Tous les jours, nous apercevions Sherman Merkel dans les champs. De temps en temps, il s'arrêtait pour nous dire quelques mots, mais, en général, il se contentait de nous saluer de loin. Je me souviens toutefois d'un printemps où nous cherchions des pointes de flèches derrière la maison et où nous nous étions arrêtées pour regarder M. Merkel vérifier l'état du sol en prévision des semis. M. Merkel savait que VanDyck avait planté son maïs la veille et que Zimmer l'avait fait une semaine plus tôt. Pour M. Merkel, c'était prématuré. Il se plia à la taille, planta ses grosses mains dans le sol et recueillit une motte de terre dont il jaugea le taux d'humidité. Puis, il lança un peu de terre dans l'air et la regarda chevaucher le vent. Il lécha sa paume, pressa la terre contre la voûte de son palais, comme si c'était du beurre d'arachide. Pendant un moment, il balaya les champs du regard, puis il se flatta le ventre et déclara que c'était l'heure de manger.

— Ma femme a préparé des spaghettis et des boulettes de viande. Si ça vous dit, vous êtes les bienvenues.

Ruby et moi savions que nous ne serions pas du tout les bienvenues dans la cuisine de Cathy Merkel. Le fermier sembla comprendre sans que nous ayons ouvert la bouche. Après un long moment de réflexion, il déclara :

— Elle n'était pas comme ça avant ce qui est arrivé à Larry.

— Elle était gentille ? demanda Ruby.

Lentement, M. Merkel hocha la tête. Puis, il rentra chez lui, où l'attendait sa femme dépossédée de son enfant.

À l'époque, jamais je n'aurais pensé ni même imaginé que je serais moi-même un jour une femme dépossédée de son enfant.

Quelques jours plus tard, intriguées par la collection de pointes de flèches de M. Merkel et attirées par Cathy Merkel en dépit de la répulsion que nous lui inspirions, ma sœur et moi décidâmes d'aller à la maisonnette de l'autre côté du ruisseau. Il nous fallait cependant un prétexte. Et il se présenta sous la forme du petit camion rouge. Tante Lovey passait la journée à l'hôpital ; dans la grange, oncle Stash sablait une vieille auge qu'il avait l'intention de transformer en jardinière pour l'anniversaire de sa femme. Nous nous arrêtâmes pour lui dire où nous allions, mais il n'était pas là. Nous ne nous inquiétâmes pas. (C'était avant sa crise cardiaque, à l'époque où personne ne mettait sa vigueur en question.) Sans doute était-il dans les prés, en train de prendre des photos du grand dégel. Ou encore, il avait décidé de peindre des boîtes de lait au lieu de sabler l'auge. Je soutins qu'il serait aussi long de rentrer à la maison pour écrire un mot que de faire l'aller-retour chez les Merkel, ce qui était faux.

Marchant péniblement vers la maisonnette des Merkel sur un sentier envahi par les ronces et les haies, un sentier que nous avions emprunté un nombre incalculable de fois et où nous ne poserions plus jamais les pieds, je serrai le petit camion contre ma poitrine et dis une prière pour Larry (ou peut-être priais-je Larry ?) au moment où nous nous engagions sur le pont. Je m'imaginai que Mme Merkel nous remerciait chaleureusement de lui avoir rapporté un objet ayant appartenu à Larry.

C'est alors que nous vîmes les hérons.

Que le grand héron ne soit pas rare dans les environs de Leaford ne tempérait jamais notre enthousiasme. Leur profil est si élégant et leur vol si gracieux que nous nous arrêtions toujours pour les observer. C'est ce que nous fîmes ce jour-là lorsque deux d'entre eux apparurent au moment où nous arrivions devant la porte du jardin des Merkel. Iridescents, préhistoriques et légers, les hérons aux longues jambes se posèrent au bord du ruisseau et nous lancèrent un regard par-dessus leur épaule. Avec leur poitrine lourde, leurs pattes minces et le trait fantaisiste surmontant leurs yeux, ils ne nous jugèrent pas menaçantes.

— Arrête, dit Ruby tout doucement. Des hérons.

J'obéis, mais sans me retourner complètement.

— Magnifique, dis-je.

À la fenêtre des Merkel, quelque chose avait attiré mon attention. Flash. De la chair. Flash. Un dos. Flash. Des fesses. Flash. Une cuisse. Je ne me serais jamais doutée que M. Merkel était aussi poilu. Et je ne comprenais pas pourquoi il était tout nu. En particulier au beau milieu de la journée. Je savais deux ou trois choses à propos de la sexualité, mais, d'après ce que j'avais retenu, il s'agissait d'une activité qui se pratiquait en position couchée, la nuit, et non debout en plein jour. J'aurais dû détourner les yeux. J'aurais dû m'éloigner. Je continuai plutôt d'observer les corps nus se tamponner derrière les rideaux voletants. Je ne voyais ni le visage ni la tête de Sherman Merkel, penché sur la croupe de sa femme, mais je supposai qu'il avait un air sinistre. Il y eut un léger battement d'ailes lorsque les hérons s'envolèrent, et Ruby soupira. Les oiseaux avaient disparu. Elle me poussa du coude.

— Le spectacle est terminé. Allons-y.

Le spectacle, cependant, n'était pas terminé et je n'arrivais pas à en détacher les yeux. J'aurais donné cher pour avoir un téléphone à portée de la main et pouvoir alerter la police. Elle est sûrement ligotée, pensai-je. Et bâillonnée.

Ruby sentit qu'il se passait quelque chose.

— Quoi ? Qu'est-ce qu'il y a ?

— Rien, répondis-je. Ne bouge pas et ils reviendront peut-être.

Je savais bien que les hérons ne reviendraient pas. Je restai là à épier Sherman Merkel : les bras autour de la taille de sa femme, il la tirait vers lui, fesses contre entrecuisse, dos contre torse. Il lui mordit l'épaule en continuant son mouvement de va-et-vient, et soudain je vis leurs visages. Je fus choquée de constater que Cathy Merkel prenait plaisir à cette invasion brutale, mais plus encore de comprendre que l'homme campé derrière elle n'était pas son mari. Tant d'années se sont écoulées depuis... Oncle Stash et tante Lovey ne sont plus de ce monde, et les Merkel occupent toujours la ferme. Ruby et moi nous mourons, et je suis certaine de ne pas voler en éclats en révélant que l'homme campé derrière Cathy Merkel était oncle Stash.

Ruby est d'une bienheureuse naïveté et plus fragile que moi sur le plan affectif. Je suis raisonnablement sûre qu'elle ne lira pas le livre jusqu'ici. (Ruby me soutient sans réserve, mais elle n'est pas une grande admiratrice de ma prose, et il est assez rigolo de penser que je ne suis pas sa tasse de thé, comme on dit.) Découvrir la vérité au sujet d'oncle Stash la briserait complètement, mais moi je sais et j'ai peut-être toujours su que les êtres humains sont à la fois faibles et complexes. À la veille du jugement dernier, j'ai beaucoup de mal à me montrer trop sévère. D'ailleurs, quelle importance ? Tante Lovey tergiversait. Oncle Stash batifolait. Nous mourons.

Quant au petit camion de pompiers rouge de Larry Merkel, après avoir vu ce que j'avais vu par la fenêtre de Cathy Merkel et m'être dit que je n'avais pas vu ce que j'avais vu, je réussis à convaincre Ruby que nous commettrions une erreur en allant chez les Merkel et que nous devions garder le jouet de Larry, qu'il nous était destiné. Elle me donna raison. C'est donc ce que nous fîmes. Le plus bizarre dans tout ça? Les hérons revinrent.

J'en ai voulu à Ruby de faire autant de chichis pour ses effets intimes, mais je me rends compte à présent que je fais exactement la même chose en écrivant ce livre, cette autobiographie. Mes effets, ce sont mes histoires, mais j'ai le même besoin obsessionnel de regrouper, d'empiler, de jeter, d'emballer et d'étiqueter, de quantifier et de qualifier, voire de léguer. Je m'étonne moi-même du peu d'empressement que je mets à discuter de notre succession. Ruby pense que je me fiche de ce que nous transmettrons à la postérité, mais c'est le contraire. Cette question me préoccupe tellement que je tiens à me léguer, moi, tout entière. Quand Rose et Ruby Darlen ne seront plus de ce monde, il restera une boîte renfermant un vieux foulard rose, un petit camion de pompiers rouge et ceci — notre vraie histoire à toutes les deux.

~

Ruby.

La soirée surprise a été une réussite retentissante ! Joyeux anniversaire à nous deux !

ROSE ET RUBY DARLEN CÉLÈBRENT UN ANNIVERSAIRE DÉTERMINANT !

(Acclamations.)

Nous n'avons pas vraiment fait la une des journaux. Cette année, nous avons voulu que notre anniversaire reste discret et intime. Rose a même communiqué avec les responsables du *Leaford Mirror* pour leur demander de ne pas publier les bons vœux qu'ils offrent chaque année aux « filles ». Après, des magazines et des journaux téléphonent d'un peu partout et nous disent qu'il faut raconter notre histoire. Nous savons bien qu'on cherche à nous exploiter. Encore cette année, malgré l'absence de publicité, nous avons reçu quelques coups de fil : dans Internet, on trouve presque tout. C'est la principale raison qui motive ma haine des ordinateurs. Il y a beaucoup trop d'informations. Et pas assez de personnes sensées.

Lorsque nous sommes entrées dans la salle du personnel, Rose et moi, tout le monde a crié : « SURPRISE ! » Rose a eu une expression tordante. Comme elle est loin d'avoir des talents d'actrice, je suis certaine qu'elle ne se doutait de rien. Le jeu en valait vraiment la chandelle !

Les lecteurs de cassettes et de CD de la chaîne portative apportée par Whiffer ne fonctionnaient pas, et nous avons dû nous contenter de la radio, mais Rose ne s'en est pas formalisée puisque Lutie a trouvé une station de Detroit qui diffusait de vieux succès Motown. On m'a accusée de faire la tête parce que je préfère la musique des dix dernières années, mais je dois admettre que le vieux rock a fait danser tout le monde. Même dans les films, quand il y a de la musique Motown, les personnages dansent et nous nous sentons tous heureux, heureux, heureux.

Rosie a bu un verre de champagne et elle en voulait encore, mais Nick lui a suggéré d'y aller mollo. Sous l'effet du champagne, elle est devenue volubile, et il lui arrive d'être plutôt drôle, même si son sens de l'humour me paraît plutôt masculin. En tout cas, Nick et Whiffer semblent l'apprécier plus que le reste d'entre nous.

Lutie a fait un film de la soirée et je l'ai déjà regardé quatre fois : j'ai vécu là un des meilleurs moments de ma vie. C'est vrai. En majeure partie parce que j'étais en compagnie de mes meilleurs amis. Et que j'aimais vraiment tous les invités. (Sauf Nick.)

Rose m'a offert un magnifique chemisier en soie brute bleu layette qu'elle a commandé par ordinateur. On l'a livré la semaine dernière et je brûlais d'envie de savoir ce qu'il y avait dans la boîte. Il est ravissant et sa couleur me va particulièrement bien. J'ai l'intention de le réserver pour une grande occasion. J'ai aussi songé à le garder pour quand je serai morte. Ça peut sembler extrêmement macabre, mais, à supposer que nous décidions de choisir un cercueil, ce dont je doute, mais juste au cas, il faudra bien que je mette quelque chose. La tenue vestimentaire est un des aspects de la mort.

Ma sœur ne s'intéresse pas du tout aux vêtements. En général, je lui offre un livre pour son anniversaire. Nous allons à la librairie de Ridgetown, où la propriétaire est si habituée à nous qu'elle ne nous dévisage plus. Rose choisit cinq livres et j'en achète un. La surprise, c'est qu'elle ne sait pas lequel des cinq elle aura. Seulement, nous ne pouvons plus vraiment prendre l'autocar parce que Rose a des étourdissements. Je n'ai pas envie de demander à Nick de nous emmener à Ridgetown. Et je ne voudrais surtout pas que les gens se fassent des idées au sujet de Nick et nous.

À cause du verre de champagne que Rose a sifflé, nous avons dû passer une demi-heure aux toilettes : elle était aux prises avec un hoquet tenace. Pendant tout ce temps, je me suis dit que l'anévrisme allait se rompre. Et nous n'avions même pas encore coupé le gâteau !

Ma sœur a été surprise, mais aussi enchantée par la soirée. Les gens affirment ne pas avoir envie de ceci ou de cela, mais, une fois le mouvement enclenché, ils se rendent compte que c'est en plein ce qu'ils voulaient depuis le début. Et même si elle aurait soutenu ne pas avoir envie d'une fête, et encore moins d'une fête surprise, ma sœur a eu du plaisir. Beaucoup de plaisir.

Whiffer lui a offert un joli bracelet à breloques. À moi, il a donné un bon-cadeau pour la boutique vidéo, ce qui m'a semblé correct, même si j'aurais préféré une touche plus personnelle.

Au départ, la fête a bien failli avoir lieu sans nous. Rose n'était pas dans son assiette — elle avait mal à la tête et se sentait faible — et elle m'a demandé si nous pouvions tout annuler : nous avions convenu de prendre un taxi pour aller fêter notre anniversaire dans un restaurant de Chatham. Elle avait seulement envie de se mettre au lit et de se réveiller le lendemain. Je crois qu'elle était déprimée. Que nos trente ans nous confèrent le titre de plus vieux jumeaux craniopages survivants de tous les temps lui était totalement indifférent. Pour ma part, j'en suis heureuse, mais pas autant que je l'aurais cru : au bout du compte, la fin approche et elle vient beaucoup trop vite à mon goût.

(Pour faire sortir ma sœur de la maison, j'ai dû piquer une crise et pleurer si fort qu'elle s'est dit qu'il valait mieux être n'importe où que seule avec moi chez nous.)

La bouffe était extraordinaire. Nonna avait préparé un gratin d'aubergines et ses fameuses boulettes de viande. Roz avait fait des friands à la saucisse, des craquelins à la mousse de saumon et de la trempette aux épinards présentée dans une miche de pain évidée. Lutie avait apporté une gelée aux framboises garnie de tranches de bananes, recette de sa mère, et une douzaine des petits pains au fromage qui font la renommée de la boulangerie Oakwood. Depuis un certain temps, ma colite me cause des soucis et j'éprouve parfois des douleurs. Je n'ai donc pas vraiment pu profiter du festin. Je me suis contentée d'un petit pain fourré au fromage sans beurre et j'ai même pris la précaution d'enlever le fromage, mais je sentais les parfums et j'ai vu les autres se régaler (sauf Rose, qui perd de plus en plus l'appétit).

Nonna avait l'intention de préparer les gâteaux, mais, en cours de route, elle s'est égarée dans sa tête, et c'est Nick qui a dû terminer à sa place. Pour Rose, je voulais un gâteau fourré rond qui ressemblerait à un ballon de basket-ball, recouvert d'un glaçage orange et de rouleaux de réglisse noire pour former les lignes. Pour moi, je voulais un gâteau en forme de claquette de cinéma (pour ceux qui ne le sauraient pas, le metteur en scène utilise la claquette pour comptabiliser le nombre de fois où l'acteur a oublié son texte). C'est blanc et noir avec des bandes obliques dans le haut, mais Nick n'a pas mis assez de colorant noir dans le glaçage. En fin de compte, j'ai eu droit à un truc gris, pratiquement méconnaissable, même si Nick a eu la coquetterie d'écrire : « La fête surprise, mettant en vedette Rose et Ruby Darlen ». Nick a utilisé trente bougies — quinze sur chacun des gâteaux —, ce qui, en principe, est inexact. Comme les gâteaux étaient du mauvais côté, nous avons dû les tourner, et les mots ne nous faisaient plus face quand nous avons soufflé les bougies — ce qui, comme chacun sait, porte malheur.

On a beaucoup ri et beaucoup parlé, et la musique était plutôt forte. Rupert s'est senti accablé, je suppose, car il a commencé à gémir, et Roz a dû le ramener à la maison. Whiffer et Lutie avaient rendez-vous avec des filles ou je ne sais trop quoi. Nonna était épuisée. Mais elle a gardé toute sa tête. Ou encore elle a réussi à donner le change. Parfois, elle est si perdue qu'elle me prend pour le bébé de Rose et elle lui demande : « Comment va ta petite, aujourd'hui ? », et c'est un peu gênant pour moi. Je refuse de jouer le jeu, même si Rose soutient que je devrais le faire. Bref, à vingt et une heures trente, tout le monde était parti. Nick est revenu nous demander si nous avions besoin d'un coup de main. Je lui ai répondu que nous étions parfaitement capables de rentrer en taxi.

Rose a dit que nous aurions tort de refuser. Pourquoi payer un taxi quand un voisin allait du même côté que nous ? Comment réfuter un tel argument ?

En cours de route, Nick a expliqué que les absences de Nonna restaient intermittentes. Je m'étonne de voir qu'il ne s'énerve pas. Je m'énerve, moi, et je n'habite même pas avec Nonna. Je suis sûre que derrière les portes closes il est moins patient. Le soir de la fête, Nonna a été telle que nous l'avons connue dans le temps. Puis, lorsque Whiffer s'est emparé de la cuillère pour se servir de boulettes de viande, elle lui a donné une tape sur la main en lui disant d'attendre le repas. Pendant le reste de la soirée, elle a appelé Whiffer « Fiodor », ce qui n'était pas le prénom de son mari (le père de Nick, donc), mort avant même la naissance de celui-ci. Nous avons rigolé, Whiffer et moi, mais Rose m'a pincée : Nick ne riait pas. Après, l'état de Nonna s'est détérioré.

Nick nous a raccompagnées, ce qui est bien, même si j'ai la drôle d'impression qu'il nous aide parce qu'il attend quelque chose en retour. Nous ne lui avons parlé ni de l'anévrisme ni du pronostic, mais nous nous rendons de plus en plus souvent à Toronto pour consulter le Dr Singh, et Nick doit bien se rendre compte que nous ne sommes pas au sommet de notre forme, en particulier Rose, qui maigrit à vue d'œil. J'espère que Nick ne se montre pas serviable simplement dans l'espoir d'une contrepartie. Il n'héritera pas de nous. Non pas que je croie que Rose voudrait qu'il en soit autrement. Non pas que je sache quoi que ce soit au sujet des intentions de Rose.

Ce soir-là, Rose était très jolie, et je me suis réjouie qu'elle ait fait un effort. En général, il faut la harceler pour qu'elle se peigne et change de vêtements. Elle portait le nouveau chemisier couleur crème qu'elle a acheté dans une braderie et elle avait même mis un peu du rouge à lèvres rose que je lui ai offert en cadeau. Pour la couleur, cependant, je me suis trompée. Elle ne lui va pas du tout, mais Rose a eu tellement de compliments que je parie qu'elle voudra en mettre tous les jours.

Le soir, au lit, Rose m'a serrée contre elle, puis elle a dit : « Nous y sommes arrivées. » Je l'ai sentie frissonner. Comme moi, elle se demandait sans doute : « Bon, très bien. Et maintenant, mon Dieu ? » Sauf que Rose aurait sûrement omis les derniers mots, ceux qui ont trait à Dieu. Nous nous sommes touché le lobe d'oreille pour nous dire que nous nous aimions.

Tante Lovey et oncle Stash avaient l'habitude de se dire « Toi ». Le matin, avant de partir au travail, oncle Stash nous embrassait et disait : « Vous être gentilles, mes filles », puis, la main sur le cœur, il regardait tante Lovey dans les yeux et disait : « Toi ». Seulement « Toi ». Parfois, elle se contentait de lui sourire en hochant la tête. En d'autres occasions, elle l'imitait. La main sur le cœur. « Toi. »

Quand nous étions petites, j'ai demandé à Rose pourquoi tante Lovey et oncle Stash ne disaient jamais « Je t'aime ». Seulement « Toi ». Rose a sorti le dictionnaire et m'a fait lire l'article correspondant au mot « redondant ».

Hier soir, elle m'a dit qu'elle était fière de moi et des efforts que je déploie : j'ai déjà rempli deux blocs de papier jaune et j'entame le troisième. Ses éloges m'ont fait plaisir et irritée à la fois parce que je peux me passer de son approbation. En même temps, j'en ai besoin. Vous comprenez ?

Elle m'a dit qu'elle avait fait environ la moitié du travail et elle m'a demandé où j'en étais. Je vois bien qu'elle est intriguée par ce que j'ai écrit, mais elle ne veut pas poser de questions.

Rose souhaite toujours retrouver Taylor. Elle a même envoyé un message électronique à nos cousines de Hamtramck pour voir ce qu'elles savent sur l'adoption, mais elles ont répondu qu'elles n'étaient au courant de rien. C'est oncle Yanno qui avait tout arrangé, mais il n'a pas donné signe de vie depuis des années. Mentionnez son nom en présence de ses filles et elles risquent de vous arracher la tête. Oncle Yanno est parti avec une autre femme quand tante Pivoine a commencé à perdre ses cheveux à cause de la chimio. Vous n'imaginez pas la scène qu'a faite oncle Stash à ce propos. Il a même frappé oncle Yanno au moins une fois.

La seule information dont nous disposons, c'est que Taylor a été adoptée par un employé de l'usine Ford, et nous ne sommes même pas sûres que ce soit exact. L'idée de Rose — faire paraître un avis de recherche au ton suppliant dans le bulletin de l'entreprise — est donc complètement farfelue. Pourquoi ne pas confier à un détective privé le mandat de la retrouver, comme tante Lovey et oncle Stash l'ont fait pour retrouver Mary-Ann, notre mère biologique ? a alors demandé Rose.

J'ai songé : « Notre mère biologique ». Dieu du ciel. Notre mère biologique ?

J'ai aperçu le reflet de Rose dans le miroir et j'ai vu qu'elle avait la mine grave et j'ai compris qu'elle n'avait jamais douté de l'existence du détective privé. Ni de l'authenticité de la tombe que nous avons visitée. J'ai toujours cru que c'était une des choses que nous savions l'une et l'autre, mais dont nous ne parlions pas. Je lui ai dit que tante Lovey et oncle Stash nous avaient menti parce qu'ils voyaient bien que l'idée de retrouver notre vraie mère nous obsédait et qu'ils croyaient bien faire. Je ne voulais rien ajouter, mais Rose a insisté, alors j'ai confessé avoir entendu tante Lovey dire à oncle Stash que nous avions besoin de preuves. Pour pouvoir tourner la page. Peu de temps après, oncle Stash avait eu l'idée de retenir les services d'un détective privé.

Comment Rose a-t-elle pu oublier que notre famille n'avait pas les moyens de chauffer l'étage de la maison de ferme ? En l'absence de garantie, oncle Stash n'aurait pas versé un sou à un détective. Sans compter que le mystérieux enquêteur n'a jamais mis les pieds chez nous et que nous n'avons jamais entendu sa voix au téléphone. La légende voulait qu'il ait trouvé ici même à Leaford une piste qui l'aurait conduit directement à Toronto. Selon les renseignements fournis par ce détective privé, notre mère était un modèle de vertu qui travaillait dans une librairie, allait à l'église et avait beaucoup en commun avec Rose et moi (comme la lecture, l'écriture et les Indiens neutres — mon œil !) et elle était commodément morte peu après nous avoir donné naissance. Elle s'appelait Mary-Ann, et non Elizabeth, et je me dis que c'est parce qu'oncle Stash n'a pas réussi à trouver une autre pierre tombale sous laquelle reposait une Taylor morte peu après notre naissance.

Quand j'ai eu fini, Rose est restée silencieuse pendant un long moment. Je lui ai demandé de ne pas en vouloir à tante Lovey et à oncle Stash, et elle a répondu qu'elle ne leur en voulait pas. Mais son reflet dans la glace était si triste que j'ai regretté d'avoir ouvert ma grande gueule.

Rose a longuement broyé du noir. Elle aime bien broyer du noir. C'est vrai. Moi, je choisis d'être heureuse. À la blague, tante Lovey disait à Rose qu'elle tenait sa propension à broyer du noir de sa parenté slovaque. (Ce qui est drôle, c'est que, comme nous avons été adoptées, nous n'avons pas de sang slovaque, du moins pas à notre connaissance.)

Plus tard, au lit, Rose m'a dit qu'elle n'avait jamais envisagé la possibilité que notre mère puisse être encore vivante et qu'elle avait besoin d'un peu de temps pour se faire à l'idée. Au cours de cette période, elle a écrit de nombreux poèmes. Puis, après quelques semaines, elle est revenue à la charge : nous devions confier à un détective privé le mandat de retrouver Taylor et notre mère biologique ainsi que d'arranger une rencontre entre elles lorsque nous ne serons plus de ce monde. (Et c'est moi qui rêve en couleurs ?)

J'ignore si c'est l'anévrisme qui embrouille la raison de Rose ou si c'est moi qui suis folle. À mon avis, c'est une mauvaise idée. Si notre mère vit toujours (ce qui est probable, étant donné qu'elle aurait un peu moins de cinquante ans), elle sait qui nous sommes et aurait pu communiquer avec nous si elle l'avait voulu. Donner naissance à des jumelles craniopages, ça ne s'oublie pas. Si elle s'était posé la question, il lui aurait suffi de taper quelques mots sur un clavier d'ordinateur pour savoir que nous étions vivantes. Nous sommes partout dans Internet.

Cette nuit-là, j'ai rêvé que notre mère et Taylor mangeaient de la confiture de mûres dans la cuisine de Mme Merkel.

Au milieu de la nuit, j'ai été tirée du sommeil par les pleurs de Rosie. Elle a dit qu'elle avait très mal à la tête. Je lui ai répondu que j'étais désolée. Puis, elle a ajouté, très calmement, si bien que j'ai su qu'elle était sérieuse, que nous n'avions qu'à sortir les seringues de Tatranax et à nous en aller. À partir à la dérive. Ensemble. Là, à la faveur de la nuit. Elle a dit : « Faisons-le maintenant, Ruby. Nous nous serrerons l'une contre l'autre. Nous n'aurons pas peur. »

Je me suis mise à trembler. Sans pouvoir m'arrêter. Je n'ai pas pleuré ni rien. J'ai tremblé tout simplement. Pendant très longtemps. Elle répétait : « Ça va, Ruby. Ça va. » Elle a dit qu'elle plaisantait, mais elle ne plaisantait pas.

Elle ne plaisantait pas du tout.

PIVO

~

Tante Lovey ne buvait qu'en de rares occasions et elle s'en tenait alors au vin blanc, tandis qu'oncle Stash, chaque soir, aimait siroter une bière ou deux — trois s'il y avait un match à la télévision, quatre si son équipe perdait. Oncle Stash n'utilisait jamais le mot « bière ». « Toi m'apporter une *pivo,* Rose », disait-il. Par rapport à la *slivovitz* et à la *Becherovka,* soutenait-il, la bière avait une teneur en alcool si faible qu'en boire équivalait presque à ne pas boire du tout. Il achetait sa *pivo* dans le commerce, mais il fabriquait sa propre *Becherovka* à l'aide de clous de girofle et d'un produit qui sentait la térébenthine (c'était en fait de la fausse *Becherovka*). Il s'agissait, disait-il, d'un élixir magique et, quand j'étais constipée, il m'en donnait une cuillérée à café en me faisant promettre de ne rien dire à tante Lovey (qui préconisait les suppositoires à la glycérine et les pruneaux en purée). Il refusait catégoriquement d'en administrer à Ruby. La décoction l'aurait réduite en cendres. Je crois que la *Becherovka* me rendait légèrement pompette. Je sais qu'elle faisait des merveilles pour mes intestins. La veille de l'arrivée de maman Darlensky à Leaford, oncle Stash but une demi-bouteille de cet alcool, mais je crois que le remède fut impuissant contre le mal dont il souffrait.

Au cours des semaines qui précédèrent la venue de maman Darlensky, la vieille maison de ferme s'était ratatinée peu à peu sous l'effet du grand ménage, du stress, des murmures et de l'inquiétude. Tante Lovey avait frotté les parquets jusqu'au bois brut. Ruby et moi avions lavé les murs du couloir et vaporisé du parfum Jean Naté sur la moquette orange brûlé du séjour où dormirait la malheureuse vieille femme. Oncle Stash passa l'aspirateur dans la voiture et ramassa quarante-six sacs de feuilles mortes sur le terrain.

C'était le 31 octobre. L'Halloween. Ruby et moi en étions à notre dernière année à l'école secondaire de Leaford. (L'Halloween est une fête que nous redoutons et haïssons et à laquelle nous avons toujours refusé de participer.) Tous les matins d'octobre, la chambre que nous occupions dans la vieille maison de ferme orange était glaciale et sentait les dépouilles de maïs et le tabac séché. Mais, en ce matin d'Halloween, le jour de l'arrivée de maman Darlensky, notre chambre, lorsque nous ouvrîmes les yeux, sentait l'humidité et le renfermé, comme à la fin juillet. Nous nous dirigeâmes vers la fenêtre. En manches courtes, Sherman Merkel tentait de chasser des corneilles en agitant son balai d'écurie. En arrière-plan, un champ ponctué de citrouilles orange foncé attendait les couteaux à découper, les croûtes à tarte — et les vandales. Sur le rebord de la fenêtre bourdonnaient des mouches, aussi désorientées que nous. Était-ce le milieu de l'été ou la fin de l'automne ?

Après avoir enfilé nos jupes et nos chemisiers fraîchement repassés, nous allâmes à la cuisine. Tante Lovey et oncle Stash étaient assis aux extrémités de la longue table en pin, visiblement en pleine querelle. Tante Lovey portait son rouge à lèvres corail et oncle Stash avait utilisé quelque chose de poisseux pour peigner ses cheveux en arrière. Il avait l'air plutôt ridicule et je me demandai si c'était ce qui avait mis tante Lovey en colère. Puis elle lança :

— Là, c'est trop, Stash. Elle n'a qu'à s'asseoir derrière avec les filles.

— Elle être vieille. Elle avoir difficulté à s'asseoir derrière.

— Au cas où tu ne l'aurais pas remarqué, commença tante Lovey, tes deux filles s'assoient sur la banquette arrière presque tous les jours.

— Ça être pour seulement un jour, Lovey.

— Justement. Ce n'est pas trop demander, Stash.

— Ça ne pas être trop demander à toi aussi !

La question de savoir pourquoi tante Lovey tenait tant à s'asseoir à l'avant demeurera à jamais un mystère pour moi. Quant à l'obstination d'oncle Stash, elle était proprement incompréhensible. Le fossé creusé par l'énorme table n'arrangeait rien. Lorsque nous arrivâmes à la gare, ils ne s'adressaient toujours pas la parole. Ruby et moi vîmes l'autocar arriver. Lorsque la porte s'ouvrit de l'intérieur, je sentis le cœur de Ruby battre à tout rompre. Personne ne sortit. Oncle Stash déglutit. Tante Lovey semblait presque soulagée. Peut-être la vieille femme avait-elle changé d'idée, après tout. Nous attendîmes encore un peu. Toujours personne. Oncle Stash alla voir. Plus tard, il nous raconterait que sa mère était restée assise sur son siège au bord de l'allée, pâle et effarouchée, tandis que le chauffeur tentait de la convaincre de sortir. En voyant oncle Stash, elle avait souri comme une toute jeune enfant.

Ruby et moi vîmes oncle Stash tendre les deux mains à sa mère pour l'aider à descendre les marches de l'autocar, comme si elle était une petite fille encore incapable de négocier un escalier. Frêle et chétive, elle était presque chauve. Elle avait les lèvres pincées, les yeux grands et l'air ahuri.

Oncle Stash n'eut pas besoin de nous montrer à sa mère souffrante. Nous étions déjà le centre d'attention de la gare, qui faisait aussi office de station-service et de petite épicerie. Du haut des marches du véhicule, la vieille femme regarda vers nous. Mais elle semblait avoir le regard un peu vague. Et elle n'esquissa pas de sourire.

Tante Lovey restait à l'écart en attendant que maman Darlensky la reconnaisse, mais celle-ci surveillait ses pieds, avançait à petits pas dans ses minuscules tennis. Le chemisier de la vieille dame était taché et l'entrejambe de son pantalon en polyester était tout fripé. Tante Lovey la prit par le coude et dit :

— Vous avez l'air en forme, maman Darlensky.

Je faillis éclater de rire.

La vieille dame hocha la tête, mais elle ne dit rien et évita le regard de tante Lovey. Ruby et moi fûmes soulagées de voir tante Lovey ouvrir la portière avant et aider la frêle dame à s'installer. Puis elle s'assit à côté de Ruby sur la banquette arrière.

— Je ne crois pas qu'elle me reconnaisse, murmura tante Lovey.

Le fait de ne pas être reconnue sur-le-champ par sa belle-mère débarrassa instantanément tante Lovey du ressentiment qu'elle nourrissait depuis longtemps.

— Je vous faire visiter Leaford, Mère, dit oncle Stash.

— Emmène-moi à la maison, dit maman Darlensky en slovaque.

— Je passer devant Vanderhagen's, où je travailler.

— À la maison, répéta la vieille femme.

Oncle Stash fit démarrer le moteur. Puis il embraya et sortit du parking.

— Nous faire détour. Nous visiter. Vous voir.

Il mit le cap sur le centre-ville de Chatham au lieu de rentrer directement.

Après un moment, oncle Stash ouvrit la bouche pour parler, mais je l'en empêchai.

— Chut. Elle dort.

Oncle Stash jeta un bref coup d'œil à sa mère, puis il se concentra sur la route et accéléra.

Sous la force de la poussée, la tête de maman Darlensky se renversa. Sa bouche s'ouvrit toute grande. Son cou se tordit du côté gauche.

Tante Lovey se pencha vers l'avant.

— Maman Darlensky ?

Oncle Stash voyait bien que quelque chose clochait. Il fit comme s'il avait l'intention de se ranger sur l'accotement, se ravisa.

Tante Lovey posa le bout des doigts sur le cou de la vieille dame pour chercher son pouls.

— Stash ? fit tante Lovey.

Au lieu de tourner sur la route qui nous aurait conduits à l'hôpital de Chatham, tout proche, il emprunta plutôt le petit chemin rural.

— Stash ? Mon chou ?

Oncle Stash aperçut dans le ciel un gracieux urubu à tête rouge. Il ralentit pour le regarder descendre en piqué et cueillir quelque créature morte dans le champ d'un fermier. Oncle Stash glissa une cassette dans le lecteur et je retins mon souffle au moment où la musique envahissait l'habitacle, tandis que nous roulions sur la route qui longe la rivière, celle qui s'incurve et, de boucle en boucle, donne par moments l'impression de tourner sur elle-même, comme je reviens vers ma sœur, comme la vie débouche sur la mort.

Normalement, tante Lovey aurait demandé à oncle Stash de baisser le volume. Cette fois-là, elle dit plutôt :

— Plus fort, mon chou. Un peu plus fort, s'il te plaît.

Nous traversâmes la rivière et mîmes le cap sur la baie, tandis que Ray Price chantait dans l'autoradio, que Ruby somnolait à cause du Gravol, que je fredonnais (Ruby dit que je chante comme une grenouille mâle) les chansons dont je connaissais les paroles et que tante Lovey, démolie, reniflait dans un mouchoir. Silencieux, les yeux secs, oncle Stash regardait droit devant lui. Je me demandais ce qu'il faisait. Promenait-il le fantôme de sa mère dans le magnifique comté de Baldoon ? Était-il incapable de dire adieu ? En voulait-il à la vieille d'avoir eu le dernier mot encore une fois ?

Devant la baie, nous nous arrêtâmes pour observer les oiseaux et les bateaux et les vacanciers et les couples qui se dirigeaient vers le restaurant du Phare pour faire un bon repas de poisson. Aucun d'entre eux n'avait un cadavre dans la voiture. Je l'aurais juré.

Lorsque commença la dernière chanson de la cassette, nous roulions sur la route rurale n° 1, celle qui nous ramènerait à la maison. Oncle Stash nous déposa au bout de l'allée, tante Lovey, Ruby et moi, puis il s'arrêta pour allumer une pipe (la première et la dernière qu'il fumerait dans la voiture) et emmena la dépouille de sa mère à l'hôpital de Leaford, où le Dr Richard Ruttle la déclara morte à l'arrivée.

Le plus bizarre à propos des choses bizarres, c'est qu'elles ne semblent bizarres que quand on en entend parler, qu'on les imagine ou qu'on y repense après coup — et jamais quand on les vit. (Sur cette question, je crois pouvoir m'exprimer avec une certaine autorité.) Il en fut ainsi avec maman Darlensky. Il ne m'avait pas semblé bizarre de rouler dans le comté de Baldoon en écoutant de la musique à tue-tête avec le corps de la vieille affalé sur le siège du passager. Du moins jusqu'au soir, quand, depuis notre lit, Ruby et moi contemplâmes la lune en faisant semblant d'avoir oublié que c'était l'Halloween.

Sans doute oncle Stash avait-il été lui aussi effrayé par les événements. Le lendemain matin, Ruby et moi comptâmes huit bouteilles de *pivo* dans le carton posé près du réfrigérateur. En entrant dans la cuisine, l'air vieux, oncle Stash annonça son intention d'emmener les cendres de sa mère dans son village natal de Grozovo, en Slovaquie, où il la ferait inhumer dans le cimetière à flanc de colline où reposaient déjà ses deux frères aînés.

— Pourquoi ne pas la faire enterrer à côté de son mari, à Windsor ? demanda Ruby en toute innocence.

— Elle vouloir rentrer à la maison, Ruby. Je savoir.

— Tu ne sais rien du tout, Stash, répliqua tante Lovey. Les membres de la famille qui vivent dans l'Ohio disent qu'elle n'a pas laissé de testament. D'ailleurs, ton père et ta mère ont un lot conjoint au cimetière. Je l'ai vu de mes propres yeux. Il n'y a pas de meilleure indication de ce que voulait ta mère. Son côté de la pierre tombale est déjà gravé !

— Elle vouloir rentrer à la maison, Lovey. Être ses derniers mots.

— Qu'est-ce qui te fait croire qu'elle ne voulait pas parler de notre maison ? demanda Ruby.

— Ou de Windsor ? renchérit tante Lovey. Elle a été mariée à ton père pendant quarante ans, Stash. Ils ont élevé trois enfants. Ils ont parcouru la moitié de la planète pour commencer une nouvelle vie dans un nouveau pays. Je suis certaine qu'elle voudrait passer le reste de l'éternité à côté de lui.

— Elle vouloir rentrer à la maison. Elle vouloir rentrer en Slovaquie. Elle vouloir retrouver mes frères. Ça être chez elle. Je savoir. Je savoir.

De la part d'oncle Stash, qui n'avait que des contacts sporadiques avec une mère qu'il méprisait, l'affirmation avait de quoi surprendre. Sans parler de la douleur qu'il infligeait à tante Lovey, dont il aurait dû mieux connaître le cœur.

— J'estime qu'une femme doit être enterrée avec son mari, dit tante Lovey.

— Hmm, fit-il pour toute réponse.

Tante Lovey continua à débattre avec oncle Stash des dernières volontés de sa mère. Ce que voulait maman Darlensky n'avait toutefois pas vraiment d'importance. C'est oncle Stash qui voulait rentrer à la maison, et nous le savions tous, lui le premier.

~

J'ai perdu pied. Nous sommes tombées. J'ai demandé à Nick de ne rien dire. Puis, je me suis mise à pleurer et je lui ai dit que nous nous mourions.

Je suis de retour devant mon ordinateur après trois jours d'absence consécutifs. Je suis frustrée. À cause de cet anévrisme de malheur, bien entendu. (Le petit salaud veut gâcher ma vie avant de me la prendre. Et celle de ma sœur aussi, par personne interposée.) Le Dr Singh pense que mes terribles maux de tête s'apaiseront, s'aggraveront ou disparaîtront complètement. « Sûrement », dit-il. La rupture est imminente : quelques jours, quelques semaines ou quelques mois. Mais « sûrement » pas dans quatre mois, et nous ne serons « sûrement » plus de ce monde à Noël. J'ai horreur de la façon dont le Dr Singh dit « sûrement », comme s'il ne commettait jamais d'erreur.

Pendant ces jours de souffrance, ma sœur a été extraordinaire. Elle est restée calme et ne s'est jamais plainte. Si elle a eu des maux de tête aussi, elle n'en a rien dit. Je ne connais pas cette Ruby qui inclinait une paille vers mes lèvres lorsque je mourais de soif. Cette Ruby qui m'a prévenue : « Si tu pisses au lit, je te tue, Rose Darlen. » Cette Ruby qui a fini par dire : « Je demande de l'aide. Si tu me hais pour ça, tant pis. »

Je n'ai pas autorisé la télé. Je n'ai pas autorisé la nourriture — sauf les biscuits salés et les Cheerios sans lait. À peine si nous avons quitté le lit. Quand Ruby m'a demandé si elle pouvait écrire sur son bloc en papier jaune, j'ai répondu : « NON ». Les grattements du stylo ne m'auraient pas anéantie, mais la culpabilité et le remords que j'éprouvais à l'idée des journées passées sans écrire, l'angoisse que je ressentais à la pensée de mes échéances, m'auraient dévorée toute ronde. Ce n'étaient que trois jours, d'accord, mais j'étais sur ma lancée. Là, le mouvement est détruit. Les phrases ont déserté les chapitres auxquels elles se destinaient, elles ont pris des formes méconnaissables dont je ne peux plus remonter le cours. Bref, je suis dans la merde.

Pendant presque tout le temps que nous avons passé au lit, je me suis cramponnée à Ruby en gémissant, les yeux au ciel, tandis qu'elle chantait doucement. (La voix de Ruby a pour moi une résonance particulière ; en plus de l'entendre, je la sens dans nos crânes conjoints.) Je l'ai écoutée chanter en regardant par la fenêtre, celle qui s'ouvre à côté de notre lit, là où des abeilles butinent des roses pâles et où le soleil vire au rouge. Les rares fois où nous nous sommes levées (parce que Ruby m'a forcée à me rendre aux toilettes et à m'étirer un peu pour éviter la formation d'embolies), nous avons oublié de tirer les rideaux. Nous nous réveillions à l'aube, une longue journée devant nous, sans rien à faire, sans rien à voir. Que la douleur et la confusion qu'elle engendre. Mais c'était encore préférable à la mort, sauf aux moments les plus sombres, où je l'imaginais sous les traits d'une jeune fée ailée sur le dos de qui nous chevaucherions les nuages.

J'ai fait allusion au Tatranax, et Ruby a frémi. Un frissonnement d'abord, que j'ai senti dans sa mâchoire et son menton. J'ai cherché son visage dans la glace, mais elle a résisté. Le frissonnement s'est transformé en tremblement, et elle n'arrivait pas à parler. Si elle tremblait, était-ce parce qu'elle était prête à s'injecter le Tatranax, elle aussi, sans oser le dire? Est-il possible qu'elle n'ait elle-même jamais envisagé un tel départ décisif et commun?

Même si nous ne voyions que le ciel, tant de corneilles le traversaient que je m'imaginais sans peine à la ferme. Depuis la grange, Sherman Merkel nous appelait. Ruby se tenait à côté de moi, douce et tiède, et la vie, au lieu de se ratatiner derrière nous, s'étendait devant.

J'ai lu quelque part l'avis d'un écrivain sagace: l'auteur doit purger son manuscrit du sang et des larmes, puis trouver la phrase qui lui a procuré le plus de plaisir au moment où il l'a écrite — le passage le plus lyrique, l'idée la plus brillante, l'image la plus forte, la conclusion la plus percutante — et la raturer promptement. En repassant les chapitres du livre dans ma tête, je suis raisonnablement certaine qu'ils sont dépourvus de ce genre de choses. J'ai atteint un sommet, fait une importante découverte et admis que mon livre est ce qu'il est: à la fois rare et imparfait.

Ruby, je suppose, tient une sorte de journal intime et rend compte des événements au jour le jour, comme si ses chapitres devaient être insérés dans une chronique de nos derniers jours. Il sera difficile de trouver la place qui convient à ces chapitres, que Ruby écrit d'une seule traite, sans se relire ni rien changer. Sans doute évoque-t-elle nos rendez-vous avec le Dr Singh à Toronto. Et ma santé déclinante (même si je l'ai suppliée de n'en rien faire). Je parie qu'elle a parlé en long et en large de la fête. « Lutie a apporté une gelée de framboise » — vous voyez le genre.

Quand j'étais au plus mal, au troisième jour de notre réclusion, Ruby a déclaré qu'elle allait demander de l'aide, que ça me plaise ou non. Je me suis dit qu'elle téléphonerait aux Drs Ruttle. Mais non, c'est à Nick Todino qu'elle a songé. En posant les yeux sur nous, il a insisté pour nous conduire chez le Dr Singh à Toronto.

— Oubliez Ruttle. Ce qu'il vous faut, c'est un spécialiste.

Sa façon de prendre les choses en main m'a plu. Je crois que Ruby était soulagée, elle aussi. J'avais des élancements dans la tête et des points vert fluo dans mon champ de vision périphérique. Je n'ai pas trouvé un seul argument valable pour m'opposer à la proposition de Nick.

En route vers la voiture, j'ai perdu pied et je suis tombée contre la rampe du porche. Nous n'avons pas été blessées gravement, Ruby et moi, mais, soudain, je me suis vue dans l'obligation de dire la vérité sur l'anévrisme (je ne voulais pas que Nick me prenne pour une maladroite). Les détails ont jailli de ma bouche, comme un liquide gazeux secoué violemment. Nick n'a pas semblé surpris. J'ai eu l'impression qu'il était déjà au courant, même si j'ignorais comment.

Nick conduit une vieille Ford Thunderbird qu'il entretient avec un soin jaloux et laisse dans le garage lorsqu'il neige. À l'avant, il y a une banquette. Lorsque je lui ai demandé si Ruby et moi pouvions nous asseoir à côté de lui, il a répondu oui, mais seulement au retour.

Nous avons passé à l'hôpital une interminable journée. Pendant des heures, on nous a examinées sous toutes les coutures, tapotées, piquées et sondées, et nous avons attendu et attendu encore. J'ai été soulagée de me retrouver dehors, même si c'était dans un parking glauque du centre-ville. (À Toronto, on ne voit pas les étoiles. Raison suffisante pour ne pas y habiter. On lève les yeux. Pas d'étincelles. Pas d'éclats. Pas de scintillements. Les traînées laissées par les avions à réaction n'exaucent pas aussi bien les vœux. Et quand on est en quête d'inspiration poétique, on se rend vite compte que rien ne rime avec « hélicoptère ».) J'avais oublié ma requête jusqu'à ce que Nick contourne la voiture pour nous ouvrir la portière du passager. (Ruby était à moitié endormie.) Avec l'aide de Nick, nous avons pris place sur la banquette avant en gloussant comme des enfants à la foire. Nick a dit que nous pourrions nous asseoir à l'avant quand nous le voudrions, à condition qu'il fasse noir. Nous serions alors moins visibles et donc moins susceptibles de provoquer un accident tragique.

Très vite, l'attrait de la nouveauté s'est émoussé. Ruby a sombré dans le sommeil, comme chaque fois qu'elle monte en voiture. J'ai senti mon estomac se soulever, comme chaque fois que je m'abandonne au plaisir coupable d'être sans elle.

Je suis certaine de ne pas avoir abordé le sujet de Ryan Todino avec Nick, mais je l'ai peut-être fait, après tout. J'ai été surprise par ma franchise. C'est peut-être un effet de la pression exercée par l'anévrisme qui, en provoquant un déséquilibre, entraîne chez moi un changement de personnalité. À moins que ma personnalité de narratrice ne se confonde avec ma personnalité propre. J'ai toujours eu un penchant pour la solitude, ce qui peut sembler étonnant chez une femme qui n'est jamais seule. Au contraire de Ruby, je n'ai jamais vraiment souffert de notre « anormalité ». Sur ce plan, je pense que Nick me ressemble.

Tandis que Nick filait sur la route sombre, un souvenir m'est remonté à la mémoire : nous sommes petites et Ruby sanglote parce que tante Lovey nous a promis une balade sur la route touristique. « Elle n'est même pas "ristique", cette route », gémit Ruby. Lorsqu'ils comprennent enfin ce qu'elle veut dire, tante Lovey et oncle Stash rient, et Ruby pleure de plus belle. Je me souviens aussi d'une journée passée à la foire Jaycee de Chatham lorsque nous avions environ cinq ans : nous sommes dans un manège (les voitures de course, je crois). Inexplicablement, Ruby n'a pas mal au cœur, mais moi, oui. Des badauds se sont rassemblés pour nous observer. Les visages sont pour la plupart aimables, compatissants et amicaux, du moins jusqu'à ce que Ruby s'écrie : « Ça me chatouille dans le vagin ! »

Nick me parlait de Ryan et je songeais à Ruby et à son vagin qui la chatouillait lorsque, comme dans les rêves, l'image de ma sœur a cédé la place à celle de Taylor, et j'ai revu les moments passés avec Ruby comme si je les avais vécus avec ma fille. Puis, je me suis souvenue du jour où Ruby m'a dit qu'elle croyait que les histoires qu'on nous a racontées sur notre mère étaient fausses et que, quelle que soit son identité, elle est sans doute encore vivante. (Dieu du ciel, elle habite peut-être à Leaford, pour ce que nous en savons ! Ou à Chatham ! Ou à Dresden !) J'ignore si c'est à cause de l'anévrisme, de la tension ou d'un mélange des deux, mais j'ai soudain été désorientée, effrayée et, d'une certaine manière, prise de panique, car la vérité m'était inconnue. Ruby dormait. Alors, en bredouillant, en reniflant et en me mouchant, j'ai parlé à Nick de ma mère, de ce que j'avais fait avec Frankie Foyle, de la naissance de Taylor. Je lui ai dit que j'avais peur de mourir.

Pendant un long moment, nous avons simplement continué de rouler dans le noir.

— J'ai fait de la prison, a enfin dit Nick.

— Je sais.

— Tu sais aussi pourquoi?

Je ne savais pas pourquoi.

— Oui, ai-je menti.

— Tu sais que je suis un trou du cul.

— Oui.

— Il faut le dire, Rose.

— Que tu es un trou du cul?

Il a éclaté de rire. Puis, il a ajouté:

— Que vous êtes en train de mourir.

~

Tante Lovey était opposée au voyage en Slovaquie. Elle avait un mauvais pressentiment, mais, ainsi que l'avait fait valoir oncle Stash, elle avait eu tort par le passé. (Un jour, elle avait cru qu'il allait démolir la Duster en se rendant en Ohio, et il était rentré sain et sauf ; une autre fois, elle avait rêvé qu'il s'amputerait de la main gauche chez Vanderhagen's, et rien n'était arrivé. Les véritables événements — la crise cardiaque, l'accident —, elle ne les vit pas venir.) En fin de compte, elle fut simplement défaite aux voix.

Nous décidâmes de partir fin novembre : il serait moins difficile, fîmes-nous valoir, de rater deux ou trois semaines de notre dernière année de scolarité que de voyager pendant les vacances de Noël, lorsque tout le monde se déplaçait. Tandis que nous débarrassions la longue table en pin, tante Lovey, contrairement à son habitude, se montra mauvaise perdante.

— À vous entendre, les filles, on dirait que nous partons pour Paris, dit-elle. À Grozovo, il n'y a pas de télé. Pas de musique Motown à la radio. Et à bord de l'avion, vous aurez besoin d'un cathéter.

(Digression. Le vol nous réservait quelques horreurs, en particulier le manque de place et, détail plus préoccupant, le cathéter que nous devrions porter pendant la majeure partie du trajet, les minuscules toilettes des avions étant incompatibles avec notre anatomie. L'inconfort ne nous était pas étranger. Et nous savions exactement à quoi nous attendre de la part des autres passagers. Les regards insistants. Les questions. Les regards insistants. Pourtant, c'était une occasion unique et, une fois le pénible déplacement en avion derrière nous, seule une petite balade en montagne à bord d'un autocar nous séparerait de Grozovo et des bras accueillants de la famille slovaque d'oncle Stash.)

— Dieu du ciel, ajouta tante Lovey. J'espère qu'ils ont l'eau courante, au moins.

S'avançant dans le couloir, elle cria en direction du séjour :

— Est-ce qu'ils ont l'eau courante ? Stash ? Je sais que tu m'entends.

Oncle Stash ne répondit pas. Tante Lovey grommela de plus belle.

— Je me demande comment ces gens vont réagir lorsque nous tomberons du ciel.

Une fois de plus, elle cria en direction du séjour :

— Il n'y a pas d'ambassade ? Pourquoi ne pas téléphoner et demander à quelqu'un de communiquer avec Velika ou Marek ?

Oncle Stash entra lentement dans la pièce, impatient, la mine renfrognée.

— Tu en faire tout un plat. Nous juste aller voir la famille.

— Ces gens-là ne nous ont jamais vus.

— Être la famille quand même.

— Et Rose et Ruby, dans tout ça ?

— Les filles être d'accord.

— Grozovo est un village arriéré, Stash. C'est toi-même qui le dis.

— Eux avoir vu des choses.

— Ils ne seront pas choqués de nous voir, nous ? demanda Ruby.

— Être Slovaquie. Toujours y avoir choc. En plus, eux savoir que mes filles être conjointes. Chaque année, nous envoyer photos scolaires.

(C'était vrai : à Noël, nous envoyions une rangée de photos prises à l'école, de la viande salée, des fromages recouverts de cire, des peluches pour les enfants et des vêtements d'occasion en bon état, le tout entassé dans une grande boîte en carton.)

— J'ai un pressentiment, Stash. Un affreux pressentiment.

— L'avion ne pas tomber.

— Ça n'a rien à voir.

— Je ne pas avoir une autre crise cardiaque.

— Non, certainement pas.

— Ma mère vouloir être enterrée à Grozovo. Être mon devoir. Fin de la discussion. Il tourna les talons et sortit de la pièce. Tante Lovey soupira, car oncle Stash disait rarement « fin de la discussion », mais, quand il le disait, c'était sans appel. Elle déposa la vaisselle dans l'évier et nous rappela que nous devions passer prendre les cendres de maman Darlensky au crématorium le lendemain.

(Digression. Dans les semaines qui précédèrent notre départ, il y eut tant de prémonitions que, si j'étais éditrice et qu'il ne s'agissait pas d'une histoire vraie, je griffonnerais dans la marge « Trop de présages », comme l'avait un jour fait l'éditeur d'un magazine dans le cas d'une nouvelle que j'avais écrite sur un petit garçon perdu dans une tornade. J'ai malgré tout le sentiment de devoir les inclure parce que, dans une vraie histoire, il s'agit non pas d'un excès de présages, mais bien de situations merdiques qui se produisent avant que d'autres situations encore plus merdiques ne se produisent.)

J'ignorais jusqu'à l'existence d'un crématorium dans le comté de Baldoon. Je croyais que ce genre de choses exigeait un voyage à London ou à Toronto, comme le magasin de la Baie d'Hudson ou les neurologues. Je ne saurais vous dire aujourd'hui où se trouve le crématorium du comté de Baldoon, même si j'ai un sens de l'orientation tout à fait acceptable. Je me souviens d'un immeuble bas, fait de briques rouges dont le mortier, effrité par endroits, avait été remplacé par une substance noire et goudronneuse. Chemin faisant, j'avais la tête remplie de projets de voyage ; au retour, je n'arrivais pas à détacher les yeux de la boîte qui faisait du bruit sur le tableau de bord.

Elle était de forme rectangulaire, comme une mini boîte à chaussures, faite d'épais carton ondulé brun. (Je me dis qu'un réceptacle en verre, de forme arrondie, aurait été plus approprié.) Le genre de boîte dans laquelle on aurait pu expédier des figues ou des invitations filigranées, ou encore garder des modes d'emploi et des garanties. L'objet ne semblait pas du tout propre à accueillir des restes humains. À la porte de derrière, tante Lovey l'avait pris des mains d'un homme anonyme, qu'elle avait foudroyé du regard parce qu'il avait laissé des marques de doigts toutes noires sur le couvercle.

De retour à la ferme, Ruby et moi vîmes tante Lovey parcourir la cuisine des yeux à la recherche d'un endroit où mettre la boîte, qu'elle serrait contre sa poitrine. Elle la posa au centre de la longue table en pin, comme un bouquet de fleurs, puis elle murmura pour elle-même (ou pour maman Darlensky) :

— Non, non, pas là, ma chère.

Elle souleva la boîte et la tint comme s'il s'agissait d'un être vivant. Qui risquait de d'échapper. En fin de compte, tante Lovey traîna le tabouret jusqu'au haut buffet qui se dressait au bout de la longue table et, en s'étirant, mit la boîte dessus, non sans avoir dû au préalable pousser la fougère desséchée pour faire de la place.

Après un moment, oncle Stash entra par la porte de derrière.

— Je l'ai mise là, Stash, dit tante Lovey en joignant le geste à la parole.

Oncle Stash, cependant, n'eut pas un regard pour la boîte posée à côté de la fougère desséchée. Il semblait indifférent. En fait, il était aux prises avec la pompe à vélo et le matelas gonflable réparé à l'aide de bouts de ruban isolant que nous avions l'intention d'apporter en voyage et dont il cherchait à vérifier l'étanchéité. Il jurait à cause du matelas, qui était raide, inflexible.

— Non, Stash, commença tante Lovey en voyant la pompe. Pas ici. Tu vas casser la...

Trop tard.

En tentant d'arranger le matelas tout collant, oncle Stash heurta du coude le coin du buffet, qui se mit à vaciller sur ses fines jambes victoriennes. La boîte en carton ondulé atterrit sur la tête d'oncle Stash, dont le crâne chauve fut aussitôt recouvert des cendres de maman Darlensky.

Je ne saurais dire si Ruby étouffa un rire ou un cri, mais je fus soulagée de constater que le son s'était figé dans sa gorge. (Oncle Stash, déjà totalement chauve à l'époque, était souvent la cible d'immondes corneilles — en cet instant précis, on aurait juré qu'elles ne l'avaient pas manqué.) Ruby et moi étions paralysées. Tante Lovey alla chercher le petit balai et mit dans la pelle à poussière le plus de cendres possible. Puis, elle épousseta celles accumulées sur les épaules et le crâne d'oncle Stash et les fit tomber également dans la pelle à poussière. À propos du reste, elle dit :

— Ta peau est trop grasse, mon chou. Tu vas devoir enlever le reste sous la douche.

Moins du tiers des cendres survécut à la chute. En femme pratique — et pleine d'imagination lorsqu'il s'agissait d'emballer des choses —, tante Lovey fit tomber les cendres dans une petite enveloppe blanche qu'elle scella non pas en la léchant, mais plutôt en humectant le bout de son index pour en mouiller la colle. Puis, elle plia l'enveloppe et la mit dans l'un des t-shirts blancs tout neufs d'oncle Stash.

— Faudra-t-il la déclarer ? demanda tante Lovey quand oncle Stash sortit de la douche.

Nous nous étions regroupés dans le séjour.

Oncle Stash ne comprenait pas la question.

— Ta mère.

Il ne voyait toujours pas.

— Faut-il déclarer que nous transportons des cendres ?

— Aucune loi obliger nous à déclarer des cendres, Lovey.

— Je crois que oui, Stash. Il y a peut-être même un droit à payer.

Oncle Stash n'eut même pas besoin d'un moment de réflexion.

— Pas déclarer. Nous avoir assez de problèmes avec les filles.

En prononçant ces mots, il sourit. Sa façon à lui de nous montrer que, peu importe les inconvénients, nous en valions largement la peine.

— Et si on trouve l'enveloppe ?

— Être juste une enveloppe, Lovey.

Oncle Stash prit place dans son fauteuil.

— Remplie des cendres de ta mère, mon chou. Qu'est-ce qu'on dirait ?

— Pas dire elles être les cendres de ma mère.

— Qu'est-ce qu'on dirait, alors ? Quel genre de cendres veux-tu que ce soit ?

— Cigarette.

— Dans une enveloppe ? En plus, elles ne ressemblent pas à des cendres de cigarette.

— Dire elles être les cendres d'un animal. D'un animal de la famille.

— Des cendres de chien ?

— Des cendres de chien. Parfait.

— Pourquoi voyageons-nous avec les cendres d'un chien ? Qu'avons-nous l'intention d'en faire ? Comment est-il mort ?

— Toi dire : lui poser trop de questions, alors moi tuer lui.

Tante Lovey éclata de rire et oncle Stash l'attira sur ses genoux. Il la tint dans ses bras en souriant et en fixant le mur d'un air absent. Elle s'appuya contre lui et, sans le savoir, fixa le même point. Plus jeune, je redoutais ces moments d'intimité entre tante Lovey et oncle Stash, et je haïssais cette façon qu'ils avaient de se cramponner l'un à l'autre comme à du bois d'épave en nous oubliant, Ruby et moi.

— Je me souvenir de cousine Zuza et de cousine Velika. Elles être jeunes et belles, juste un peu plus vieilles que moi, soupira oncle Stash. (Oncle Stash avait la faculté de dire les choses comme s'il les disait pour la première fois, et ça me plaisait.) Zuza être plus belle fille de Grozovo. Velika être meilleure danseuse. Cousin Marek avoir seulement sept ans. Lui être très drôle. Lui courir vite. Mon père dire que si lui venir au Canada, lui peut-être aller aux Olympiques.

— Je me demande s'il y pense, des fois, dis-je. À la vie qu'il aurait menée s'il était venu ici.

— Des fois, oui, répondit Ruby pour lui.

Et pour elle.

— Vie différente, oui, concéda oncle Stash en haussant les épaules. Meilleure ? Comment savoir ?

— Tu ne vas quand même pas me dire que Marek a été plus heureux comme mineur en Slovaquie qu'il ne l'aurait été ici au Canada, Stash ! s'exclama tante Lovey d'une voix curieusement stridente.

— Qui savoir comment être la vie ? Peut-être Marek venir au Canada et être frappé par un camion. Ou lui se marier avec une femme qui le tuer avec un marteau. Qui savoir ?

— Tu es sûr de vouloir aller là-bas, Stash ? Il est encore temps de tout annuler.

Oncle Stash soupira de nouveau.

— Il y avoir un pommier. Au coin de l'allée où j'emmener les canards quand moi être petit, il y avoir un pommier. Je monter dedans. Je donner mon premier baiser sous l'arbre. Avec cousine Zuza, mais premier baiser quand même. Tous les ans, je manger les pommes de l'arbre. Tous les enfants connaître l'arbre, mais nous jamais parler de lui à nos mères. Nous pas vouloir cueillir des pommes pour les tartes. Nous vouloir garder le secret. Nous vouloir rendre l'arbre magique. Stupide, je sais. Moi pas pouvoir expliquer.

— Nous allons jusqu'en Slovaquie pour chercher un pommier ? demanda Ruby dans le silence qui s'ensuivit.

Tante Lovey, en femme d'une grande sagesse, pressa sa joue contre le visage d'oncle Stash.

— Toi, chuchota-t-elle.

Elle ne dit plus rien contre ce voyage.

Non contente de ne plus s'opposer au départ, tante Lovey se lança dans l'aventure avec une sorte d'enthousiasme. Ruby et elle se rendirent au magasin Sears de Chatham (et je décidai de les accompagner — ha ! ha !) et achetèrent une garde-robe de voyage complète pour chacun d'entre nous. Idée pratique, je le reconnais volontiers, mais les survêtements et les accessoires identiques ou quasi identiques étaient franchement embarrassants.

— Nous faisons partie de l'équipe Darlen ! cria tante Lovey en éparpillant ses emplettes sur la longue table en pin.

— Chouette, dis-je en agitant une bannière imaginaire.

Le matin de notre départ pour l'aéroport, oncle Stash prit une photo de famille des Darlen. Sur le cliché, le dernier du rouleau, on voit des nuages lourds de neige derrière six corneilles en équilibre sur les branches de l'érable à côté duquel nous posons. Oncle Stash fronce les sourcils parce que le déclencheur automatique de l'appareil photo semble retarder et il y a un profond sillon entre les yeux de tante Lovey, qui arbore un sourire forcé. Par inadvertance, nous oubliâmes d'ailleurs le coûteux appareil sur la table de pique-nique et n'y pensâmes qu'en sortant de l'allée. (Vous voyez ? Trop de présages.)

La neige commença à tomber au moment où nous nous engagions dans le tunnel Windsor-Detroit ; à la sortie, oncle Stash dut faire fonctionner les essuie-glaces.

— Être blizzard, dit-il sur un ton sinistre.

Prenant le parti de l'optimisme, tante Lovey dit :

— Ça, un blizzard ? Je fais pire en battant les tapis !

— Au moins, la neige fond à mesure, constata Ruby en voyant les gros flocons mouillés s'écraser sur le sol froid.

(Pour désigner ce phénomène, les premiers explorateurs français avaient une expression, qu'ils inventèrent au cours de leur premier hiver au pays : *bordée de neige*. Ils utilisèrent aussi le mot « *poudrerie*[1] » pour désigner une tempête de neige.)

---

1. Les deux termes en italique sont en français dans le texte (*N.d.t.*)

Tante Lovey ne quittait pas le rétroviseur des yeux.

— Je déteste les conducteurs qui vous collent au train, dit-elle.

— La route être glissante aujourd'hui, déclara oncle Stash.

J'eus le frisson.

Puis, oncle Stash se mit à tousser. C'était une petite toux saccadée, proche de l'aboiement, comme s'il avait quelque chose en travers de la gorge. (Il n'avait pas de fièvre. Tante Lovey l'aurait tout de suite su. Elle savait détecter la fièvre à distance. Elle avait vu mille fièvres et devinait la température à un demi-degré près, sans même avoir à toucher le malade. Elle se disait capable de lire la fièvre dans les yeux. Si celle d'oncle Stash s'était manifestée à ce moment-là, dans la voiture, avant notre départ ou notre embarquement, tante Lovey l'aurait décelée, aurait compris que c'était sérieux et aurait annulé le voyage.) Elle trouva une pastille pour la gorge dans son sac et la déballa pour oncle Stash qui, au lieu de lâcher le volant, laissa sa femme la lui mettre dans la bouche. Mais, au moment où tante Lovey laissait tomber la pastille, une violente quinte de toux secoua oncle Stash, dont la langue se redressa, et l'objet resta coincé dans sa trachée. Toussant, étouffant, il perdit la maîtrise du véhicule, qui glissa vers l'accotement. La voiture qui nous suivait heurta le pare-chocs de la nôtre. Il y eut un affreux grincement. Oncle Stash donna un coup de volant, jura. (Je me souviens de l'incident avec une certaine terreur, mais les conséquences auraient pu et auraient dû être plus graves.)

La voiture qui nous avait percutés tourna sur elle-même à quelques reprises avant de s'immobiliser au centre de la route à deux voies, bloqua la circulation et libéra le passage pour la nôtre, complètement emballée. Oncle Stash passa d'un bas-côté en gravier à l'autre avant de ramener la voiture sur la chaussée et de reprendre sa place dans la voie de droite. En une minute, tout était terminé. En fait, il avait suffi de quelques secondes. (Et, évidemment, Ruby et moi, qui n'avions rien vu, dûmes nous en remettre aux versions d'oncle Stash et de tante Lovey.)

— Les filles ? murmura tante Lovey.

— Ça va. Tout va bien, répondit Ruby. Quelle histoire, mon Dieu…

Au bout de quelques kilomètres de silence, tante Lovey se tourna vers oncle Stash. Avant qu'elle n'ait eu le temps d'ouvrir la bouche, il dit :

— Moi pas faire demi-tour.

Tante Lovey hocha la tête. Oncle Stash toussa et toussa encore.

À bord de l'avion, Ruby et moi étions assises juste derrière tante Lovey et oncle Stash. Les accoudoirs, ainsi qu'on nous l'avait promis, se soulevaient, et Ruby et moi pûmes nous asseoir confortablement (plus, en tout cas, que si nous avions été dans une cage pour chats). Le vol jusqu'à Bratislava, capitale de la Slovaquie, durerait environ huit heures. Ruby avait plutôt bien supporté le voyage en voiture (malgré le quasi-accident) grâce à la dose de Gravol pour enfants qu'elle avait prise avant le départ (à l'époque, nous avions dix-neuf ans, mais elle ne tolérait pas le dosage pour adultes). Environ une heure après le décollage, elle était mûre pour une nouvelle dose. Tante Lovey chercha dans son immense sac, puis reprit ses fouilles depuis le début.

— Le flacon n'a tout de même pas disparu tout seul. Quelqu'un l'a-t-il pris, au nom du ciel ? Aurait-on volé mon Gravol ? se demanda-t-elle à haute voix.

— Oui, répondis-je. Dans le *Detroit Free Press*, j'ai justement lu un article sur les vols de médicaments pédiatriques. On accuse les gitans.

Tante Lovey ne jugea pas ma repartie amusante. Oncle Stash garda le silence, ce qui aurait dû nous inquiéter. Après avoir radoté pendant des semaines qu'il ne fermerait pas l'œil à bord de l'avion, il s'était endormi en mâchouillant un bretzel. Si elle ne s'était pas autant préoccupée de notre bien-être, tante Lovey se serait peut-être demandé pourquoi son mari avait sombré dans un sommeil si rapide et si profond, lui qui souffrait d'insomnie et avait l'habitude de ne dormir que d'un œil.

Parce que nous étions du côté gauche de l'appareil, j'héritai du hublot et Ruby s'en plaignit comme une enfant. Tante Lovey promit d'essayer d'obtenir des sièges de l'autre côté de l'avion pour le second vol, de Bratislava à Košice, en Europe de l'Est, où nous passerions la nuit avant de prendre l'autocar qui nous emmènerait vers les montagnes et Grozovo.

Oncle Stash, tante Lovey et Ruby dormirent pendant la majeure partie du vol long et mouvementé, mais je ne réussis pas à m'assoupir ou, plutôt, je m'y refusai. Il se produirait peut-être un événement dont je devrais témoigner, dont je rendrais un jour compte par écrit, mais j'étais mal placée pour observer. J'aurais été mieux du côté de l'allée.

Je ne peux pas étirer le cou. Pour moi, bouger la tête n'a rien de simple. Ce que j'ai vu, ce que je vois, à cause de la présence de ma sœur dans mon champ de vision, est limité. Depuis mon siège à l'arrière de l'appareil, je ne distinguais que le crâne chauve d'oncle Stash, appuyé contre le hublot, son large cou parcouru de plis comme ceux du chiot shar-peï que Mme Merkel a un jour voulu adopter. (Je l'avais entendue dire à tante Lovey, non sans amertume, que son mari était d'avis que le sharpeï ne ferait pas un bon chien de ferme.)

Je contemplai les grains de beauté d'oncle Stash. J'examinai son crâne. Je fermai les yeux et tentai de lire dans son esprit. Après un moment, je me tournai vers le ciel nocturne, sortis mon carnet et griffonnai quelques vers d'un poème sur lequel je travaille toujours et qui a pour thème le vol de nuit qui nous conduisit en Europe de l'Est. (Je m'étais donné comme défi de ne faire référence ni aux étoiles ni à la lune.)

Oncle Stash se dirigea en titubant vers les toilettes, le lourd appareil photo pendant à son cou. Sa maladie, de toute évidence, était plus qu'un « simple rhume ». Nous avions encore un vol à subir. À Košice, au moins, il pourrait s'offrir une bonne nuit de sommeil.

Je ne garde presque aucun souvenir de l'aéroport de Bratislava. Tante Lovey nous entraîna aux toilettes et, prestement, nous débarrassa de nos cathéters. Puis, elle nous aida à nous débarbouiller dans la cabine réservée aux personnes handicapées. En nous voyant revenir, oncle Stash, qui était resté avec les bagages, agita gaiement la main et, ce faisant, nous donna un peu d'espoir. Puis, il recommença à tousser. Le vol pour Košice fut bientôt annoncé. À l'idée que l'air de son pays natal le revigorerait, je fus soulagée. D'un point de vue purement égoïste, je me dis aussi qu'un hôtel de luxe (c'était, nous avait promis tante Lovey, un cinq-étoiles, et nous n'avions jusque-là fréquenté que des Comfort Inn) nous ferait le plus grand bien, à Ruby et moi.

Le voyage se révéla plus stressant que je ne l'aurais admis à l'époque. Ruby, qui avait peur, chantait des cantiques de Noël pour se distraire. Je la pinçai pour l'obliger à se taire et je l'assurai que je l'étranglerais si elle entonnait « Petit papa Noël » une fois de plus.

En attendant l'embarquement, je vis un couple de vieillards de l'autre côté de la cloison en verre. La femme aux cheveux blancs et au dos voûté avait la taille épaisse. L'homme, qui marchait en se traînant les pieds, aurait eu besoin d'une canne. Son chapeau lui allait bizarrement. J'ignore pourquoi ils retinrent mon attention. Puis, ils s'avancèrent d'un pas dans la queue et je compris que la cloison en verre était en réalité un miroir noirci par la fumée et que les vieux que j'observais étaient tante Lovey et oncle Stash, vus hors contexte, vêtus de leurs survêtements assortis. L'équipe Darlen. Pour la première fois de ma vie, je compris que nos parents ne vivraient pas toujours. En s'appuyant lourdement sur tante Lovey, oncle Stash s'approcha de la porte. Lorsque les agents de l'immigration lui demandèrent ce qu'il allait faire à Košice, oncle Stash ouvrit la bouche, mais aucun son n'en sortit. Je crus qu'il était paralysé par l'émotion. En fait, il avait complètement perdu la voix.

Tante Lovey expliqua que nous nous rendions dans les monts Tatras pour visiter la tombe des frères d'oncle Stash. Puis, elle nous regarda d'un œil torve, Ruby et moi, au cas où l'une d'entre nous songerait à faire allusion aux cendres de maman Darlensky.

Les agents levèrent les yeux de leur bureau et nous virent, Ruby et moi.

— Des jumelles ? demanda l'un des hommes en anglais, tandis que l'autre poussait du coude la femme assise à côté de lui pour qu'elle jette un coup d'œil. Des jumelles conjointes ?

Il entrelaça ses doigts et se leva pour mieux voir.

— Deux filles, une tête, dit-il en me donnant une tape sur le front puis en en donnant une autre sur celui de Ruby.

Il eut un rire rauque. Il y avait dans ses pupilles une lueur à peine discernable. De l'écume blanche incrustait les commissures de ses lèvres. Je sentis Ruby sourire poliment. Comme j'en étais incapable, je détournai les yeux.

— Oui, répondis-je sur un ton acide.

Puis, me souvenant de notre détention à la frontière entre Windsor et Detroit, j'ajoutai une marque de respect :

— Monsieur.

Dans l'avion suivant, qui était beaucoup, beaucoup plus petit que celui à bord duquel nous avions traversé l'Atlantique, Ruby et moi fûmes amusées de constater qu'on nous avait assigné des places situées aux deux extrémités de l'appareil. Mise au courant de la situation, l'hôtesse de l'air, d'une beauté époustouflante, haussa les épaules.

— Demandez à quelqu'un de changer de place, grogna-t-elle avant de répondre aux plaintes du passager suivant.

L'indifférence de l'agente de bord indigna Ruby, mais j'admirai la femme, avec ses cheveux dorés remontés en chignon, ses lèvres roses chatoyantes et son mépris universel. (Je me demande si toutes les femmes rêvent comme moi d'être une beauté extraordinaire doublée d'une salope incomparable.)

À bord de ce petit avion, tous les passagers étaient slovaques, à trois exceptions près — tante Lovey, Ruby et moi. Ils ne nous dévisagèrent pas, ce qui nous déstabilisa un peu, mais ils murmurèrent entre eux en dardant sur nous des regards furtifs. J'avais envie de leur dire : « Regardez tant que vous voudrez. Vous ne risquez pas de vous pétrifier. » Mais je n'en étais pas si certaine.

(Tante Lovey racontait avec plaisir une anecdote concernant un vieux Slovaque qui avait assisté à son mariage avec oncle Stash. Selon la coutume en vigueur chez les villageois d'origine française du comté de Baldoon, les quatre dames d'honneur de la mariée s'étaient chargées de la table des desserts. Engagées dans une concurrence féroce, elles avaient rivalisé d'adresse pour confectionner les plus sublimes tartes aux petits fruits, carrés aux pacanes, bombes au chocolat, gâteaux des anges, sablés au beurre, boules aux cerises, croquants à la noix de coco et meringues au citron, le tout présenté sur d'élégantes assiettes en verre rose de l'époque de la grande dépression et sur les plateaux de service à trois étages de leurs grands-mères. Aux côtés de la mariée, M. Lipsky, le vieux Slovaque qui avait payé le loyer des Darlensky à leur arrivée à Windsor, admirait les trésors alignés sur la table. Après un moment, il poussa un profond soupir et, en serrant les doigts de Lovey dans une main, survola de l'autre la table chargée de desserts. « Quand il y avoir un seul dessert, je savoir lequel prendre, dit-il. Quand ils être si nombreux... » Il haussa les épaules d'un air tragique. Tante Lovey hocha la tête en regardant le vieil homme regagner sa table, las et malheureux, sans dessert. Quand elle évoquait M. Lipsky, oncle Stash éclatait de rire : « Tous les Slovaques ne pas être comme Lipsky, Lovey. » Tante Lovey riait à son tour. « C'est vrai, mon chou. Mais tous ceux que je connais le sont. » Et, à l'unisson, ce qui était trop mignon, ils disaient : « Exception faite des personnes ici présentes. »)

Le vol jusqu'à Košice fut bref mais tumultueux. Ruby n'avait plus rien à vomir. Je la réconfortai parce que j'avais intérêt à le faire, mais, en secret, je la trouvai pleurnicharde et faible lorsqu'elle déclara qu'elle était si malade qu'elle préférait mourir. Le pilote, dont le bourdonnement des haut-parleurs enterrait presque la voix, fit une annonce en slovaque. En silence, les passagers se regardèrent l'un l'autre.

— Qu'est-ce qu'il a dit, oncle Stash ? murmura Ruby.

Il se contenta de secouer la tête. Tante Lovey se cramponnait à un sac vomitoire. Je n'avais encore jamais vu tante Lovey malade et ce simple fait me terrorisa plus encore que la perspective d'un écrasement, dénouement qui aurait le mérite d'être rapide. (Comme tante Pivoine était morte d'un cancer des ovaires peu avant notre voyage, je craignais que la même chose n'arrive à tante Lovey.)

Soudain, l'aile gauche de l'avion s'inclina, suivie de la droite et à nouveau de la gauche, puis il y eut une succession de plongeons. Le mouvement se poursuivit pendant un certain temps. Mon oreille se bouchait et se débouchait. Celle de Ruby aussi. La pression était intolérable. (L'anévrisme était-il déjà présent, il y a dix ans ? A-t-il été causé par la pression dans la cabine ?) Ruby se mit à chanter, ce qui eut peut-être pour effet d'alléger la tension dans son oreille, mais pas dans la mienne. Je lui criai de se taire. *Arrête de chanter !*

Je fus stupéfaite lorsque les roues (sorties du ventre de l'appareil sans que je m'en rende compte) touchèrent le tarmac. Je n'avais rien d'une grande voyageuse, mais j'aurais juré que la descente sur Bratislava n'avait pas été aussi bancale et périlleuse que celle-là. Sinon, je garde peu de souvenirs du vol, à part celui des yaourts particulièrement délicieux qu'on nous a servis.

~

C'est Ruby.

Dernièrement, je n'ai rien écrit. J'ai eu des maux de tête, pas aussi violents que ceux de Rose, mais assez pour me plonger dans la déprime pendant quelques semaines. Durant cette période, je n'ai pas eu envie de faire grand-chose. C'est frustrant parce qu'il y a beaucoup à faire. En date d'aujourd'hui, cependant, ma dépression est officiellement terminée.

Rose a été déprimée, elle aussi. Elle prétend le contraire. Elle se dit sereine. On n'a pas idée de dire des sottises pareilles. Surtout lorsqu'on est déprimé. De toute façon, je sais comment elle se sent : les Jeux olympiques d'Athènes sont terminés, et je m'y suis intéressée plus qu'elle. Elle n'a même pas consulté les pages sportives du journal ! Elle en a même oublié ses Tigers ! Si Rose n'est pas déprimée, je me demande bien qui l'est.

La dépression de Rose est terminée, elle aussi. En apparence, du moins.

En me réveillant ce matin, j'ai eu le curieux sentiment que quelque chose allait arriver. Lorsque le téléphone a sonné vers neuf heures, nous dormions encore. Rose a décroché. Abrutie de sommeil, elle a simplement grogné, ce qui m'a semblé impoli. L'interlocuteur parlait, Rose grommelait, et je ne savais pas qui était à l'autre bout du fil ni ce qui se passait. Elle a raccroché en disant qu'une surprise nous attendait, que nous devions nous lever et nous habiller. Elle a prétendu ne pas savoir de quoi il s'agissait, mais je ne l'ai pas crue.

Elle m'a fait poireauter pendant qu'elle se brossait les cheveux. Rose ? Bien coiffée ? Puis, elle m'a carrément achevée en mettant une barrette. Quelle que soit la surprise, me suis-je dit, c'est gros, c'est énorme. Ma sœur ne porte jamais, jamais de barrette !

Il y a eu du bruit à la porte de devant, mais personne n'a sonné. Puis, j'ai entendu la clé dans la serrure. C'était Nick. Il utilise la sienne pour nous éviter de nous lever. J'ai été très déçue de constater que c'était seulement lui. Mais il cachait quelque chose de gros derrière son dos. La fameuse surprise. Il s'est écarté pour nous laisser voir l'objet. En fait, il est plutôt difficile à décrire. Il s'agit d'une sorte de fauteuil roulant adapté qu'il a lui-même fabriqué en soudant quelques pièces à l'un des tabourets capitonnés de cuir de la salle de jeu de Nonna. Ce n'est pas exactement un vrai fauteuil roulant, cependant, car c'est un tabouret, mais il est bel et bien monté sur roues. Nick a rallongé les pieds, et je peux à ma convenance m'asseoir ou me tenir debout. Par mesure de sécurité, il a même soudé des barres tout autour, et il a prévu un accoudoir à l'arrière pour Rose. Nick a donc introduit dans le salon ce bidule en forme de tabouret sur roues et, sous l'effet de la surprise, je n'ai pas su quoi dire. Rose était surprise, elle aussi. Et déçue.

Il lui arrive d'être égoïste. Parfois, elle oublie qui nous sommes. Parfois, elle oublie ce que nous sommes. Bon, d'accord, pas vraiment, mais elle fait à sa tête, comme si nous n'étions pas conjointes. Comme elle ne s'avançait pas vers l'espèce de tabouret, j'ai presque dû lui donner un coup de pied pour l'obliger à réagir. Je suis sûre que Nick se demandait à quoi nous jouions. Puis, elle m'a plongée dans l'embarras en disant : « Je t'interdis de m'éperonner comme un cheval sauvage ! » C'est ce qu'elle répète chaque fois que je veux bouger et qu'elle préfère rester là où elle est.

Elle a fini par s'approcher et nous avons pu mieux examiner l'objet. Il est extrêmement bien conçu. Et parfaitement adapté à notre mode de déplacement, à la façon dont nous sommes réunies par la tête, à la répartition de notre poids. Nick ne nous a pas mesurées, que je sache. Il est donc forcément une sorte de génie. Grâce à lui, Rose n'aura plus à supporter tout mon poids. Enfin, si l'objet se révèle fonctionnel, notre vie sera plus facile, au moment où nous en avons le plus besoin.

J'ai regardé le visage de Rose dans la glace. Elle avait l'air bizarre, absente. « Merci, merci, merci », ai-je dit. Rose, elle, gardait le silence. Sans doute Nick était-il contrarié, car il a dit : « C'est pour toi aussi, Rose. » Puis, à voix basse, pensant — à tort — que je ne l'entendrais pas, il a ajouté : « Je l'ai fait surtout pour toi. »

« Ouais », Rose s'est-elle contentée de répondre. Puis, elle a ajouté qu'elle avait mal à la tête et qu'elle devait s'allonger. Nick a déclaré qu'il nous tiendrait compagnie, mais elle a refusé. Ensuite, il a dit qu'il reviendrait plus tard pour nous voir en faire l'essai. Après son départ, Rose n'a eu envie ni de se mettre au lit ni d'essayer le tabouret.

Nous nous sommes donc assises sur le canapé. Elle ne voulait pas parler. Si j'allumais la télé, a-t-elle dit, elle allait piquer une crise. Après un certain temps, par ennui, j'ai examiné son visage dans le miroir.

Normalement, je n'arrive pas à lire dans les pensées de Rose, mais, aujourd'hui, je m'en crois capable. Je pense qu'elle se remémore le jour très lointain où un médecin a prévenu tante Lovey et oncle Stash que nous aurions besoin d'un double fauteuil roulant. Le médecin n'a pas dit que nous ne pourrions pas marcher. Il a dit que nous devrions nous en abstenir. Selon lui, nous ne serions pas « ambulatoires ». Tante Lovey a répliqué que nous l'étions déjà. Oncle Stash a juré en slovaque avant de sortir de la pièce, tandis que tante Lovey expliquait au docteur que les jambes de Rose étaient tout à fait normales et qu'elle continuerait de s'en servir pour marcher. Le médecin a répondu que Rose n'était pas assez forte pour me porter et qu'on ne pouvait pas exiger d'elle qu'elle passe sa vie à me trimballer à gauche et à droite. Tante Lovey a dit que Rose passerait au contraire sa vie à le faire et qu'il était hors de question que ses filles finissent dans un fauteuil roulant. Nous sommes rentrés à la ferme et tante Lovey a fait pleurer Rose en lui disant : « Encore une fois. Transporte Ruby jusqu'au ruisseau et reviens. Encore une fois. » Jusqu'au jour où Rose a été assez forte pour ne plus sentir l'effort qu'elle déployait. C'était tout simplement nous. Notre façon de faire.

Et il y avait maintenant le tabouret, que Rose qualifiait de Béhémoth, qui nous dévisageait. Il donnait à Rose le sentiment d'avoir déçu tante

Lovey. Tante Lovey, cependant, n'aurait pas été déçue.

Rose est restée assise pendant une éternité. Puis, elle a dit : « Merde ! » Comme si elle avait laissé échapper quelque chose. Comme si elle venait de s'apercevoir qu'elle avait perdu ses clés ou autre chose du genre. C'était très étrange.

Je lui ai demandé d'essayer la chaise et elle a refusé, même quand je l'ai suppliée. Elle a sorti son ordinateur et s'est installée confortablement, sans égards pour moi, et elle a commencé à écrire. Ces jours-ci, c'est tout ce qui l'intéresse. Je lui ai demandé de quoi elle parlait et elle a répondu qu'elle rendait compte du voyage en Slovaquie, ce qui explique peut-être son humeur récente.

En général, quand Rose écrit, je ne me donne pas la peine de parler, car elle se fâche ou ne me répond pas, mais, avant même d'avoir réfléchi, j'ai dit sans détour : « Et si on laissait tout à la bibliothèque ? Tout, sans exception. L'argent de la maison, de la ferme, du terrain, tout. » Rose s'est arrêtée de taper — Dieu seul sait où elle en était dans son récit du voyage en Slovaquie. Pour ma part, il y a de grands pans de cet épisode que je préfère oublier.

Rose a dit que c'était une bonne idée de laisser une partie de nos biens à la bibliothèque. « Et si nous léguions la maison de ferme à la société historique ? » a-t-elle ajouté. Elle pourrait abriter le nouveau musée de Leaford. C'est une bonne idée, tu ne crois pas ? »

(Un jour, j'ai entendu Nick dire à Rose : « Surtout, ne laissez rien à Nonna. Je risquerais d'hériter à mon tour. » Il mettrait nos biens en gage et flamberait l'argent dans un bar quelconque. La seule chose qui l'empêche de boire, c'est de ne pas avoir un sou.)

Après avoir convenu de coucher la bibliothèque sur notre testament et de léguer la maison de ferme à la société historique, nous avons observé un moment de silence. Puis, je n'ai pas pu m'empêcher d'ajouter : « J'aimerais mieux que tu ne parles pas du voyage en Slovaquie. Je crois qu'oncle Stash serait blessé. Il y a des moments où les Slovaques n'ont pas le beau rôle. » Elle a répondu qu'elle ne pouvait pas écrire l'histoire de nos vies sans parler de la Slovaquie. Elle a raison, je suppose. Je lui ai demandé d'omettre les détails embarrassants à mon sujet.

Elle a dit que, de toute façon, il valait mieux ne pas parler de ce que nous écrivions. Mais elle a ajouté : « J'espère que tu n'entres pas dans des considérations médicales. J'espère que tu ne parles pas de l'anévrisme. J'espère que tu ne décris pas mon déclin. » Quel mot ! D'ailleurs, il s'agit de notre déclin à toutes deux. Puis, elle a lancé : « De quoi parles-tu, au fait ? » Et j'ai ri parce que je n'ai rien pu lui dire.

Ma sœur a eu du mal à croire que je ne me souvenais pas de ce que j'avais écrit. Comme si j'allais me donner la peine de me relire !

Rose a dit qu'elle espérait que je ne me contentais pas de radoter. Personne n'a envie de lire des radotages. Il était important que je revienne sur ce que j'avais écrit jusque-là.

Sinon, je risquais de me répéter. J'ai ri encore plus fort. Bien sûr que je me répète! Comme tout le monde.

Elle a dit que je devais préparer un plan avant de me mettre au travail. Définir un sujet ou un thème, par exemple. Comme elle-même l'a fait pour le voyage en Slovaquie. Je devrais parler des Indiens neutres et expliquer les raisons de mon intérêt pour l'histoire. Mon Dieu! Elle veut que je ponde une dissertation ou quoi? Ces questions l'intéressent, a-t-elle ajouté, et les autres lecteurs y trouveront aussi leur compte. Sinon, un éventuel réviseur va supprimer certains passages.

À entendre Rose, on croirait qu'elle jouit d'une vaste expérience de travail avec les éditeurs et les réviseurs. En réalité, il n'en est rien. Malgré tout, je consacrerai peut-être quelques pages aux Indiens neutres. Je transcrirai peut-être l'histoire que racontait tante Lovey à propos du concours qui a opposé deux frères amérindiens, à moins d'un kilomètre de notre ferme.

Au secondaire, j'ai écrit cette histoire pour le cours de composition, et c'est la seule fois que j'ai eu un « A » en anglais. Rose a déclaré que j'avais triché, mais tante Lovey a affirmé qu'il n'en était rien. Tante Lovey ne m'avait pas exactement dicté l'histoire. Je m'en étais souvenue toute seule, et c'était, selon tante Lovey, une interprétation. Donc de l'art.

Voici cette histoire, que je reproduis à partir de ma dissertation (je continue de la trouver pas mal).

Il était une fois, avant l'apparition de l'électricité, de la plomberie et même des routes dans le comté de Baldoon, une nation autochtone, les Neutres. Ses membres vivaient du commerce et établissaient des camps de pêche temporaires le long de la puissante rivière Thames. L'un d'eux se trouvait un peu à l'est de Leaford, sur la Thames. Les Indiens neutres, qui parlaient un dialecte proche de l'iroquois, n'étaient en guerre avec personne.

Parmi cette nation de voyageurs et de commerçants vivait une fille appelée Abey (mot qui signifie « plante » ou seulement « feuille »). Abey était jolie et futée, et tous les jeunes hommes de la nation étaient amoureux d'elle. Mais aucun d'eux n'était aussi épris d'elle que des frères jumeaux, qui étaient aussi ses meilleurs amis. Les jumeaux aimaient Abey depuis leur plus jeune âge, mais Abey leur dit qu'elle ne pourrait jamais choisir l'un ou l'autre. Ils devaient décider lequel d'entre eux l'aurait comme épouse. Le temps des épousailles arriva et les garçons n'avaient toujours pas choisi. L'un des frères proposa la tenue d'une épreuve d'endurance : le vainqueur aurait la main d'Abey. Il s'agirait d'une épreuve de nage. Les frères se dirigèrent vers l'endroit où la Thames était la plus large, c'est-à-dire près du coude où l'église se dresse aujourd'hui.

Lorsque les deux garçons plongèrent dans les eaux brunes et boueuses, il y eut de bruyantes acclamations, car tout le monde était venu assister au concours. Attirés par le brouhaha, quelques-uns des colons de la première heure quittèrent les fermes des environs et restèrent pour voir les deux frères mettre leur endurance à l'épreuve.

D'une rive à l'autre, les garçons, tous deux nageurs accomplis, restaient au coude à coude. Après cinquante longueurs, cependant, ils commencèrent à se fatiguer.

Abey, qui suivait la compétition avec intérêt, sans savoir qui encourager, car elle aimait également les deux frères, s'inquiétait. Dix longueurs, puis dix autres. Les garçons donnèrent des signes de fatigue. Elle tenta de les persuader de sortir de l'eau, mais ils refusèrent. Le jour déclinait.

Les spectateurs commencèrent à les acclamer dans l'espoir que la course se terminerait avant la tombée de la nuit. Même s'ils ralentissaient à chaque mouvement de bras, les garçons continuaient leur course folle vers le rivage. La foule salua leur courage, et Abey rougit à la pensée de leur amour pour elle.

Les dernières lueurs du crépuscule s'éteignirent. Les garçons nageaient toujours, de plus en plus épuisés : leurs bras s'élevaient à peine au-dessus de l'eau, leurs pieds ne battaient presque plus. Ils atteignaient une rive. Puis, ils repartaient vers l'autre. Ils n'étaient plus que des ombres mouvantes que les spectateurs suivaient en plissant les yeux.

Lorsque les garçons disparurent à la vue et que seuls leurs mouvements furent audibles dans l'eau sombre, Abey les supplia une fois de plus de bien vouloir s'arrêter. Elle leur dit qu'elle ferait un choix. Elle pleura, regretta d'avoir monté les frères l'un contre l'autre. Elle cria aux garçons qu'elle était indigne d'un tel dévouement. Ces mots piquèrent l'intérêt des pairs de la jeune femme, mais les jumeaux, eux, continuèrent de nager, côte à côte, ainsi qu'en témoignaient leurs éclaboussures. On alluma des feux : une fois la course terminée, les nageurs auraient besoin de se réchauffer. Certains fermiers se frayèrent un chemin parmi les hautes herbes pour aller chercher chez eux des lampes à huile et des couvertures.

Seule dans les ténèbres, Abey écouta ses prétendants fendre l'eau boueuse. Elle se déclara une fois de plus indigne de l'amour des frères. Elle leur intima l'ordre d'arrêter. Puis, elle cria qu'elle leur avait été infidèle, même si c'était faux. Croyant tenir un filon, Abey s'accusa de diverses horreurs, toutes sans fondement, dans l'espoir que les garçons mettraient un terme à leur concours et sortiraient de l'eau.

Les garçons, cependant, nageaient toujours. Ils n'entendaient pas les terribles mensonges d'Abey. Les autres membres de la nation, oui. Et elle se montra si convaincante qu'ils la crurent et se dirent qu'elle était maléfique, qu'elle avait ensorcelé les jumeaux. Dans le noir, Abey les entendit s'en aller, les abandonner, les deux nageurs et elle.

Au matin, Abey, frissonnante, s'assit sur la berge. À la faveur de la nuit, les siens avaient déplacé leur camp. Inutile de regarder derrière elle pour comprendre qu'elle était seule. Inutile aussi de regarder du côté de la rivière : pendant la nuit, elle avait entendu un des frères couler à pic, suivi, quelques secondes plus tard, de l'autre. Seules la lune et Abey avaient été témoins de leur noyade.

Une lourde couverture lui enveloppa les épaules, et Abey crut rêver. En se retournant, toutefois, elle vit un bel homme blanc aux yeux bons qui lui tendait une jolie pêche rose. Abey prit le fruit sans avoir peur. L'été précédent, elle avait croisé cet homme qui, depuis les rivages de la rivière, avait salué le passage des Indiens d'un geste de la main. Jamais elle n'aurait cru avoir son futur mari devant les yeux.

Là, tante Lovey marquait une pause et disait, comme si besoin était, que c'était ainsi que mon arrière-arrière-arrière-arrière-grand-père Rosaire avait rencontré mon arrière-arrière-arrière-arrière-grand-mère Abey.

Avant d'entreprendre le récit de l'ancêtre autochtone de tante Lovey, je parlais du tabouret que Nick a apporté. Après notre discussion au sujet de ce que j'écrivais et n'écrivais pas sur mon bloc de papier jaune, Rose a décidé qu'elle avait envie d'un des *cannoli* que Roz avait achetés pour nous à la boulangerie Oakwood. Mais les *cannoli* étaient dans la cuisine, et Rose n'avait pas envie de se lever. Alors, j'ai dit : « Essayons le tabouret. S'il ne nous plaît pas, nous dirons à Nick, non merci, c'est trop inconfortable. » Elle a dit qu'elle voulait bien essayer, et j'ai été très heureuse. Rose a de la difficulté à admettre qu'elle n'est plus aussi forte qu'avant.

M'installer dans le fauteuil n'a pas été une mince affaire, mais nous nous y ferons. Rouler le long du couloir m'a procuré une sensation agréable. Plus que ça, même. Extraordinaire. J'avais l'impression d'avoir des jambes. Pas celles de ma sœur, que je lui emprunte, mais les miennes. La vibration des roues sur le sol remontait par les pieds du tabouret et se répercutait dans ma colonne vertébrale.

Nous avons fait l'aller-retour à la cuisine en deux fois moins de temps qu'il nous en faut depuis peu parce que Rose s'arrête souvent et longe les murs (pour pouvoir s'appuyer en cas de chute, je suppose). Nous sommes revenues dans le salon avec la boîte de *cannoli* sur mes genoux et nous avons mangé. Grignoté, plutôt, parce que nous n'avons pas beaucoup d'appétit, mais nous nous sommes senties ragaillardies. Les *cannoli* ont cet effet-là. Puis, Rose s'est emparée du téléphone sans fil et a invité Nick à venir nous voir essayer le tabouret.

S'il y avait plus de jumeaux craniopages comme nous dans le monde, Nick ferait fortune. Il devrait être inventeur — l'appareil est à ce point ingénieux. Comme le couloir est relativement large, Rose et moi avons réussi à aller et venir, de plus en plus vite. Même Rose a aimé le tabouret. Elle n'est pas du genre à se plaindre, mais je sais qu'elle a mal au dos, aujourd'hui plus que jamais. Nick nous observait en riant un peu. Mais pas de nous. Il a même applaudi deux ou trois fois. Rose a rougi.

Nous ne pourrons pas nous servir du tabouret sur le trottoir, à cause des bosses, ainsi que nous en avons fait la douloureuse expérience. Nous pourrons toutefois l'utiliser au travail, où nous effectuons la plupart de nos déplacements. Les enfants vont adorer.

Je ne suis plus hostile à Nick, même s'il reste l'ami de Rose plus que le mien. Je pense qu'il est très fier de son invention. Il est allé à la cuisine préparer un pichet de citronnade à l'aide d'un mélange en poudre qu'il a trouvé dans le placard. Nick dit que quand il boit de la citronnade dans un grand verre à cocktail, il a l'impression de s'offrir un G7 (mélange de gin et de 7UP), son carburant de prédilection. Il a apporté la citronnade, puis on a frappé à la porte. « Qui est-ce ? » nous sommes-nous demandé. Nous recevons peu de visiteurs.

C'était Nonna. Elle ne savait pas du tout qui nous étions, Rose et moi. Elle a demandé à voir tante Lovey et a refusé obstinément de croire qu'elle n'était pas là. Puis, elle s'est mise à pleurer. Ça m'a fendu le cœur. Voir pleurer une vieille femme que vous aimez et qui s'est toujours occupée de vous, c'est la chose la plus triste du monde. Je n'ai pas dit à Nonna que tante Lovey était morte parce qu'elle aurait tourné de l'œil. Nick a dû la raccompagner chez elle. Après avoir vu Nonna dans cet état, Rose et moi nous sommes senties très mal. Nous avons jeté la citronnade dans l'évier.

Nous sommes le 19 septembre. Un peu tard pour la citronnade, de toute façon.

Après le repas du soir, nous nous sommes assises dehors pendant un moment. Nick devait s'absenter. Il est resté vague sur ses intentions. Il serait de retour à Leaford le lendemain matin. En cas de problème, nous devions téléphoner à Ruttle ou au service des urgences. Pourquoi autant de mystères ? Que c'est énervant ! Et de quel droit laissait-il Nonna toute seule (même s'il a eu la précaution de lui faire prendre un somnifère) ?

C'est la première fois que Rose et moi écrivons en même temps. En ce moment même, elle tape sur le clavier de son ordinateur. C'est bizarre et plutôt agréable. Même si nous ne parlons pas des mêmes choses.

Rose a ralenti. Quand elle marche, se déplace, bouge. Tout. Même quand elle écrit. Lorsqu'elle a commencé le livre, il y a cinq mois, ses doigts volaient sur le clavier, parcouraient deux cents kilomètres à la minute, produisaient cent pages d'un coup. À présent, elle est lente. Lente mais régulière. Elle s'interrompt rarement et ne s'arrête jamais très longtemps. Quand elle éteint son ordinateur, le soir venu, c'est, je crois, parce qu'elle n'en peut plus d'écrire. Et non parce qu'elle n'a plus rien à dire.

Il y a longtemps, ma sœur m'a dit qu'elle en aurait fini avec la vie le jour où le livre serait terminé. Je pense donc qu'elle cherche à nous donner du temps en l'allongeant. Rose pense pouvoir influer sur le cours des choses. En portant son répugnant pull brun, par exemple, elle croit aider ses équipes préférées à gagner. C'est très présomptueux de sa part.

À présent, tout le monde est au courant pour l'anévrisme, et c'est beaucoup plus facile ainsi. Rose et moi avons horreur de ceux qui nous prennent en pitié à cause de notre situation. Mais susciter la pitié parce qu'on va bientôt mourir est moins offensant. De toute façon, il s'agit plutôt d'empathie. Il est difficile de s'imaginer dans la peau d'un jumeau craniopage ; la mort, en revanche, est à la portée de tout le monde.

Tout le monde se fend en quatre pour nous aider. Franchement. Roz nous a apporté quelques plats cuisinés que nous avons mis au congélateur. Whiffer et Lutie nous ont apporté des provisions (Rose et moi avons ri un bon coup en voyant l'effet que notre maison aux cent miroirs avait sur eux). Ils se montrent tous gentils et optimistes, et c'est bien. Le dénouement est connu, et il sera fatal, mais ce n'est pas une raison pour voir la vie en noir.

C'est la première fois que j'écris pendant que Rose dort à côté de moi. Toute sa vie, elle s'est plainte de mes ronflements, sans se douter qu'elle ronfle, elle aussi. Elle dit que mes ronflements ressemblent à des grognements de cochon. Les siens se terminent par un sifflement. Ça ne me dérange pas. De la part de Rose, rien ne me dérange vraiment. Sur le plan physique, en tout cas.

Plus tôt, ce soir, Rose et moi avons abordé des sujets que nous préférons éviter. Elle a dit que nous devrions téléphoner à notre ami avocat et faire un testament. Que nous ne devrions pas trop tarder à aller au musée d'archéologie. Et que nous devrions apporter le tabouret.

Le tabouret ne se plie pas, ce qui représente un défaut de conception mineur. Mais le coffre de la voiture de Nick est immense. Comme c'est lui qui nous conduira, il n'y a pas de problème.

Je suis tout excitée à l'idée d'aller au musée indien. Depuis la mort de tante Lovey et d'oncle Stash, nous n'y avons pas mis les pieds. Un vieil homme nommé Errol Osler y travaille. Sacré personnage. Il est toujours heureux de nous voir, Rose et moi. Nous l'avons connu lorsque nous avions une dizaine d'années. Nous nous étions arrêtés au musée en rentrant d'un rendez-vous chez un spécialiste quelconque (à cause de mes maux de ventre).

Jusqu'à il y a quelques années, nous avons vu Errol presque tous les ans. Après, nous étions trop tristes à l'idée d'y aller sans tante Lovey et oncle Stash. Sans compter qu'il aurait fallu prendre l'autocar, ce qui, pour moi, est difficile, car mon mal des transports s'est aggravé avec le temps.

Lorsque nous sommes entrés dans la portion à ciel ouvert du musée de London, j'ai eu une incroyable impression de déjà-vu, différente du simple sentiment de m'être un jour trouvée à cet endroit. C'était comme si j'y étais venue et que je n'en étais jamais repartie. Parfois, je m'interroge sur mes vies antérieures et je me demande si j'ai déjà été amérindienne. Peut-être même Abey elle-même.

Je crois à la réincarnation. Il m'arrive de faire des rêves et d'avoir des visions qui naissent spontanément dans mon cerveau : dans de tels cas, je suis à la fois moi-même et quelqu'un d'autre. Dans un de ces rêves, je suis une dame anglaise qui porte une robe à l'ancienne et je marche dans le pré en compagnie de mon mari, et nous nous disputons. Seulement, l'homme en question est Rose. Rose, mais en homme. Je me suis également vue sous les traits d'un poissonnier à bord d'un navire. Aussi loin que porte mon regard, il n'y a que l'océan noir. Je travaille à côté de mon oncle, qui est mon meilleur ami. Mais, en même temps, il est Rose lui aussi. En fait, Rose est présente dans toutes mes visions et dans tous les rêves que je fais au sujet des vies que j'ai vécues. Dans certains cas, elle est ma femme ; dans d'autres, elle est ma cousine ou mon frère, voire ma mère. Je sais que ça semble bizarre.

À l'école, je n'étais pas une élève très douée, mais je me souviens du professeur de sciences qui avait affirmé que l'énergie ne pouvait être ni créée ni détruite. J'en avais eu la chair de poule. Et j'ai encore la chair de poule quand je pense à l'énergie parce que, à mon avis, c'est la définition même de la réincarnation. Je pense que nos âmes sont faites d'énergie et que notre mort ne les détruit pas. Elles gardent des souvenirs d'autres vies, mais les souvenirs sont verrouillés dans une armoire. De temps en temps, par accident, on ouvre cette armoire et des objets en tombent — les visions et les impressions de déjà-vu. Quand je me risque à lui parler de réincarnation, Rose déclare que c'est de la crotte de bique, mais tante Lovey m'a toujours comprise, elle. Quand elle était petite, disait tante Lovey, elle tentait de parler à sa mère de son autre vie, de son autre famille et de ses deux frères aînés. Mais Verveine la soupçonnait d'être grimpée sur le pêcher et d'être tombée sur la tête encore une fois. Tante Lovey avait souvent une impression de déjà-vu, phénomène peut-être en partie attribuable, croyait-elle, à une tension artérielle un peu basse.

Quand nous avons commencé à travailler à la bibliothèque, Rose et moi, une mère est arrivée en compagnie de ses jumeaux de quatre ans. Ils étaient si adorables et si drôles que Rose et moi étions sous le charme. Leur mère a aussi été très aimable avec nous, même si elle a eu un peu la frousse lorsqu'elle est entrée dans le coin réservé aux enfants et qu'elle a demandé l'aide de Rose sans remarquer, à cause de sa position, que j'étais là moi aussi. J'ai tout de suite compris comment la mère s'y prenait pour distinguer les garçons entre eux: l'un d'eux avait sous l'œil gauche une grosse tache de vin de forme circulaire. Le frère du garçon m'a vue fixer la tache et il a crié que c'était lui qui l'avait faite avec son arc et sa flèche. La maman a éclaté de rire et expliqué que son fils racontait cette histoire depuis qu'il avait l'usage de la parole, mais qu'il n'avait encore jamais vu d'arc et de flèche. En entendant ces mots, j'ai une fois de plus eu la chair de poule. Et si le garçon gardait le souvenir d'un incident survenu dans une autre vie? S'il avait vécu toutes ses vies aux côtés de son frère? Exactement comme moi avec Rose? Je crois au surnaturel et je suis persuadée que certaines personnes sont dotées d'une perception extrasensorielle. Et je jure devant Dieu que, en entrant au musée d'archéologie indienne quand je n'avais qu'une dizaine d'années, j'ai eu une drôle de sensation. Un tremblotement ou un nœud dans l'estomac (du genre de ceux qui font du bien) et une envie de pleurer (du genre aussi de celles qui font du bien).

Errol Osler n'a pas fait tout un plat du fait que nous étions des jumelles conjointes; il s'est approché et m'a regardée comme s'il n'avait jamais douté que j'étais une personne à part entière, et il a dit que les gens étaient souvent émus aux larmes dans les églises et les musées. C'était un phénomène mystérieux. J'ai bien aimé sa façon de parler, de comprendre ce que je ressentais.

Rose et moi avons toujours pris plaisir à visiter les musées. En particulier les petits musées de campagne. L'histoire de la région du sud-ouest de l'Ontario est intéressante parce que nous sommes proches des États-Unis sans être américains. Les deux pays ont eu de très nombreux contacts. Le sud-ouest de l'Ontario était un des derniers arrêts du chemin de fer clandestin, un des endroits où les esclaves noirs ont trouvé la liberté, construit des villes et des communautés. Sans parler de la bataille de la Thames, au cours de laquelle les Indiens se sont rangés du côté des Britanniques, contre les Américains. Ni du chef Tecumseh, grand prophète indien tué à Chatham, tout près de la rivière Thames. Ni du village missionnaire de Fairfield, que les troupes américaines ont réduit en cendres. Au cours des années folles, la moitié des habitants de la région faisaient la contrebande d'alcool. À l'école élémentaire, il n'y avait pas de cours d'histoire locale, mais tante Lovey connaissait par cœur l'histoire de Chatham, de Leaford et du comté, car les Tremblay, qui avaient figuré parmi les premiers colons, s'étaient transmis leurs histoires de famille de génération en génération, et ces récits, à force de s'accumuler, se fondaient dans l'Histoire avec un grand *h*.

Un jour que je regroupais mes croquis des découvertes que j'ai faites au fil des ans et que je mettais à jour mon plan de la ferme, tante Lovey a transcrit pour moi un poème dans lequel il était question des braises d'un homme mort, car les gens ne meurent jamais vraiment. Rose se souvient sûrement du poème. Je lui demanderai de le transcrire dans un de ses chapitres.

Quoi qu'il en soit, Rose et moi aimons les musées et nous aimons l'histoire. Comme, en tant que jumelles craniopages nées pendant une tornade exceptionnelle, nous faisons partie de l'histoire du comté de Baldoon, j'ai dit à Rose, pour plaisanter, que, dans l'hypothèse où son autobiographie ne serait pas publiée, elle n'aurait qu'à la léguer au musée de Leaford, au cas où il rouvrirait ses portes, et les gens pourraient en lire des extraits à leur gré. Elle s'est vexée et a dit qu'on n'écrivait pas un livre pour que les gens en lisent des passages au hasard.

Pour ma part, j'estime que c'est quand même mieux que rien. Preuve que je ne connais rien à l'écriture.

Quoi qu'il en soit, nous avons passé l'âge d'aller à Disney World, et Paris est une destination pour nous inaccessible. Mais le musée indien me plaît et j'aimerais bien y retourner. J'aimerais aussi dire au revoir à Errol Osler, mais pas nécessairement à titre définitif. Rose tient à visiter le musée, elle aussi. Elle ne s'est jamais passionnée pour l'histoire des Autochtones, comme moi, mais elle aime bien Errol. C'est, dit-elle, un personnage intéressant. Quelle façon de parler d'un être de chair et de sang !

Avant de fermer les yeux, ce soir, Rose a dit regretter ne rien avoir accompli d'héroïque. Bon, elle ne peut pas grimper à un arbre pour secourir un chat ni faire des études en médecine et mener d'importantes recherches sur le cancer.

Mais Rose a été ma sœur.

Et moi, je trouve que c'est héroïque.

Il y a deux ou trois soirs, Rose a mis son ordinateur de côté, mais elle a oublié de l'éteindre.

Au matin, avant qu'elle s'aperçoive qu'elle l'avait laissé allumé, j'ai eu le temps de lire une phrase. Quelque chose comme : « Je n'aurais pas pu être aimée davantage, mais j'aurais pu aimer plus. » Franchement ! J'espère que tout ce qu'elle écrit n'est pas aussi rasoir.

Je réservais mon chemisier bleu tout neuf pour ma veillée funèbre, mais je crois plutôt que je vais le porter pour aller au musée.

J'ai indiqué sur un plan l'emplacement de toutes mes découvertes et j'ai décrit chacune d'elles. J'ai fait des croquis de tous les objets. Je les ai cédés au musée de Leaford, mais j'ai gardé les plans et les croquis. Je veux les offrir à Errol Osler.

Le plus bel objet que j'ai trouvé, c'est une pipe intacte dont le tuyau a la forme d'un corps d'oiseau, et le fourneau, celle d'une tête d'oiseau. Une grue, je crois. Ou encore un héron. Je n'ai pas trouvé cette pipe dans les champs, au printemps, comme la plupart des autres objets. C'était l'automne. Nous étions assises sur le pont qui conduit chez les Merkel pour attendre les hérons. J'ai vu la tête d'oiseau qui sortait de la terre sèche de la berge du ruisseau ; nous sommes allées voir de plus près, et je crois que même Rose était excitée. On voyait tout de suite qu'il s'agissait d'un objet ancien et rare. Elle a enlevé ses chaussures et s'est servie de ses orteils pour débarrasser l'objet de la terre sans le détruire, puis, toujours à l'aide de ses orteils, elle l'a soulevé et me l'a tendu. (Pour des raisons évidentes, nous avons de la difficulté à nous pencher, mais Rose fait des merveilles avec ses pieds et ses orteils, et elle a un sens de l'équilibre stupéfiant, compte tenu du poids qu'elle porte. En fait, elle a tout d'une athlète, mais il faut bien nous connaître pour s'en apercevoir.)

Après avoir nettoyé la pipe, nous sommes allées nous rasseoir sur le pont. Rosie et moi avons fait comme si nous étions des sœurs indiennes ayant vécu des centaines d'années plus tôt. Tour à tour, nous avons fait semblant de prendre des bouffées de tabac, sans savoir s'il s'agissait d'une pipe récréative destinée à un usage personnel ou d'un calumet de paix utilisé à des fins rituelles.

J'ai aussi trouvé une trousse — en tout cas, c'est ce que moi j'appelle une trousse. Il y avait un silex, une pointe de flèche à moitié ébréchée, un cercle de grès et une grosse pierre rainurée prête à monter sur un manche. Et aussi un pilon et un mortier en pierre. Errol Osler a dit que ces objets devaient être enveloppés dans une sorte d'étui. Je les ai trouvés au même endroit, ce qui me laisse croire qu'il s'agissait d'un tout, et c'est pourquoi je parle d'une trousse, bien que, naturellement, l'étui en cuir se soit désintégré il y a longtemps. Rose et moi avons cherché à comprendre ce qui s'était passé, comment la trousse avait pu être laissée ou perdue à cet endroit. Dans une nouvelle, Rose a imaginé qu'elle appartenait à une jeune Indienne qui l'avait égarée après s'être enfuie de chez elle pour aller épouser un garçon de la tribu des Delaware à Fairfield. Il s'agit du journal de la fugitive, où Rose se met dans la peau de la jeune Indienne, ce qui m'a beaucoup plu. J'aimais beaucoup cette histoire, et Rose en était très fière. Tante Lovey a déclaré que c'était ce que Rose avait écrit de plus beau. Mais notre professeur d'anglais lui a collé un « D ». Dans un mot au stylo rouge, elle a écrit que Rose était douée, mais qu'elle devait s'en tenir à ce qu'elle connaissait. Puis, elle a ajouté que c'était une mauvaise idée de transgresser les frontières raciales dans son écriture. En particulier en racontant à la première personne. On risquait d'offenser plusieurs de ses contemporains davantage habilités à raconter la même histoire.

Rose n'a jamais été du genre résigné. Pendant la majeure partie de l'après-midi, elle a fulminé. Durant le cours de sciences, elle n'a pas cessé de me parler de son texte. Le professeur a failli nous obliger à quitter la salle. À la fin de la journée, nous sommes allées trouver la prof d'anglais et Rose a contesté sa note. Elle était si en colère qu'elle en tremblait. La femme a pour sa part soutenu que Rose ne manquait pas de toupet. Même si Rose faisait partie d'une culture minoritaire en raison de notre difformité, a ajouté cette femme, elle ne devait pas exploiter d'autres personnes dans ses écrits. Elle devait parler d'elle et non des autres. Rose a affirmé que ce n'était pas l'histoire de quelqu'un d'autre puisque, sans elle, cette histoire n'aurait même pas existé. La prof a malgré tout refusé de modifier sa note.

Rose ronfle toujours, mais ça ne me dérange pas. Je ne l'en aime que plus. L'expression « Ma coupe déborde » me plaît. En ce moment, c'est ce que j'éprouve pour Rose. Comme si je n'arrivais pas à contenir mes sentiments pour elle. Curieux, tout de même, qu'on puisse éprouver un amour aussi intense pour une personne à cause de sa façon de ronfler. Ou de prononcer votre nom. En plus, ma sœur est vulnérable quand elle dort ; dans la vie, elle ne baisse jamais sa garde. Quand elle dort, j'ai l'impression qu'elle est ma fille plus que ma sœur. Je sais que c'est extrêmement bizarre.

Deux ou trois personnes ont dit admirer notre attitude face à l'adversité, notre optimisme, notre force de caractère. Elles nous l'ont dit à toutes les deux, mais je sais qu'elles s'adressaient à moi, et même Rose est au courant. Depuis quelque temps, elle n'est plus elle-même. Comment pourrait-il en être autrement ?

Je pense que mes croyances m'aident à affronter notre situation actuelle. Je sais, sans savoir comment, que la fin n'est pas la fin. Il y a en moi une énergie qui n'a pas été créée et qui ne peut pas être détruite. C'est un fait. Et il y a aussi en Rose quelque chose d'indestructible. Je sais donc que je redescendrai ici-bas. Et, d'une façon ou d'une autre, Rose et moi serons encore attachées, comme nous le sommes aujourd'hui et comme nous l'avons toujours été.

J'aimerais tellement que Rose croie en quelque chose.

ÉCRIRE

~

Des mots s'échappent de mon cerveau. S'écoulent de mon oreille. Coulent en glougloutant de ma bouche tordue. Éclaboussent mon chemisier. Dégoulinent sur mon clavier. Forment une flaque sur mon parquet gauchi. Au moins, ils ne jaillissent pas de mon cœur. Ni, que Dieu me pardonne, de mon cul. J'attrape les mots au fur et à mesure qu'ils tombent. Mes mains puent. Et la maison est sens dessus dessous. À cause des mots renversés.

C'est la mi-septembre, et depuis trois jours un brouillard magique nous accueille au saut du lit, ma sœur et moi. La terre chauffée par l'été se frotte à l'air frais de la nuit, et le brouillard qui résulte de leur union est très dense et très gris. Oncle Stash avait l'habitude de dire que c'était un « brouillard magique », c'est-à-dire mystique et indépendant de la volonté de Dame Nature. C'est là que vivent les fées. Pas les magnifiques fées ailées qui guident les héros et sauvent les princesses, mais bien les fées diaboliques aux pieds fourchus qui causent la perte et le chaos. C'est du moins ce que racontait oncle Stash. (Mais j'ai toujours eu le sentiment que les fées de Leaford n'étaient ni aussi fourbes ni aussi méchantes que celles de son enfance en Slovaquie.) Pour apercevoir les fées dans le brouillard, disait oncle Stash, il suffit de regarder avec assez d'attention. Et si vous posez le regard sur elles avant qu'elles ne vous voient, elles peuvent vous porter chance.

La première fois qu'oncle Stash nous parla du brouillard magique, nous marchions vers notre abri en forme de phallus, un matin de la fin de septembre, pour attendre l'autobus jaune qui nous conduirait à l'école. Petit garçon à Grozovo, il avait un matin aperçu une fée alors qu'il menait les canards à l'étang. Cet après-midi-là, il avait trouvé une *koruna* sur la route et l'avait donnée à sa mère ; dans sa soupe du soir, il y avait eu beaucoup plus de viande que dans celle de ses deux frères aînés.

— Bonne journée, ça, avait dit oncle Stash. Ma mère être contente. Elle dire à moi « *Dobré klopsy* ». Bon garçon.

Tandis que Ruby et moi retenions notre souffle, il s'immobilisa en fixant la cour, là où le brouillard semblait le plus épais.

— Là ! Là ! Moi avoir vu la petite peste ! Elle regarder moi dans les yeux !

Ruby se mit à pleurnicher. La fée démoniaque ne risquait-elle pas de jaillir de la brume pour nous emporter ? Mais oncle Stash caressa la tête de ma sœur à la cervelle d'oiseau, sécha ses larmes et lui dit que les fées n'avaient pas le droit de faire du mal aux enfants, même si je voyais bien qu'il n'en croyait pas un mot. Il demanda à Ruby de lui donner la main et il glissa dans sa paume un objet que je ne vis pas.

— Génial, souffla Ruby. Je peux le garder ?

J'eus beau la supplier, Ruby refusa toujours de me dire ce qu'oncle Stash lui avait donné. À ce jour, je ne sais pas de quoi il s'agit. Cet après-midi-là, Ruby eut un « C+ » en orthographe au lieu de son « D- » habituel. Sur le chemin du retour, Frankie Foyle baissa la vitre arrière de l'autobus quand Ruby dit qu'elle avait mal au cœur.

Ce soir-là, après l'école, nous parlâmes à tante Lovey de la fée qu'oncle Stash avait vue dans le brouillard quand il était petit, de la *koruna,* de la viande et de la joie de sa mère. À voir l'expression de son visage, je compris que tante Lovey n'avait jamais entendu cette histoire. Nous voulions aussi lui parler de la fée qu'oncle Stash avait surprise dans le brouillard le matin même et de la chance qu'il avait transmise à Ruby, mais elle avait cessé de nous écouter. Elle fixait le long couloir en direction du séjour, où oncle Stash se reposait sur le canapé.

Tante Lovey me serra l'épaule et serra ensuite le bras de Ruby. Puis, à pas feutrés, elle s'engagea dans le couloir et se planta audessus du visage immobile d'oncle Stash. Ruby et moi vîmes tante Lovey l'embrasser longuement. Je vis la bouche de ma tante articuler le mot « Toi ». Il répéta le même. Puis, tante Lovey ferma la porte d'un coup de pied et nous ne les revîmes qu'à l'heure du repas. Ruby et moi préférâmes ne pas nous interroger sur les motifs de leur absence.

Il ne fait aucun doute que Ruby a parlé du tabouret que Nick Todino a conçu pour nous. Nous avons surnommé cet objet « À tire-d'aile ». Ou « À tire-d'elles ». Je n'en suis pas certaine, car c'était une idée de Ruby. Je n'ai même pas remercié Nick de ce qu'il a fait. De tout ce qu'il fait pour nous. Il prétend que nous rendre service est pour lui une forme de thérapie, ce que je trouve singulièrement peu flatteur. Lorsque Nick est venu vivre avec Nonna, peu après la mort de tante Lovey et d'oncle Stash, Ruby et moi l'avons pris en grippe. Il ne faisait pas grand-chose à la maison (du point de vue de l'entretien général, il ne fait toujours pas grand-chose), et il y avait aussi l'abus d'alcool. Puis, un jour, Ruby et moi sommes allées chez Nonna et nous avons été surprises d'entendre de la musique joyeuse sortir par les fenêtres, et plus surprises encore par les rires roucoulants de Nonna. Nous avons jeté un coup d'œil : Nick la faisait danser au son d'une musique folklorique italienne jouée à tue-tête. Lorsqu'ils sont venus ouvrir, ils étaient en sueur. Nonna donnait l'impression d'avoir rajeuni de dix ans. Nick sentait la levure. À cette époque-là, Nonna commençait tout juste à avoir des absences. Nous trouver sur le pas de sa porte l'a secouée. Elle a aussitôt cessé de rire. Et la musique s'est arrêtée en même temps, comme si elle avait obéi à un signal.

Nick nous a fait entrer. De sa voix de fumeur, il a expliqué :

— Du calme, maman. C'est seulement Rose et Ruby. Tu te souviens d'elles, maman ? Tu les connais depuis qu'elles sont toutes petites.

— Ce n'est pas un monstre ? a chuchoté Nonna en italien.

Le mot italien « *orco* » n'a rien à voir avec le mot « monstre », mais j'ai très bien compris.

Nick a secoué la tête.

— Des fois, quand on casse un œuf, il y a deux jaunes à l'intérieur. Tu as déjà vu ça, hein, maman ? Des fois, les cerises croissent deux par deux. Pas sur deux tiges. La chair des deux cerises est sur la même tige.

Il a entrelacé les doigts pour illustrer son propos.

— C'est comme ça. Spécial.

J'ai beaucoup aimé la description qu'il a faite de notre situation, mais Ruby a continué de se méfier de lui. Je suppose que le tabouret a vaincu ses dernières réticences. Elle en bavait de reconnaissance. Je ne crois pas que Ruby ait compris que l'objet m'était aussi destiné.

Nick. Nick. Nick. Que ferions-nous sans Nick ? Nick, qui prononce le son « k » de son prénom si fort qu'on croirait qu'il forme une syllabe. *Ni-Que.* Il nous a rendu de fiers services, nous a trimballées partout, nous a apporté toutes sortes de choses. Depuis vingt-neuf jours, il n'a pas bu une goutte d'alcool. Son parrain chez les AA habite peut-être à Windsor, car, ces jours-ci, Nick se rend fréquemment là-bas. Son parrain ou encore une femme. À moins que son parrain ne soit plutôt une marraine. Tous les samedis ou presque, il se met sur son trente et un (bottes de cow-boy et veston sport en tweed) et s'éloigne au volant de sa Thunderbird. Il assiste à d'autres réunions dans le sous-sol de l'église de la Sainte-Croix, au coin de Chippewa Drive, mais sans ses bottes. Ruby et moi nous amusons beaucoup du mystère dont il entoure ses balades du samedi soir.

Le jour où Nick a apporté le tabouret, la semaine dernière, je ne me sentais pas d'attaque. Ruby a tant insisté pour que je l'essaie que j'ai failli la tuer. En me levant, je craignais de vomir. Je n'avais pas envie de le faire devant Nick. C'est peut-être normal pour Ruby, mais, personnellement, je ne vomis devant personne. Après le départ de Nick, j'ai eu un moment d'absence. C'est du moins ce qu'il me semble. Comme Ruby ne m'a pas parlé de sondes rectales ni de petits hommes verts, je me dis que j'ai eu une forme de crise. J'ai pensé téléphoner au Dr Singh, mais il m'aurait « sûrement » répondu que nous devions « sûrement » venir le voir, même s'il ne pouvait « sûrement » rien faire pour nous. Il m'est déjà arrivé de m'absenter, mais jamais si longtemps. (J'ai fini par me convaincre que, dans ces cas-là, je m'égarais dans un rêve éveillé.) Cette fois, cependant, j'ai senti un changement atmosphérique et le soleil a eu le temps de passer d'une fenêtre à l'autre.

Sous l'effet de la confusion et de la peur, j'ai crié : « Merde ! » Ruby m'observait dans le miroir. Elle m'a mal comprise. Elle s'est égosillée à soutenir que tante Lovey aurait voulu que j'essaie le tabouret, qu'elle n'y aurait pas vu un signe d'abandon, de renoncement. Je n'ai pas voulu lui dire la vérité. Le tabouret n'y était pour rien. J'avais la nausée. J'ai toujours été la jumelle en bonne santé et j'ai horreur de me sentir aussi vulnérable.

J'ai donc pris mon ordinateur sur la table basse et je me suis mise à écrire parce que l'écriture, si elle me tue, me purifie et me force à me recentrer. J'avais commencé le compte rendu de notre voyage en Slovaquie, mais le récit s'est décomposé en histoires multiples, liées et entremêlées. Or, je tiens à raconter la suite d'un seul souffle.

Nous irons bientôt au musée indien de London. Évidemment, c'est Nick qui nous y conduira. Grâce à notre superbe nouveau tabouret, nous pourrons y rester aussi longtemps que Ruby le voudra.

Douce capitulation.

Le livre que j'écris n'en est plus un. Il vit. Il m'appelle dans mon sommeil. À force de réprimandes, il me force à dire la vérité.

Alors voici.

Je crois que je suis en train de tomber amoureuse de Nick Todino.

~

Ici Ruby.

C'est la première semaine de l'automne, mais on dirait plutôt l'été. Pas besoin de veste. Même le matin, des manches courtes suffisent.

Aujourd'hui, Sherman Merkel est venu à la bibliothèque. Le cercle de lecture se terminait et les enfants étaient excités comme des puces. Rose et moi avions mal à la tête. Entre alors Sherman Merkel en habits du dimanche, ce qui était en soi une bizarrerie. Nous avons l'habitude de le voir en tenue de travail. Il a foncé tout droit vers le tableau d'affichage. C'est d'ailleurs principalement pour le tableau d'affichage que les adultes sans enfants s'aventurent dans le coin des enfants. Il se trouve en effet près des toilettes, derrière les romans policiers destinés à la jeunesse.

M. Merkel a punaisé un avis, puis, avant de sortir, il s'est arrêté pour nous saluer. Il ne nous a pas vraiment dit bonjour. Il a simplement incliné le menton et a dit : « Les filles ». Chaque fois qu'il tombe sur nous, c'est d'ailleurs tout ce qu'il dit. Les filles. Les filles. Les filles. Les filles.

J'ai toujours aimé M. Merkel, bien qu'il se montre en général trop timide pour bavarder avec nous. Et, encore aujourd'hui, je ne peux m'empêcher d'aimer Mme Merkel. Même si, de toute évidence, elle ne nous rend pas notre affection.

Rosie et moi entretenons avec Mme Merkel la plus étrange des relations. C'est comme si nous comprenions ce qu'elle ressent et que nous ne prenions pas son attitude à cœur. Elle n'en sait rien, mais, depuis que tante Lovey est morte et que Nonna n'est plus vraiment Nonna, elle est la seule figure maternelle qu'il nous reste.

Quoi qu'il en soit, M. Merkel, après avoir dit « Les filles » comme à son habitude, est resté immobile pendant un long moment et nous avons vu les larmes dans ses yeux. Nous n'avions encore jamais vu M. Merkel avec des larmes dans les yeux, et j'étais relativement certaine qu'il allait nous annoncer que sa femme l'avait quitté, car depuis toujours, je m'attendais vaguement à ce qu'elle le fasse.

Il a plutôt dit : « Si vous avez besoin de quoi que ce soit, les filles, vous n'avez qu'à nous faire signe et Mme Merkel et moi ferons tout ce que nous pourrons. » Sans doute avait-il appris pour l'anévrisme. Pourtant, je ne voyais toujours pas le rapport entre sa mine chagrinée et nous.

Rose parle parfois comme elle écrit et j'ai horreur de ça. Elle a l'air tellement prétentieuse. Et c'est ce qui est arrivé ce jour-là. Elle a dit quelque chose comme : « Nous vous avons toujours tenus en très haute estime, Mme Merkel et vous. Sans vous comme voisins, nos vies n'auraient pas été aussi riches. » J'ai failli vomir, comme quand je roule en voiture.

Le pauvre homme a éclaté en sanglots. De façon incontrôlable. Au beau milieu du coin des enfants. Et tous les marmots qui couraient à gauche et à droite se sont arrêtés pour le regarder. Quelques-uns d'entre eux se sont mis à pleurer à leur tour. Puis, M. Merkel a eu le hoquet. Seulement, on aurait dit que c'étaient des haut-le-cœur. Je me suis crue en enfer.

Deux questions. Pourquoi acculer un homme aux larmes et le plonger dans le plus profond embarras au beau milieu du coin des enfants de la bibliothèque de Leaford ? Pourquoi ne pas réagir comme tout le monde et répondre « Merci, monsieur Merkel. Au besoin, nous ferons appel à vous » ? Vous comprenez ?

Nous lui avons donné quelques mouchoirs en papier, mais il a eu beaucoup de mal à se ressaisir. Rose et moi pensons qu'il pleurait aussi la perte de Larry. Même si c'était il y a longtemps.

M. Merkel était à la recherche d'un ouvrier agricole pour l'hiver. Rosie et moi nous sommes dit : « J'espère que la personne qu'ils engageront saura tenir compagnie à Mme Merkel. »

Elle doit se sentir bien seule. Surtout maintenant qu'elle n'a plus de chien.

Rose a avoué à Whiffer qu'elle et moi avons écrit de nombreuses pages du livre. Il a dit qu'il téléphonerait à sa cousine et lui demanderait de dire à l'ami de son ami dans l'édition que Rose écrivait son histoire. Rose lui a demandé de ne rien faire. Elle préfère attendre d'avoir terminé avant d'en parler. Elle dit craindre de porter la guigne au projet. Elle a beau se moquer de moi, elle est la plus superstitieuse de nous deux.

Rose a aussi dit à Whiffer qu'elle avait des doutes sur la valeur de son histoire. Elle pensait que ce serait plus facile de la raconter. Et quand elle se relit, ça semble trop simple. Je sais qu'elle cherchait à lui faire dire qu'il aimerait lire ce qu'elle avait écrit jusque-là. Mais il s'est contenté de répondre : « Bah, l'écriture n'a pas d'importance. C'est le truc des jumelles conjointes qui va décider du sort du livre. »

À ces mots, Rose a failli vomir. Je l'ai entendue avaler et ravaler sa salive. Whiffer a peut-être raison. Mais il aurait pu garder son opinion pour lui.

Nick sait qu'elle écrit l'histoire de sa vie, mais il est la seule autre personne au courant. Si elle lui donne le manuscrit à lire avant moi, je prends le Tatranax, c'est décidé.

Quoi qu'il en soit, en voyant M. Merkel dans la bibliothèque, les yeux rouge vif et les joues ruisselantes de larmes, je me suis rappelé le jour où, quand nous étions petites, il avait eu de l'ammoniac dans les poumons. Il y avait un énorme réservoir d'ammoniac qu'il traînait dans le champ. Le réservoir était équipé d'un long tuyau qui servait à injecter l'ammoniac dans la terre parce que c'est bon pour le maïs, mais il arrivait parfois que le fermier sorte le tuyau trop tôt et se fasse éclabousser. Imaginez un peu l'effet d'une telle douche sur les poumons. Et sur les yeux. Et c'était arrivé à M. Merkel deux fois au cours du même été parce que le réservoir qu'il louait était défectueux. Pleurant dans la bibliothèque, M. Merkel avait exactement la même tête qu'après sa douche à l'ammoniac. Tante Lovey avait dit que M. Merkel, quand il serait vieux, aurait les poumons en compote à cause de ce qui lui était arrivé.

Il a cependant fini par se remettre. J'ignore ce qui m'a poussée à dire quelque chose d'aussi stupide, en particulier à M. Merkel. Mais voici ce que j'ai dit : « Côté ouragans, le sud des États-Unis est servi cette année. »

Je faisais simplement la conversation avec Sherman Merkel pour l'empêcher de pleurer de nouveau. J'ai juste songé à l'actualité. Sans penser à mal, j'allais ajouter autre chose au sujet du mauvais temps qui sévissait dans le Sud quand Rose m'a pincée. Fort.

M. Merkel a pris une profonde inspiration et je me suis dit : « Ça y est, le voilà reparti. » Et j'ai mis la main sur la boîte de mouchoirs en papier dans l'intention de la lui tendre. Mais, après avoir laissé l'air s'échapper de ses poumons, M. Merkel n'a pas pleuré.

Il nous a simplement conseillé de surveiller le prix des tomates pendant l'hiver.

PROSÍM

~

Nous nous posâmes à Košice au crépuscule, et je trouvai de l'espoir dans le ciel rose pâle. Oncle Stash semblait respirer avec moins de difficulté, même si, après le long voyage, il était encore étourdi et n'avait toujours pas retrouvé l'usage de sa voix. Dans le silence des salles grises et carrées de l'aéroport propret comme dans la symétrie de la bâtisse elle-même, il régnait un sentiment de calme, sinon de paix. Tout le monde avait l'air slovaque, à l'exception de tante Lovey, de Ruby et de moi. Je serrais Ruby contre moi, mais elle avait ses propres préoccupations, car elle avait remarqué un phénomène qui m'avait échappé. Personne ne nous fixait. Absolument personne. Pas de cous tendus. Pas de coups d'œil furtifs. Rien. Nous suivîmes un long couloir où défilaient des personnes corpulentes qui ne nous regardaient pas, ne nous fixaient pas. La mine renfrognée, les yeux baissés, elles passaient devant Ruby et moi comme si nous n'existions pas. C'était étrange, bizarre, mais aussi effrayant. Comment ne pas regarder, même furtivement, des jumelles conjointes ?

À l'aéroport de Košice, il n'y avait pas de carrousel ; le bagagiste empila les valises sur un vieux chariot en bois, qu'il tira derrière nous. Oncle Stash, aux prises avec une nouvelle quinte de toux, s'arrêta brusquement et faillit se faire écraser les talons. En nous voyant avec nos survêtements bleus plus ou moins assortis, oncle Stash, tante Lovey, Ruby et moi, un gardien de sécurité fit signe à l'équipe Darlen de le suivre jusqu'à une porte latérale. Le jeune homme nous gratifia d'un sourire sincère, Ruby et moi, et utilisa sa radio pour appeler un taxi.

— Je vous fais venir le meilleur taxi, dit-il en anglais avant d'ouvrir la porte vitrée sur la froide nuit slovaque.

Puis il ajouta :

— *Prosím.*

Prosím. (Nous aurions tôt fait d'apprendre que les Slovaques utilisent le mot « *prosím* », qui se traduit par « s'il vous plaît », mille fois par jour, pour les motifs les plus obscurs et dans les contextes les plus bizarres.)

Le ciel slovaque avait l'air taché, plus foncé au milieu et plus clair sur les côtés. Je ne me souviens pas d'avoir vu des étoiles. Il devait pourtant y en avoir. L'ampoule bourdonnante qui surmontait la porte diffusait une lumière crue sous laquelle notre peau semblait verte. Peut-être aussi étions-nous vraiment verts, à cause de la maladie et de la fatigue.

Nous avons attendu. Et attendu encore. Depuis longtemps déjà, les autres passagers étaient montés dans des taxis à la station officielle aménagée devant la bâtisse. Le bel agent de sécurité faisait la conversation avec tante Lovey en bon anglais. Il nous sourit à quelques reprises en posant sur nous ses yeux d'un bleu glacé. Il alla même jusqu'à faire un clin d'œil à Ruby. Avec ses larges épaules, sa taille fine et ses avant-bras musclés, il me faisait penser à un joueur de tennis (le bronzage en moins). Je l'observais en élaborant mentalement un fantasme romantique alambiqué quand, sans crier gare, l'homme toucha Ruby à l'épaule.

— La créature parle, non? demanda-t-il.

Avant que tante Lovey n'ait eu le temps de faire l'éducation de l'agent de sécurité aux yeux bleus, une longue voiture noire s'immobilisa et un chauffeur âgé, vêtu d'un uniforme, en sortit en faisant un signe de tête à l'agent de sécurité. Il s'était penché pour prendre nos valises, mais, en nous apercevant, Ruby et moi, il s'arrêta tout net. Il resta immobile, les lourdes valises au bout de ses bras longs et minces.

Il nous regarda fixement. Pas longtemps, mais quand même. Et je me sentis mieux.

Le taxi était un peu vétuste. Un modèle des années 1970, à en juger par son apparence. On aurait dit une sorte de vieille Cadillac. Le même empattement. Les mêmes lignes pures. Le même fini lustré. Nous nous glissâmes sur la banquette arrière, Ruby et moi, tandis que nos parents s'installaient à côté du chauffeur. La voiture était propre et sentait les roses fanées, effet du désodorisant de couleur rose accroché au rétroviseur. En démarrant, le vieil homme appuya sur un bouton et Madonna entonna « Material Girl ». *Hovno.*

Nous suivîmes une route tortueuse, bordée de terres arides. Dans le ciel qui s'assombrissait, je tentai de repérer les monts Tatras, mais en vain. Une toux violente secoua oncle Stash. Lorsqu'il eut fini et écarta les mains de son visage, j'eus du mal à croire qu'il n'était pas couvert de sang. De la main, tante Lovey vérifia sa température. Elle compta les battements de son cœur. Pour nous rassurer, elle dit :

— Je suis sûre que ton cœur n'y est pour rien, mon chou. C'est juste un vilain virus. Tu te sentiras mieux après une bonne nuit de sommeil.

Elle demanda ensuite au chauffeur de ralentir :

— Je vous en prie, fit-elle. Les secousses font du mal aux filles.

Le vieux chauffeur se gara enfin sous une marquise, tout près des portes de l'hôtel Košice. Tante Lovey et oncle Stash sortirent en premier et nous aidèrent à descendre, Ruby et moi. Les bambous en pot qui flanquaient l'entrée de l'hôtel étaient hérissés de grappes de brindilles et de mégots de cigarettes. L'air froid sentait le bacon. Nous étions aux antipodes de Leaford, à des années, à des décennies, voire à des vies tout entières de distance. Sherman Merkel récoltait sans doute les dernières courges. Pendant notre absence, Cathy Merkel les mettrait en bocal. (Je les aime avec du beurre et du poivre, mais la courge rend Ruby malade.) Soudain, j'eus très fort le mal du pays.

À travers les grandes portes vitrées, nous voyions bien que le hall de l'hôtel était quasi désert. Vannées, Ruby et moi attendîmes près des ascenseurs que tante Lovey et oncle

Stash aient rempli la fiche. J'aurais donné cher pour être moins fatiguée. J'aurais donné cher pour qu'oncle Stash ne soit pas malade. J'avais imaginé les premiers instants de son retour au pays natal, l'afflux de souvenirs qui mouillerait ses joues, les histoires qu'il nous raconterait sur ce monde étrange et sur le garçon qu'il était à l'époque où il y vivait encore. Mais oncle Stash était sans voix.

Peu de temps après, tante Lovey apparut, un jeu de clés à la main : l'une ouvrait la porte de la chambre, l'autre, celle de l'unique placard, et la dernière, celle du premier tiroir de la commode, où on lui avait fortement conseillé de conserver nos passeports et notre argent.

— C'est ici que logent les diplomates et les équipes de hockey en visite, dit-elle d'une voix enthousiaste.

Nous entrâmes dans l'ascenseur.

Il y avait une nouvelle moquette dans le couloir du quatrième étage, où régnait une forte odeur de formaldéhyde. Ruby, prise de nausée, se couvrit le visage avec la main. Retenant son souffle, tante Lovey essaya toutes les clés avant de trouver la bonne. Elle ouvrit la porte. Il y avait deux lits à deux places, dont les couvre-lits déchirés à motifs cachemire juraient avec les rideaux fleuris trop courts. Dans le coin, près de la fenêtre, était posé un bureau en pin recouvert d'un essaim de brûlures de cigarettes. Le gros cendrier en cristal qui avait pour tâche de les cacher les magnifiait au contraire. La moquette vert olive était usée jusqu'à la corde. Tante Lovey exhala. Elle avait envie de pleurer un bon coup — et elle l'aurait franchement mérité. Mais elle était notre seul soutien. Elle ne devait pas se laisser aller.

— Disons que c'est charmant, lança-t-elle. De toute façon, c'est seulement pour une nuit.

Oncle Stash s'avança vers la valise, trouva l'enveloppe renfermant les cendres de sa mère et l'appuya contre la lampe de bureau, à côté du cendrier en cristal. Elle resta là comme une facture impayée, un rappel : « N'oubliez pas de m'enterrer ! » Il s'assit sur le lit et ferma les yeux. Tante Lovey s'approcha de lui et, doucement, le fit s'allonger. Puis elle se colla à son dos fort et chaud.

— Nous avons tous besoin d'une bonne nuit de sommeil, dit-elle.

Ruby et moi nous nous couchâmes à notre tour, déplaçâmes nos poids respectifs, étirâmes nos cous, nos épaules et nos bras, puis nous tortillâmes nos torses jusqu'à être confortablement installées et prêtes à dormir. Je respirais. Et j'écoutais les respirations de ceux que j'aimais. Je songeais au lendemain, au trajet dans les montagnes, à la famille d'oncle Stash que nous rencontrerions pour la première fois. Je me demandais si nous verrions l'étang où oncle Stash menait les canards.

— Tante Lovey ? murmura Ruby, interrompant mes pensées.

— Oui, Ruby ?

— Le lit sent mauvais.

— Je sais, Ruby. Tu n'as qu'à fermer les yeux.

— Ça pue.

— Ne fais pas le bébé, tu veux?

— Je ne fais pas le bébé.

— Dors, Ruby.

— Je n'y arrive pas.

Tante Lovey inspira à fond et déclara qu'il était temps que nous nous comportions en adultes, Ruby et moi. Le voyage serait semé d'embûches. Un jour, nous devrions nous débrouiller toutes seules. Tante Lovey ajouta que le moment était venu de montrer ce que nous avions dans le ventre.

Ruby marqua une pause.

— Mais ça sent les fesses.

Je ne fermai pas l'œil de la nuit. (Tante Lovey ne dormit pas non plus. Je l'entendis renifler derrière ses mains jusqu'à l'aube. Elle se leva alors pour aller faire couler un bain. Oncle Stash se réveilla. Je fus rassérénée de l'entendre dire: « Lovey? » Il avait retrouvé la voix. Elle était rauque, d'accord, mais audible.)

La salle à manger était bondée et bruyante. La serveuse nous dénicha une table pour quatre au fond. Elle nous avait vues, Ruby et moi, je l'aurais juré. Je la regardai dans les yeux. Puis Ruby fit de même. Ni mouvement de recul, ni hoquet de surprise, ni rire nerveux. Elle nous accompagna à la table. Nous passâmes devant des rangées d'hommes d'affaires. Aucun d'eux ne nous regarda. (C'était comme à l'aéroport. Déconcertant et surréel.) Oncle Stash eut une brève quinte de toux qui attira quelques regards, mais tous nous évitaient, Ruby et moi.

Il n'y avait pas le moindre joueur de hockey dans la salle à manger de l'hôtel Košice. Je l'aurais su. Il y avait des dizaines d'hommes en costume foncé, le visage rond, les joues lisses et roses, les yeux bleus enfoncés, les oreilles grandes, au contour net. Des diplomates ? Peut-être. Mais certainement pas des joueurs de hockey. Et Ruby et moi étions les seules jumelles, conjointes ou non.

En allant jeter un coup d'œil au buffet, nous sentîmes les regards dans nos dos. Je me retournai vivement, le plus vivement que j'en étais capable, en tout cas. Je surpris ainsi un homme gras en train de nous fixer. De nous fixer ouvertement. Bouche bée. Il fut horrifié d'avoir été pris sur le fait. Puis je me rendis compte de ce que Ruby et moi représentions pour ces Slovaques. Nous étions des fées sorties du brouillard gris et épais. Et ils avaient peur de nous.

(Même s'il ne croyait pas beaucoup aux créatures comme les sorcières et les fées, oncle Stash prenait la défense de ses compatriotes : « Évidemment les Slovaques croire aux diables et aux démons. D'abord les Turcs. Puis les Magyars. Puis les nazis. Et les communistes. Toujours les Slovaques devoir se battre pour être slovaques. Eux accuser les sorcières. Eux accuser les démons. Qui vouloir accuser Dieu ? »)

Après le repas, nous nous mîmes en route vers la gare d'autocars, située non loin de l'hôtel. Presque aussitôt, oncle Stash se rappela qu'il avait oublié son appareil photo sur le dossier de sa chaise dans la salle à manger. Tante Lovey rebroussa chemin en vitesse, mais, naturellement, elle revint bredouille. Nous trouvâmes la gare. Tante Lovey essayait de consoler son mari en lui faisant voir le bon côté des choses.

— Ça vaut mieux, mon chou. À force de vouloir immortaliser le moment présent, tu oublies de le vivre, dit-elle.

— Toi avoir raison, concéda-t-il.

— D'ailleurs, à Grozovo, nous trouverons sûrement un appareil jetable au magasin du coin.

— À Grozovo, il y avoir des coins, mais pas de magasin, Lovey.

— Qu'est-ce que tu en sais ? Tu n'as pas mis les pieds là-bas depuis cinquante ans ! Tu crois qu'ils n'ont pas l'équivalent d'une de nos petites boutiques ?

Elle rit de la naïveté de son mari.

— Le rideau de fer venir tout juste d'être levé. Nous aller à Grozovo. Dans les montagnes.

— On verra bien, Stash. Mais je pense que tu auras de la difficulté à reconnaître le nouveau Grozovo.

— Peut-être.

On voyait bien qu'oncle Stash retournait la question dans sa tête. Intensément.

Nous montâmes dans l'autocar aux sièges étroits et inconfortables. Je me déplaçai pour montrer à Ruby le chapelet de gousses d'ail accroché au rétroviseur.

— C'est le pays des loups-garous, dit-elle en prenant un pitoyable accent transylvanien.

Fidèle à la coutume slovaque, le chauffeur ne nous regarda pas directement. Il adressa un signe de tête à oncle Stash, en qui il reconnut un compatriote, avant d'ouvrir la bouche pour nous souhaiter « *Dobré ráno* ». À bord de l'énorme autocar, il n'y avait que deux autres passagères, de vieilles femmes qui, dans un premier temps, ne firent pas du tout attention à nous. Mais, tandis que le véhicule roulait en rugissant vers la grand-route, nous sentions leurs regards nous vriller le crâne.

Le souvenir du trajet en autocar éveille en moi une certaine terreur. C'était un véhicule au diesel et des vapeurs délétères s'échappaient du réservoir. Sans parler de celles qui émanaient des gousses d'ail pourries accrochées au rétroviseur ou du chauffeur lui-même, qui allumait des cigarettes en négociant des virages serrés sur les routes de gravier. Sans voir tante Lovey, je devinais son sourire pincé, et je savais qu'elle regrettait de ne pas être à la maison à faire de la place dans le garde-manger pour les bocaux de courge de Mme Merkel.

Après une heure environ, le chauffeur quitta la route et se rangea près d'une petite baraque en contreplaqué, brune comme la boue. Un mot slovaque était sommairement peint au-dessus de la porte. Oncle Stash savait ce qu'il voulait dire. À côté de la baraque, il y avait une table de pique-nique toute cassée, sous laquelle le sol était jonché de détritus. En ouvrant les yeux, Ruby, hébétée et contrariée, demanda :

— On est arrivés ? Pourquoi on s'arrête ?

— Nous prenons un nouveau passager, ma puce, dit tante Lovey. Chut. Rendors-toi.

Je jetai un coup d'œil par la vitre, mais personne ne sortait de la baraque. Après avoir regardé oncle Stash dans le rétroviseur, le chauffeur se leva et lui adressa quelques mots. À voir le sourire de l'homme, nous avons compris qu'il s'agissait d'une forme d'invitation. Oncle Stash ne rendit pas son sourire à l'homme. En fait, la réponse qu'il formula sembla gravement offenser le chauffeur.

Tante Lovey poussa un soupir.

— Qu'est-ce qui se passe, Stash ?

Oncle Stash secoua la tête en regardant le chauffeur disparaître dans la baraque.

— Il va chercher d'autres passagers ?

— Il ne pas y avoir d'autres passagers.

— Ce sont des toilettes ? Si oui, il faut le dire. Les filles et moi en profiterons pour aller faire pipi.

Oncle Stash secoua de nouveau la tête en balayant des yeux la crête des collines recouvertes d'une forêt d'épicéas.

— Pourquoi sommes-nous arrêtés?

Tante Lovey se tourna vers les autres passagères pour voir si le contretemps les préoccupait ou les intriguait. Elle avait oublié que les deux vieilles femmes avaient décampé au premier arrêt.

— Stash?

— Lui s'arrêter ici parce que lui toujours s'arrêter ici.

Tante Lovey bouillait intérieurement, mais elle ne poussa pas plus loin son interrogatoire. Nous étions fatigués et nauséeux à cause des vapeurs de diesel, et nous n'avions pas envie de nous quereller. Nous avons attendu, attendu longtemps, chacun perdu dans ses pensées. Enfin, le chauffeur sortit de la baraque brune. Puis, après avoir agité la main en direction d'oncle Stash d'un air sarcastique (ou était-ce un geste fraternel, un signe d'apaisement?), il s'installa derrière le volant et nous nous remîmes en route.

Je ne savais pas du tout à quoi m'attendre. Une rue principale, peut-être, quelques maisons agglutinées, une gare d'autocars, quelque chose qui distinguerait le village dont oncle Stash nous avait parlé durant nos soirées slovaques. Au milieu de nulle part, au bord d'un précipice, le chauffeur s'arrêta et annonça :

— Grozovo.

Oncle Stash ne broncha pas. Le chauffeur et lui s'invectivèrent à qui mieux mieux jusqu'à ce que le premier croise les bras et que le second lève les mains au ciel en signe de capitulation.

— Vous venir, nous ordonna-t-il en s'élançant dans l'allée.

Nous suivîmes notre vénérable commandant, et l'autocar s'éloigna en vrombissant.

Autour de nous, il n'y avait que des montagnes et encore des montagnes. Le ciel était blanc, ni bas ni brillant. L'air sentait encore le bacon, mais aussi la roche mouillée, le pin et l'épicéa. Il faisait froid, très froid. Oncle Stash montra la colline qui se dressait sur notre gauche et haussa les épaules d'un air contrit.

— Pour nous conduire au village, lui devoir faire un détour. Lui avoir besoin d'une heure.

— Et alors ?

— Lui déjà être en retard.

— Qu'est-ce que ça signifie ?

Tante Lovey était ahurie.

— Nous monter à pied.

— Un chauffeur d'autocar ne peut pas obliger ses passagers à escalader une montagne !

Tante Lovey suivait l'escarpement des yeux, et son rire confinait à l'hystérie. Oncle Stash détourna les yeux.

— Lui le faire.

— Tu veux rire, Stash? Il nous a plantés là?

— Il y avoir sentier entre les arbres. Là-bas. Lui ne pas être aussi raide que toi le penser, dit oncle Stash.

— J'ai soixante et onze ans! répliqua tante Lovey d'une voix stridente. Et tu as eu un infarctus! Et les filles? Il ne les a pas vues? Il va nous obliger à monter à pied?

— Le sentier ne pas être aussi raide que toi le penser, répéta oncle Stash. Je le monter des centaines de fois, dans le temps.

Tante Lovey fit claquer ses doigts.

— J'ai compris. C'est parce que tu as refusé d'entrer dans la baraque brune, non?

Oncle Stash soupira, mais il ne dit rien.

— Merveilleux! Et maintenant, à nous l'escalade! s'écria tante Lovey en se mettant en marche, furieuse. En route, les filles!

La façon que tante Lovey avait de présumer de ma force physique me laissait pantoise. Le moins qu'on puisse dire, c'est qu'elle m'obligeait à me dépasser.

— Je gèle, tante Lovey, dis-je.

— Dans ce cas, accélère, répondit-elle.

Précédant tante Lovey, Ruby et moi trouvâmes le sentier entre les arbres. La vue de marches et d'une main courante nous procura un certain soulagement, mais, n'en déplaise à oncle Stash, la montée était aussi raide qu'elle en avait l'air.

— Bon, souffla tante Lovey en s'efforçant de présenter les choses sous un angle favorable. Nous sommes assis depuis deux jours. C'est en plein ce qu'il nous faut, les filles.

Ruby et moi, sceptiques, nous remîmes lentement en route.

— *Hovno.*

La première fois, oncle Stash murmura le mot. Comme pour dire : « C'est pas vrai ! » La seconde, c'était un juron.

— *Hovno !*

Et encore :

— *HOVNO !*

Nous nous immobilisâmes. En nous retournant, nous trouvâmes oncle Stash en train de piétiner les feuilles mortes de toutes ses forces.

— *Hovno sračka !* cria-t-il.

Nous rebroussâmes chemin pour voir ce qui n'allait pas.

— Quoi ? Qu'est-ce qu'il y a, Stash, mon chou ?

— J'oublier ma mère.

Il avait prononcé ces mots sur un ton si flegmatique que je faillis éclater de rire.

— Non ?

— À l'hôtel.

— Oh ! Stash !

En pensée, nous revoyions l'enveloppe posée contre la lampe sur le bureau couvert de brûlures de cigarettes. « N'oubliez pas de m'enterrer ! »

— Que moi dire à eux ?

Oncle Stash avait à peine la force de chuchoter. Je vis une épaisse veine faire saillie sur sa tempe. Je ne l'avais jamais vu ainsi. À contrecœur, je dus admettre qu'il était sur le point de faire une crise de nerfs.

— Personne n'est au courant, mon chou, dit tante Lovey, en femme pratique. Dis-leur que tu l'as enterrée à la ferme. Ils comprendront.

Oncle Stash serra la main de tante Lovey. Ils reprirent l'ascension de la colline, à deux, cette fois. Pour Ruby et moi comme pour nos vieux parents, la pente était raide, mais pas impossible à monter. Au bout de trente minutes d'escalade, oncle Stash était essoufflé, pantelant, écarlate et en nage. Nous nous arrêtions toutes les quatre ou cinq minutes pour boire aux bouteilles d'eau que tante Lovey avait emportées. Et aussi pour nous reposer. Une dense forêt noire nous entourait. J'essayais de ne pas penser aux frères Grimm et aux personnages de contes de fées qui trouvent la mort dans les bois sombres et profonds. Ruby se tenait tranquille, ce qui m'aidait à me concentrer. Sa retenue m'impressionnait. Après un peu plus d'une heure d'une ascension lente et régulière, nous parvînmes au sommet de la colline. Je regrettai de ne pas avoir apporté un drapeau à planter dans le sol.

— L'église, dit oncle Stash.

Dans les yeux d'oncle Stash se reflétaient Notre-Dame, Saint-Pierre, Saint-Marc et toutes les grandes cathédrales du monde, mais l'église du village n'était qu'un petit bâtiment recouvert de bardeaux peints en blanc et usés par les intempéries, et dont le toit était maculé de fientes de pigeons. Au loin se profilait un orage noir, et les spectres du cimetière voisin de l'église en semblaient encore plus menaçants. Ruby me serra et, d'une voix douce, poussa un cri de fantôme :

— Ouuuuuuuh…

Je ris et je frissonnai en même temps parce que je venais de me souvenir de la prémonition de tante Lovey. De son mauvais pressentiment. Et je me dis : « Nous avons commis une grave erreur. »

Nous contemplâmes l'église pendant un moment. Puis nous fûmes surpris d'entendre une voix onctueuse de baryton pousser une note. Comme il n'y avait pas une seule lumière dans l'église, j'avais cru qu'elle était déserte. Pas d'orgue pour introduire le chant du chœur. Que cette puissante voix d'homme qui, en s'élevant, sembla secouer les arbres. Oncle Stash s'avança lentement, tandis que le cantique se poursuivait et que les autres membres de la chorale joignaient leur voix à la première. Nous ne distinguions pas les mots, mais la façon dont le chagrin et la joie s'unissaient au milieu des notes nous sembla familière.

La musique attirait oncle Stash vers l'église, et nous lui emboîtâmes le pas. Je croyais qu'il avait l'intention de jeter un coup d'œil par l'une des fenêtres dans l'espoir de reconnaître un visage familier. Ou qu'il entrerait dans l'église et s'assoirait au fond pour écouter. Il obliqua plutôt vers le cimetière. Tante Lovey nous empêcha de le suivre jusqu'aux lots adjacents et à leurs pierres polies.

— Ses frères, chuchota tante Lovey.

— Je sais.

Je fus déçue quand oncle Stash s'éloigna plutôt rapidement des tombes et revint vers nous, les yeux secs.

— Cousin Marek planter les fleurs. Ou Velika. Ou Zuza, dit-il, enchanté par l'état des lieux et moins rongé par le chagrin que je l'avais escompté.

— C'est bien, mon chou.

Tante Lovey faisait de son mieux pour le soutenir.

Oncle Stash souriait en écoutant le cantique qui résonnait dans l'église. Brusquement, son visage se transforma.

— Quel jour nous être ? demanda-t-il.

— Le 25 novembre, répondit tante Lovey.

— Le jour de sainte Katarina, dit-il.

— Quoi ?

— Mon Dieu, c'est la Sainte-Katarina.

— La première journée des sorcières, me dis-je à mesure que mes souvenirs se précisaient. C'est pour ça que le chauffeur avait des gousses d'ail accrochées à son rétroviseur. Pour éloigner les sorcières.

Ruby fit un autre bruit sinistre, mais, cette fois, personne ne rit.

(Quand nous étions petites, oncle Stash nous avait parlé des journées des sorcières et des traditions populaires associées aux fêtes des saints à l'approche de Noël. Selon le folklore local, le mal rôde dans l'ombre du 25 novembre jusqu'après le solstice d'hiver, c'est-à-dire durant la période de l'année où la nuit l'emporte sur le jour. Et les sorcières sont omniprésentes. À l'occasion de l'une des fêtes des saints, on ne permet pas aux femmes d'entrer dans les maisons avant midi : en effet, c'est le matin que les sorcières tentent de s'introduire dans les domiciles, parfois sous les traits d'une épouse. Nous n'avions pas songé que nous arriverions à Grozovo à la Sainte-Katarina. Et même si nous l'avions su, nous n'aurions jamais pensé que les habitants du village croyaient encore aux sorcières, comme au temps de l'enfance d'oncle Stash.)

À la blague, Ruby dit qu'elle espérait voir une sorcière à Grozovo. Pendant qu'elle riait, je commençai à me demander comment les villageois réagiraient à notre arrivée en ce jour particulier. Que diraient des campagnards slovaques en nous découvrant en chair et en os, Ruby et moi ?

— Nous attendre la fin de la messe et rencontrer ici les membres de ma famille ? demanda oncle Stash.

— Tiens, je n'y avais pas pensé.

Tante Lovey se tourna vers nous.

— Ça ne risque pas d'être un peu trop? Tout le village sera là.

Elle ne fit pas référence aux journées des sorcières ni à la réaction que des villageois superstitieux risquaient d'avoir en nous voyant débarquer en ce jour.

Oncle Stash hocha la tête, mais ne dit rien. Cette indécision m'horripilait. J'aurais bien voulu que l'un d'eux prenne les choses en main. (Ruby et moi ne pouvions pas nous permettre une telle attitude. Nous devions nous montrer résolues.)

— Je m'orienter, dit oncle Stash en grimpant sur les marches de l'église.

De là, il aperçut le minuscule village lové dans la vallée peu profonde.

— Vous venir voir, souffla-t-il. Lovey, les filles, vous venir.

Nous gravîmes l'escalier à la suite de tante Lovey. Sous nos yeux se déployait un joli petit village aux maisons en paille et en pierres, un puits couvert sur la place et, au-delà, une mare aux canards criblée de quenouilles. Les lieux étaient en tous points conformes à la description qu'oncle Stash en avait faite.

— C'est magnifique, dit tante Lovey. Pourquoi ne pas descendre chez une de tes cousines et attendre son retour dans la cour?

Oncle Stash hocha la tête, même s'il n'avait pas entendu un mot. Il restait immobile, à contempler le village. Les souvenirs l'envahissaient. Mais il avait mal choisi son moment. D'un instant à l'autre, les fidèles sortiraient de l'église. Comme l'avait indiqué tante Lovey, rencontrer tout le village d'un seul coup risquait d'être un peu trop. (Trop pour nous ou pour Grozovo ?)

Oncle Stash descendit. Peut-être avait-il honte de ses émotions. Peut-être avait-il envie d'être seul pendant un moment. Il se dirigea vers les bois qui bordaient l'un des côtés de l'église. Tante Lovey hésita : qui, de ses filles ou de son mari, pouvait-elle abandonner sans risque ? Elle décida que c'était son mari qui avait besoin d'elle, même si je ne lui aurais pas nécessairement donné raison.

— Restez ici, les filles. Rose, Ruby.

Je me sentis négligée, mais, à mon âge, je n'eus pas le courage de dire : « Je t'en prie, ne nous laisse pas ici toutes seules. » Il était temps de montrer ce que nous avions dans le ventre, Ruby et moi.

Dans l'église, la chorale chantait de façon sublime. Nous sursautâmes lorsque les portes s'ouvrirent brusquement. Il y eut un crescendo, puis les portes se refermèrent. La femme qui était sortie semblait soulagée, comme si elle avait échappé à je ne sais quel tourment. C'était une fille de notre âge, aussi ronde que grande, vêtue d'une robe en lambeaux, mais propre, et d'un manteau mal ajusté : elle était si lourdement enceinte qu'elle risquait à tout moment d'avoir des contractions (ou aurait dû accoucher deux semaines plus tôt). Elle avait le visage bouffi, gonflé, couvert de marbrures. Ses lèvres et le lobe de ses oreilles semblaient mauves plutôt que rouges. La jeune femme aperçut Ruby, puis moi, seules sur les marches de l'église, au milieu des montagnes de l'est de la Slovaquie. Elle ne sembla pas particulièrement effrayée ni même surprise — plutôt curieuse, en fait. Elle s'avança vers nous en plissant les yeux, convaincue que, de près, la vision qui s'offrait à elle trouverait un sens. Elle s'avança, s'avança, si près que je pus compter les capillaires dans le blanc de ses yeux, sentir le lainage rêche de son manteau brun. La femme enceinte cligna des yeux, leva la main et nous sidéra, Ruby et moi, en posant sa paume tiède sur l'endroit où nos têtes sont soudées l'une à l'autre.

— Mon Dieu, murmura-t-elle en slovaque.

Puis, perdant connaissance, elle tomba par terre.

— Sonya ! s'exclama un homme de grande taille, à la barbe noire sévère et aux yeux féroces (dans mon souvenir, ils étaient rouges et ils clignotaient, mais c'est sûrement un effet de mon imagination), qui sortit en coup de vent au moment précis où le crâne de la jeune femme heurtait le sol.

Juste avant de s'élancer et de s'agenouiller près de son épouse évanouie, l'homme plongea ses yeux noirs dans les miens. Il ne semblait pas seulement haineux, comme d'autres l'étaient en nous voyant. Il aurait été capable de nous assassiner. Et je comprenais sa fureur.

— Sonya ! Sonya ! cria-t-il.

Ruby et moi reculâmes en voyant le barbu sortir un mouchoir de dentelle de la poche du manteau de sa femme et s'en servir pour empêcher le sang de couler de son crâne.

À l'intérieur, la chorale acheva le dernier hymne processionnel et tous les fidèles, précédés par le prêtre, sortirent de l'église. Surpris et inquiets de trouver le barbu penché sur sa femme, ils ne nous remarquèrent pas, Ruby et moi. Sans doute tante Lovey et oncle Stash étaient-ils revenus sur les entrefaites. Dans mon champ de vision périphérique, je distinguai l'image floue dont j'avais l'habitude. Tante Lovey allait se porter au secours de la femme, mais oncle Stash la retint.

— Je suis infirmière, dit-elle.

— Toi être étrangère, répliqua-t-il.

Le mari leva les yeux sur Ruby et moi qui, du haut des marches, observions la scène. Il nous désigna en agitant la main et en prononçant des mots que nous ne comprenions pas. Je trouvai un peu de réconfort dans le fait que ma sœur était à côté de moi, effrayée elle aussi. La foule se tourna vers nous, et nous retînmes notre souffle. Personne ne suffoqua d'horreur. Personne ne hurla de peur. Le calme collectif qui s'abattit sur nous me donna à penser que ces gens nous attendaient. Comme une prophétie. Ou une malédiction.

Silence. Que le vent dans les pins. Puis le glissement des pieds des villageois qui faisaient cercle autour de nous sur les marches de l'église, ainsi que des fêtards entourent des nouveaux mariés ou des endeuillés un cercueil.

Le mari en colère dardait toujours l'air du doigt, prenait les fidèles à témoin : certains d'entre eux avaient volé au secours de sa femme, tandis que les autres se désolaient de sa malchance. Nous vîmes la femme enceinte, ranimée grâce à du vinaigre et à de l'eau froide, se rasseoir et prendre appui sur son mari barbu. Je fus soulagée de l'entendre inspirer à fond. À la vue du sang sur ses doigts, elle sembla se rappeler la cause de son évanouissement. Elle voulut se tourner vers Ruby et moi, mais son mari l'en empêcha, tira sur ses épaules, lui parla durement. La femme se mit à pleurer.

— Mon Dieu, chuchota Ruby.

— Je sais.

— Vas-y, Rose.

— Je ne peux pas.

— Tante Lovey ! dit Ruby d'une voix pleurnicharde. Oncle Stash !

Puis, soudain, une voix de femme, perplexe et stupéfiée, s'éleva au milieu du chaos.

— Stanislaus ?

Les sons, le mot, agirent comme une clé qui déverrouilla mes genoux. Je me tournai lentement vers oncle Stash et tante Lovey, campés à moins de trente centimètres derrière nous, là où ils se trouvaient depuis le début. (Étrange, dans la mesure où je me sentais parfaitement seule et impuissante.)

— C'est Stanislaus ! Stanislaus Darlensky ! s'écria la femme corpulente (je ne savais pas encore que c'était cousine Zuza).

À ces mots, une vingtaine de personnes (que Ruby et moi coiffions du titre générique de « parenté slovaque ») s'avancèrent, comme si elles avaient été passées au tamis, pour accueillir oncle Stash avec incrédulité, et non comme un étranger ou un fils prodigue. Pendant un moment, ils nous oublièrent, Ruby et moi. Nous étions de simples aberrations de la nature. Stanislaus Darlensky était un fantôme.

Détachant mon regard de la parenté slovaque, je constatai que la femme enceinte était consciente et qu'elle marchait, appuyée sur son mari aux yeux sombres. Un homme entièrement glabre la tenait par l'autre coude. Comme les autres habitants de Grozovo, ils descendaient la colline, tous les trois, en jetant des regards furtifs par-dessus leur épaule et en chuchotant entre eux. Qui que nous soyons, Ruby et moi — sorcières, anges ou démons —, nous étions enfin là, semblaient-ils se dire, et c'était Stanislaus Darlensky qui nous avait emmenées.

Oncle Stash tendit les mains vers nous.

— Voici mes filles, dit-il fièrement, comme si notre existence était en soi une réalisation.

— *Dobrý deň,* dis-je en guise de salutation.

— *Dobré râno,* corrigea Ruby.

Les membres de la parenté slovaque nous regardaient. Ma sœur et moi avions l'habitude de la partie de ping-pong que jouaient les yeux de ceux qui nous voient pour la première fois : certaines personnes fixent l'endroit où nos têtes sont soudées, mais la plupart vont d'un visage à l'autre. La première fois, les plus raffinés — nous en avons rencontré très peu, et toujours à Toronto — font comme si notre situation n'était ni choquante ni même très surprenante. Comme s'ils connaissaient des dizaines de jumeaux craniopages et qu'ils avaient eu leurs hygiénistes dentaires craniopages à dîner le weekend précédent. Ils établissent aussitôt le contact visuel avec nous. Et ils ne posent jamais de questions personnelles. (Les personnes raffinées sont les pires.) Les membres de notre parenté slovaque ne jouèrent pas au ping-pong. Ils ne fixèrent pas non plus la soudure entre nous. Ils n'établirent pas de contact visuel. Ces Slovaques nous embrassèrent l'une après l'autre, Ruby et moi, jusqu'à ce que chacun ait eu son tour (ils étaient vingt et un) et que, comme eux, nous sentions le fromage frais. Et les pieds de porc. Oncle Stash nous sourit et nous embrassa lui aussi.

Ensemble, les Darlensky de Leaford et de Grozovo descendirent lentement la pente douce en direction de la maison des cousines Zuza et Velika, qui nous avaient invités à manger. (L'une était veuve depuis peu. L'autre célibataire. Elles vivaient ensemble, comme des vieilles filles.) Je n'avais pas encore réussi à repérer, parmi tous ces gens, cousine Velika, cousine Zuza et cousin Marek. Je savais qu'ils nous observaient parderrière, Ruby et moi, en songeant que nous étions merveilleuses. Et horribles.

Il ne fut pas question de la femme enceinte. Du moins à notre connaissance.

Personne ne parlait anglais. Pas une expression. Pas un mot. Oncle Stash traduisait pour nous, mais je songeai qu'il devait être effrayant de se retrouver seul dans un pays étranger, incompris de tous. Que la solitude devait être lourde à porter ! (Pas étonnant que les immigrants aient tendance à se regrouper. Au sujet de sa mère, qui s'était établie au Canada mais n'avait appris qu'une douzaine de mots anglais, oncle Stash avait l'habitude de secouer la tête. Elle avait des amis slovaques. Elle faisait ses courses dans des boutiques slovaques. Elle allait à l'église slovaque. Oncle Stash croyait s'être parfaitement intégré à l'Amérique du Nord, mais, à mon avis, ce n'était pas tout à fait exact.)

Je fus soulagée de constater que nos cousines vivaient à flanc de colline plutôt qu'au creux de la vallée. On nous fit entrer dans la cuisine vaste et basse d'une vieille maison de pierres et on nous pria de nous installer autour de la table en bois bancale. Ruby et moi dûmes nous jucher sur deux chaises de la même hauteur. Tante Lovey et oncle Stash prirent place à côté de nous, et les autres, une douzaine de parents en tout (nous en avions perdu quelques-uns en cours de route — surtout des femmes qui s'étaient hâtées de rentrer pour préparer le repas de leur mari) restaient debout ; d'autres s'étaient affalés tout près ou s'appuyaient contre la table.

Instinctivement, comme nous le faisons toujours dans de telles situations (non pas que nous ayons déjà vécu une situation comme celle-là), Ruby et moi trouvâmes un rythme naturel d'exploration. Elle regarde. Je regarde. Elle. Moi. Un, deux, trois, à toi. Un, deux, trois, à moi. Les murs étaient faits de larges pierres des champs entre lesquelles on avait glissé du mortier et de la paille pour couper le vent, ce qui ne m'empêcha pas de sentir un courant d'air froid sur mon cou. Dans un coin, il y avait quatre petits lits poussés l'un contre l'autre, ce qui laissait clairement entendre que cette installation n'était que temporaire. Dans un autre coin, de la fumée montait d'un poêle à bois où la femme au visage rond qui avait été la première à reconnaître oncle Stash remuait le contenu d'une énorme marmite noire. Tante Lovey me souffla à l'oreille qu'il s'agissait de cousine Zuza. Je n'arrivais pas à croire qu'elle avait été belle. Ni à l'imaginer jeune.

Il n'y avait pas de salle de bains, ni de porte s'ouvrant sur une salle de bains, ni de porte tout court, hormis celle par où nous étions entrés. Il y avait un évier surmonté d'un robinet à pompe manuelle. Des lampes à huile et des chandelles. Je me rendis aussitôt compte qu'il n'y avait pas un seul miroir dans la maison des vieilles femmes, et je me sentis dissociée de ma sœur.

J'entendis du chou grésiller dans de la graisse de bacon. Cousine Zuza préparait des *haluski*. Un plat réconfort slovaque. Je salivai à la vue de la vieille ratatinée qui touillait le contenu de son chaudron avec un manche à balai (bon, d'accord, c'était une marmite et une cuillère, mais vous comprendrez sans mal mon emportement). Pendant ce temps-là, les hommes s'agglutinèrent à table autour d'oncle Stash pour avaler leur *pivo* couleur ambrée et se remémorer leur folle jeunesse. (Je me demandai si oncle Stash annoncerait aux siens que sa mère était morte ou s'il l'avait déjà fait.)

À part Ruby et moi, il y avait seulement trois autres femmes dans la pièce, toutes affairées. Tante Lovey s'était vu confier la tâche de découper des briques de pain noir en tranches épaisses et elle s'exécutait avec des airs de fille d'arrière-cuisine, opprimée et vengeresse. En sciant les miches, elle chercha oncle Stash du regard, mais il était trop heureux pour remarquer quoi que ce soit. À maintes occasions, il nous avait oubliées, Ruby et moi. Jamais encore ne l'avais-je vu oublier tante Lovey. Mais il faut dire qu'oncle Stash n'était pas lui-même.

Finalement, cousine Zuza et une femme avenante, légèrement plus jeune, vêtue d'un chemisier blanc et d'une jupe brun chocolat (cousine Velika), servirent aux hommes des bols de *haluski* fumant. Tante Lovey beurra le pain qu'elle avait coupé à la sueur de son front et tendit les tartines aux hommes, qui ne dirent pas merci. Ruby et moi fûmes servies en dernier. Une fois que tous les hommes eurent leur cuillère en main, oncle Stash nous fit signe de commencer. Alors seulement nous nous rendîmes compte que, bien qu'on nous ait fourni deux cuillères, nous avions devant nous un seul bol que nous devions partager. Je soufflai à Ruby de ravaler son humiliation et de manger le *haluski,* qui était moins gras que celui de tante Lovey, et aussi plus salé et plus crémeux

(Zuza avait utilisé du caillé frais et non du fromage cottage).

Dans la maison de pierres, tout était silencieux, sauf pour le tintement des couverts et le grincement des dents. Oncle Stash et les autres hommes engouffrèrent leurs boulettes de pâte avant d'attaquer les grosses parts de strudel aux poires que les femmes avaient déposées devant eux. Par hasard, je regardais oncle Stash lorsqu'il déposa sa fourchette. Puis il porta lentement la main à sa poitrine et je me figeai. « Son cœur », songeai-je, incapable de respirer. Il se donna un léger coup et rota, puis il reprit sa fourchette et revint à son dessert.

Des bruits de pas retentirent sur les pierres de l'allée. Tous les yeux se tournèrent vers la porte, qui s'ouvrit pour laisser entrer deux hommes, portés par le vent. Ils transportaient trois lourds sacs chacun. L'un d'eux, très vieux, avait le dos voûté, et ses rares dents étaient ébréchées et noircies. L'autre homme, qui avait notre âge, était beau et ténébreux, avec de longs cils et une barbe très courte. Les hommes, surpris de trouver la parenté ainsi réunie, étaient trop épuisés pour se demander ce que nous fabriquions là. Peut-être avaient-ils oublié que c'était la Sainte-Katarina ; peut-être ont-ils cru que Noël était déjà de retour.

Sans doute le vieil homme avait-il la vue basse, car il ne nous repéra pas tout de suite, Ruby et moi. Le jeune, en revanche, nous aperçut sur-le-champ. Et nous dévisagea sans gêne.

À la vue du vieillard aux dents noires, oncle Stash pâlit. Il se leva en faisant grincer sa chaise sur le sol et se dirigea vers la porte.

— Qui es-tu ? demanda en slovaque le vieil homme voûté.

Oncle Stash ne répondit pas tout de suite et je me demandai s'il avait de nouveau perdu la voix. Puis je compris qu'il était étranglé par l'émotion.

— C'est moi, Stanislaus, dit-il.

Mais le vieillard était dur d'oreille.

Dans la cuisine, cousine Velika se signa, tandis que Zuza pleurait, le nez dans son tablier.

— Tu me connais ? demanda le vieil homme, sceptique.

— Oui, Marek. Je te connais.

Oncle Stash posa la main sur l'épaule tombante du vieil homme.

— C'est moi, dit oncle Stash. Stanislaus.

Si je me posais des questions sur les effets que le métier de boucher avait eus sur la psyché d'oncle Stash, je constatai de visu ceux que les mines avaient eus sur Marek. Ce dernier secoua la tête, parcourut la pièce des yeux, étudia les visages, à la recherche du responsable de cette plaisanterie tordue et pas drôle du tout.

— C'est moi, insista oncle Stash. Stanislaus Darlensky.

— Stanislaus ? répéta Marek en branlant la tête, incrédule. Stash.

Il ne put dire un mot de plus.

Puis oncle Stash nous présenta, Ruby et moi.

D'ordinaire, Rose et moi tenons à nous lever afin de regarder les gens dans les yeux, mais, après l'ascension de la colline, j'étais fourbue, et mes jambes refusèrent de m'obéir. Nous attendîmes, tandis que cousin Marek nous regardait tour à tour, Ruby et moi. Puis il contourna la table et nous embrassa sur la tête, moi d'abord, Ruby ensuite, ce qui était la fois mignon et humiliant.

— Lui dire : « Dieu vous bénir, les filles », traduisit oncle Stash. Et bienvenue à Grozovo.

Marek poussa son petit-fils devant lui.

— Jerzy, fit-il.

Jerzy avait environ notre âge, mais il avait l'apparence d'un homme. Ruby frissonna et je déglutis pendant que Jerzy le magnifique, Jerzy le sexy, *cousin* Jerzy, s'avançait vers nous. Ruby et moi craignions qu'il ne nous touche la tête comme cousin Marek venait de le faire. Le cas échéant, nous serions mortes de honte. (C'est possible, je crois.) Il n'en fit rien. Il ne sourit pas non plus, ce qui nous inspira confiance.

— Salut, dit-il.

— Salut.

— Comment vous aller ?

— Bien. Et vous?

— Bien. Et vous?

— Bien. Et vous?

Je m'aperçus soudain que nous parlions anglais, et je me sentis prise de vertige à l'idée de converser avec une personne ne faisant pas partie de notre famille immédiate.

— Vous venir des États-Unis? demanda-t-il en se léchant la lèvre inférieure, provocant sans le vouloir.

— Du Canada, corrigea Ruby. Ici, tout le monde confond les deux.

— Tout le monde?

— Ouais.

— Tout le monde? Vous connaître tous les Slovaques?

Ruby gloussa.

— Où être la différence? Canada? États-Unis? demanda Jerzy en haussant les épaules.

Il avait un fort accent, la voix douce.

— Où être la différence? Vous me dire.

Ruby gloussa de nouveau. Son rire signifiait: « Ne me pose pas de questions. Je suis seulement là comme décoration. »

— Hum, commença-t-elle d'une voix roucoulante. Quelle est la différence entre le jour et la nuit?

— Le jour, il faire clair. La nuit, il faire noir, déclara Jerzy, sûr de lui.

— Quelle est la différence entre les Tchèques et vous ? lançai-je.

— Entre les Tchèques et les Slovaques, tout être différent, dit-il lentement avant de hausser les épaules. Tout.

— Même chose pour les Américains et les Canadiens.

— Ça venir d'Amérique, dit Jerzy en relevant brusquement sa manche pour montrer la Rolex incrustée de diamants qu'il portait au poignet.

— Génial, dis-je.

— C'est une vraie ? demanda Ruby.

Jerzy rit en appuyant sur un minuscule bouton pour illuminer le cadran.

— Évidemment ! Sinon, comment je faire pour lire l'heure ?

— Ce n'est pas ce qu'elle voulait dire, expliquai-je.

Jerzy nous dévisagea tour à tour.

— Toi et elle penser la même chose ?

(Je crus que c'était à moi qu'il posait la question.)

— Non, répondit aussitôt Ruby.

Puis, à l'unisson, comme dans un spectacle de foire, nous ajoutâmes :

— C'est à moi qu'il parlait.

Jerzy rit.

— Vous être jumelles très drôles. Vous venir en avion ? demanda-t-il. Vous vouloir de la *slivovitz*? Mon grand-père me laisser boire.

— Quel âge as-tu? demanda Ruby.

— Dix-sept ans. Et toi?

— Dix-neuf, répondis-je.

— Et toi? demanda-t-il à Ruby.

— Même chose, répondit-elle en rigolant. Nous sommes jumelles!

— Moi savoir, dit Jerzy d'une voix neutre. Moi blaguer.

Nous savions qu'il était inconvenant d'avoir le béguin pour son cousin, même s'il s'agissait d'un cousin très éloigné n'ayant pas une goutte de sang en commun avec nous, mais nous n'avons même pas tenté de résister à cousin Jerzy.

Jerzy alla se servir un verre de *slivovitz* avec affectation, conscient de nos regards posés sur lui. « Il va revenir? Il va revenir? » répétait Ruby, et son empressement m'irritait, même si je désirais la même chose qu'elle. Après s'être versé un verre d'alcool, Jerzy revenait effectivement lorsqu'il fut happé au passage par l'homme glabre que nous avions aperçu à l'église. Un peu à l'écart, il échangea quelques mots avec Jerzy, puis ils sortirent tous deux sans dire un mot ni lancer un regard dans notre direction. J'épiai la porte pendant le reste de la soirée dans l'espoir de voir revenir cousin Jerzy.

(Je regrette aujourd'hui de m'être laissé obnubiler par lui. Du coup, j'en avais oublié les retrouvailles d'oncle Stash et de cousin

Marek. En se trouvant face à face avec oncle Stash, Marek avait sans doute vu sa vie défiler devant ses yeux. La vie qu'il avait *failli* vivre.) Il y eut de nombreux visiteurs. Chaque fois que la porte s'ouvrait, Ruby et moi espérions que c'était Jerzy qui revenait, mais c'était toujours un voisin ou un autre, venu jeter un coup d'œil aux « filles soudées ensemble ».

Très tard, oncle Stash et cousin Marek, isolés dans un coin près du feu, étaient engagés dans une discussion politique. C'est du moins ce qu'affirma tante Lovey.

— Les gens d'ici se passionnent pour la politique, dit-elle.

(Ne peut-on en dire autant des gens de partout ?)

Cousin Marek tapa sur la table et oncle Stash cria à tue-tête pour se faire entendre. Cousine Zuza rangea la bouteille de *slivovitz*, et ce fut bientôt l'heure d'aller au lit.

En éclairant nos pas à l'aide d'une lampe à huile, cousine Velika nous guida jusqu'à nos quartiers de nuit, une remise désaffectée située derrière la maison. Je détectais l'odeur des chèvres gardées dans une petite grange située à une quinzaine de mètres. À l'intérieur de la remise, faite de pierres et de mortier, comme la résidence principale — et comme elle parcourue de courants d'air —, nous trouvâmes quatre petits lits, dont deux avaient été poussés l'un contre l'autre pour Ruby et moi. Les matelas étaient bourrés de plumes, et tante Lovey se souvint des matelas bourrés de dépouilles de maïs séché sur lesquels elle et les siens dormaient à la ferme quand elle était petite.

— Nous aurions donné n'importe quoi pour avoir des plumes, soupira-t-elle.

— Dormez bien, dit cousine Velika dans un anglais appliqué.

Puis elle disparut en emportant la lampe et sa lumière.

— *Dobre notte,* dit Ruby.

Elle s'endormit aussitôt, mais je restai éveillée et tendis l'oreille dans l'espoir d'entendre les murmures de tante Lovey et oncle Stash. Je ne saisissais pas un mot, mais il me semblait qu'ils parlaient de Marek. Oncle Stash semblait plein de regrets, tante Lovey compatissante. Secoué par une quinte de toux, oncle Stash dut s'asseoir. Dans le noir, tante Lovey lui donnait de petites tapes dans le dos. Je fis semblant de dormir. Ruby dormait pour de vrai.

Une fois sa toux passée, oncle Stash s'allongea de nouveau.

— Toi, l'entendis-je chuchoter.

— Toi, répondit tante Lovey sur le même ton.

Je sentis un courant d'air froid passer entre les pierres. Instinctivement, je tendis la main pour m'assurer que les jambes de Ruby étaient couvertes. Je lui touchai le lobe de l'oreille. Notre façon à nous de dire « Toi ». J'aurais bien aimé qu'elle soit réveillée et touche mon oreille à son tour.

Je ne saurais dire combien de temps je dormis ni quelle heure il était quand je sentis un doigt m'effleurer l'épaule. Ouvrant les yeux, je vis la lumière d'une lampe à huile trembloter dehors, derrière la porte ouverte. Je jetai un coup d'œil aux lits voisins et, à la lueur de la lampe, constatai que tante Lovey et oncle Stash dormaient toujours profondément, la première en geignant, le second en ronflant.

J'entendais des mouvements dans la remise, mais je ne voyais rien et je me demandais qui était là.

— Cousine Velika ? murmurai-je. Cousine Zuza ?

— Chut, me répondit-on.

Puis cousin Jerzy apparut dans mon champ de vision.

— Toi pas faire de bruit, dit-il. Toi pas les réveiller.

Sa considération pour tante Lovey et oncle Stash me fit plaisir.

— Qu'est-ce que tu fais ici ? demandai-je à voix basse.

— Chut. Toi réveiller ta sœur. D'accord ?

Je tirai sur la peau de l'abdomen de Ruby, la pinçai juste assez pour avoir son attention. Elle ouvrit les yeux et, hébétée et désorientée, trouva notre beau cousin penché audessus de nos petits lits poussés l'un contre l'autre.

— Être moi, Ruby, dit Jerzy.

— Salut, glapit Ruby.

— Chut, murmurai-je. Ne réveille pas tante Lovey et oncle Stash.

— D'accord.

— Vous vouloir partir à l'aventure? demanda cousin Jerzy.

— Oui, répondîmes-nous d'une même voix, puis, fidèles à notre habitude, nous nous pinçâmes.

— Vous venir, chuchota cousin Jerzy en tendant les deux bras pour nous aider à nous lever.

— D'accord, répondis-je avec trop d'empressement.

Cousin Jerzy nous tira de nos lits sans se laisser démonter par nos proportions de jumelles conjointes, comme s'il nous connaissait depuis toujours. Il avait déjà trouvé nos manteaux dans l'obscurité et, en nous poussant vers la sortie, il nous aida à les enfiler.

— L'aventure être super, dit-il sur un ton encourageant en nous entraînant sur le sentier sombre.

— Mes chaussures, dis-je en me rendant compte que je portais les chaussons en laine rose à pompons que Nonna avait tricotés pour nous en prévision du voyage.

Jerzy me fit signe de me taire et nous obligea à accélérer le pas dans l'allée boueuse.

— L'aventure être notre secret, O.K.?

— O.K., opina Ruby.

Mais je connaissais Ruby, et je savais que cette « super » aventure lui inspirait déjà de vives réserves.

Elle tira sur ma manche et je m'arrêtai.

— Nous ne devrions peut-être pas…

— Nous devoir ! s'exclama Jerzy.

Il appuya sur le petit bouton de sa montre pour voir l'heure. En guise de confirmation, eût-on dit, il consulta la lune.

— Vite, dit-il. Nous aller.

— Je ne crois pas, déclara Ruby.

— Vous ne pas aimer l'aventure ? demanda Jerzy sur un ton accusateur.

— Oui, répondis-je. N'est-ce pas, Ruby ?

— Quel genre d'aventure ? demanda Ruby.

— Aventure secrète.

— Il vaudrait mieux demander la permission à tante Lovey et oncle Stash.

— Ah bon, fit Jerzy d'un air méprisant. Moi comprendre. Vous être grandes filles, mais vous être vraiment petites filles. Moi comprendre.

— Non, absolument pas, protestai-je.

Soudain, j'avais très envie de la super aventure secrète que nous promettait Jerzy. Nous avions presque vingt ans. Nous n'étions plus des enfants. Ça non.

— Nous aller ! *Prosím,* reprit Jerzy en tapant dans ses mains.

— Bon, d'accord, fit Ruby, soudain enhardie. Allons-y.

J'aperçus un éclat de métal sur la route devant nous, mais je ne compris qu'il s'agissait d'un camion que lorsque les vapeurs du diesel assaillirent mes narines. Jerzy ouvrit la portière et nous aida à grimper sur le siège du passager. J'installai Ruby à côté de moi dans l'obscurité, surprise de sentir la tiédeur d'un corps campé derrière le volant. Je poussai un cri de surprise, car, de l'extérieur, je n'avais pas remarqué le conducteur. Du coin de l'œil, je tentai de discerner ses traits, mais en vain.

— Attends-moi, dit Jerzy en slovaque au conducteur invisible. Il faut que j'aille chercher ses chaussures.

Dans mes chaussons de laine, j'avais les pieds gelés.

Notre cousin disparut. Le conducteur, grommelant en slovaque des mots auxquels nous ne comprenions rien, mit le contact et appuya avec force sur l'accélérateur. Dans la faible lueur verte du tableau de bord, je m'efforçai de distinguer les traits de l'homme. Son profil se précisa, et je frissonnai : c'était le barbu dont la femme enceinte avait touché nos têtes et s'était évanouie sur les marches de l'église.

Je faillis perdre connaissance à mon tour.

— Rosie ? murmura Ruby.

— Ça va, dis-je.

— Où est Jerzy ?

— Il est parti chercher mes chaussures.

— Pourquoi sommes-nous partis sans lui ?

— Il a peut-être sa propre voiture, risquai-je en guise d'explication.

Les phares du camion étaient si puissants et si bas qu'ils semblaient découper la route. L'homme respirait par le nez à la façon d'un taureau, et son souffle était mouillé et haletant. Tandis que nous dévalions la colline, emportées par le barbu, l'histoire commença à prendre forme dans ma tête, comme dans un roman, au moment où on se rend compte qu'il n'y a qu'un seul dénouement possible. Je distinguai avec une netteté parfaite l'enchaînement des événements qui nous avaient conduites jusqu'à cet endroit. Et, dans ma boule de cristal, je vis la suite.

Après l'église, le barbu avait ramené sa pauvre jeune épouse à la maison. Elle avait commencé à avoir des contractions et avait donné naissance à un fils mort-né. Son présent détruit, son avenir anéanti, l'homme voulait se venger de Ruby et de moi. Pour apaiser le sentiment de panique qui m'habitait, je songeai aux rebondissements de l'intrigue, heureuse que Ruby n'ait pas vu le conducteur. Je ne savais pas comment dire à ma sœur que nous étions sur le point de mourir.

Le barbu appuya de nouveau sur l'accélérateur en marmonnant. Les bois étaient si noirs que j'avais l'impression de voyager dans l'espace. J'avais les pieds glacés. Nous nous engageâmes brusquement sur une autre route. Les cahots nous secouaient, et je m'accrochais au tableau de bord, tandis que Ruby se cramponnait à moi. Les pneus glissaient dans la boue.

La lune apparut derrière un rideau de nuages, baignant la forêt de sa lueur. Je me demandai si le barbu nous abandonnerait dans les bois pour nous laisser mourir à petit feu ou s'il nous tuerait sur-le-champ. J'avais du mal à décider laquelle de ces éventualités je préférais. Le conducteur prit une autre route, au bout de laquelle se dressait une maison en pierres trapue, éclairée par une unique lampe à huile posée derrière la petite fenêtre de la façade.

Le barbu immobilisa le camion devant la maison.

— Où sommes-nous, Rose?

— Chut, répondis-je.

Je ne pus rien ajouter. Le conducteur descendit et vint ouvrir notre portière. À la lueur de la lune, Ruby le vit enfin clairement. L'homme devait avoir l'air d'un démon.

— Rose? fit-elle d'une voix étouffée.

— N'aie pas peur, d'accord?

— O.K.

— Tu n'es pas seule.

— O.K.

— N'aie pas peur.

— O.K.

Je sentis Ruby toucher mon oreille au moment où l'homme tendait les mains vers nous. De toute évidence, il se demandait par où nous prendre pour nous obliger à sortir du camion au plus vite.

Nous nous dirigeâmes vers la maison. À côté de nous, les bottes du barbu ne faisaient absolument aucun bruit, tandis que, dans mes chaussons à pompons, j'avançais bruyamment, titubais dans l'allée en gravier, ma sœur en équilibre sur ma hanche. Bref, j'étais bel et bien le monstre que je voyais dans les yeux de l'homme.

Il ouvrit la porte et nous invita à le suivre, sans brusquerie mais sans amabilité. On détectait dans l'air une légère odeur d'ammoniac. L'intérieur de la maison ressemblait à s'y méprendre à celui de la maison de Velika et Zuza, sauf qu'il y avait une autre pièce dont la porte était entrouverte. Une seconde lampe y était allumée. Pas un mouvement, pas un bruit.

Prise de nausée, je songeai à ressortir. Le barbu nous contourna et vint se planter devant nous. Il n'était pas armé. Je me demandai s'il avait l'intention de nous étrangler ou de nous battre à mort de ses mains nues. Il se contenta de nous regarder, passant de mon visage à celui de Ruby, ses yeux jouant au ping-pong, ainsi que nous en avons l'habitude.

Lorsque la porte de la deuxième pièce s'ouvrit en grinçant, nous nous retournâmes tous : la silhouette de l'homme glabre que nous avions vu à l'église se découpait dans l'embrasure. C'était lui, le lien avec Jerzy, le cousin qui nous avait conduites à l'abattoir.

Je n'aurais pas dû être surprise de me trouver face à cet homme, mais je le fus quand même.

L'homme glabre nous examina longuement, Ruby et moi, avant de murmurer quelques mots en slovaque à l'intention du barbu.

Ce dernier hocha lentement la tête et nous poussa dans la chambre, où se trouvait un lit. Et dans le lit, un corps.

— Mon Dieu, m'entendis-je dire.

— Est-elle morte ? gémit Ruby en reconnaissant la femme enceinte de l'église.

Je m'arrêtai au bord du lit. En voyant les orteils de la femme remuer sous la couverture, je faillis pleurer de soulagement. J'aurais donné n'importe quoi pour la voir ouvrir les yeux, mais elle semblait plongée dans un profond sommeil.

— Elle n'est pas morte, soufflai-je, comme si c'était moi qui l'avais ramenée à la vie.

Puis Ruby vit ce que je ne fis qu'entendre — un miaulement si ténu qu'on aurait pu croire au cri d'un chaton nouveau-né ou d'un oisillon tombé du nid. Ruby me força à me tourner et je découvris, dans la lueur de la lampe à huile, deux bébés emmaillotés dans des couvertures en coton doux, posés côte à côte dans un vieux berceau en bois, magnifiques, tout roses et indiscutablement vivants.

Ils ne pouvaient pas peser beaucoup plus de deux kilos chacun. (« Pour le repas du dimanche, ma mère préparait des rôtis plus gros », avait coutume de dire tante Lovey à propos des bébés prématurés qu'elle voyait à St. Jude's. La métaphore me semblait chaque fois bizarre.)

— Des jumeaux, soufflai-je.

— Mon Dieu, dit Ruby. Pensent-ils que c'est à cause de nous qu'elle a eu des jumeaux ?

— Oui, je suppose, répondis-je lentement.

— C'est une bonne chose, non ?

Le barbu, lorsque nous trouvâmes son visage, ne sourit pas. En fait, il affichait une expression indéchiffrable. Il fit signe à son ami (son frère ?), l'homme glabre, et, ensemble, ils soulevèrent les jumeaux.

Ruby et moi observions la scène avec stupeur. Je n'arrivais pas à imaginer (et pourtant, j'ai passé ma vie à imaginer des choses) ce que les deux hommes feraient des jumeaux.

Je regardai le visage crispé du bébé le plus rapproché de moi. *Creatura,* songeai-je. (C'est par ce mot que Nonna désignait les nouveau-nés. *Creatura.* « Lui, il n'est pas encore humain. Il n'a pas encore d'âme. ») Avec leurs yeux noirs d'insecte et leur nez à peine visible, les jumeaux avaient l'air d'extraterrestres. (Quelques heures plus tôt, ils respiraient du liquide et non de l'air !) Lèvres rondes et exsangues. Touffes de cheveux noirs frisés. (Je m'efforçai de ne pas penser à Taylor, mais j'entendis, comme je l'entends encore aujourd'hui, la voix de tante Lovey répéter que je regretterais plus tard de ne pas avoir posé les yeux sur ma petite fille, et c'est une vérité dure à porter.) Instinctivement, je tendis les bras, mourant d'envie de prendre un des bébés, lui offrant le berceau de mon bras, mais le barbu secoua la tête.

À la place, il souleva le nourrisson lentement et doucement, de manière à ne pas nous effrayer, Ruby, le bébé et moi, et posa le petit front tout tiède contre l'endroit par où nous sommes attachées.

— Ah, fit Ruby. Oh.

Le barbu prononça doucement quelques mots sacrés ou accablants. Nous ne savions pas si, ce faisant, il nous demandait de bénir les bébés ou d'annuler le sort que nous leur avions jeté.

L'homme glabre souleva l'autre bébé et répéta le même geste, posant le front tiède du nouveau-né contre l'endroit par où nous sommes attachées. Les deux hommes attendirent un long moment avant de remettre les bébés dans leur berceau. Puis l'homme glabre souleva la manche de sa chemise et poussa un petit bouton sur sa montre. Je remarquai qu'il portait la même fausse Rolex que cousin Jerzy.

D'ailleurs, où était-il, celui-là? Quand serions-nous autorisées à rentrer? À cause du sol en pierre froid, j'avais mal aux pieds. L'homme glabre, après avoir consulté sa montre, sembla inquiet. Il aboya quelques mots à l'intention de son ami barbu, qui scruta la sienne (encore une Rolex contrefaite) et, soudain, s'élança vers nous. M'empoignant fermement par le bras, il nous entraîna vers la porte. Pas de remerciements dans le regard qu'il posa sur nous. Pas de crainte non plus. Et certainement pas de vénération. Je me méfiais de mon instinct. Était-il un ami ou un ennemi ? Depuis mon arrivée en Slovaquie, je me trompais toujours. Pour moi, ces gens étaient opaques. Et cette incompréhension ne tenait pas qu'à ma maîtrise inexistante de leur langue.

L'homme ouvrit la porte, nous poussa dans le froid et nous fit signe de le suivre jusqu'au camion. Sur ses ordres, nous nous installâmes de nouveau. Le menton tremblant, Ruby demanda :

— Nous ramène-t-il chez les cousines Zuza et Velika ?

Je n'aurais pas reconnu la route noire en gravier que nous avions prise à l'aller, mais j'étais sûre que ce n'était pas celle sur laquelle nous roulions à présent. Nous descendions au lieu de monter, et les vieilles cousines vivaient au sommet de la colline. Nous nous enfoncions de plus en plus profondément dans les bois sombres. Je me demandai si l'homme avait une hache dans son camion. Bien sûr que oui. Puis, à la lueur de la lune, je distinguai des quenouilles et des herbes hautes, et je me rendis compte qu'il nous conduisait à l'étang.

J'eus la curieuse impression que Ruby et moi étions des chatons enfermés dans un sac.

— Je crois qu'il va nous noyer.

Voilà tout ce que je songeai à dire.

— Comme des chatons dans un sac, ajouta Ruby.

J'en eus la chair de poule.

Tandis que l'homme nous forçait (aidait ?) à sortir, je me dis qu'il était ironique de penser que nous allions être noyées dans les eaux où oncle Stash avait sauvé la vie de cousin Marek. Puis je vis une ironie supplémentaire dans le fait que nous allions mourir là où maman Darlensky était née, tandis qu'elle était morte là où nous étions nées. (Depuis que nous sommes toutes petites, ma sœur et moi avons une peur panique de la noyade. Ma frayeur ne m'avait jamais semblé intuitive ni prophétique. J'y voyais plutôt une séquelle de ce qui nous était arrivé dans le ruisseau avec Ryan Todino.)

Le barbu éclaira le sol devant nous à l'aide de la lampe de poche qu'il avait trouvée dans son camion. En me tenant par le poignet, il indiqua une grosse pierre aux bords irréguliers. Le sol était froid et parsemé de cailloux. En chaussons, je m'avançai prudemment. Nous nous arrêtâmes devant le rocher. L'homme nous fit tourner face à l'étang. Les bois environnants étaient silencieux, mais je savais que les montagnes étaient peuplées d'ours. De loups. De lynx. De loutres. De visons. Je me demandais lesquels d'entre eux seraient témoins de notre passage de vie à trépas. L'homme prononça quelques mots en slovaque.

— *Pičovina,* répliquai-je.

Je n'avais aucune idée de ce qu'il avait dit, mais « foutaises » me semblait la réponse appropriée.

J'aperçus quelque chose du coin de l'œil. Au loin, des phares de voiture découpaient des faisceaux pâles. Il y en eut d'autres, puis d'autres encore. Tous convergeaient vers l'étang.

Ruby et moi comprîmes qu'il ne s'agissait ni de tante Lovey, ni d'oncle Stash, ni de membres de notre parenté slovaque. Quels que soient ces gens, ils ne venaient pas pour nous sauver. Ruby se déplaça légèrement pour me permettre de voir de nouvelles lumières venir d'une autre direction. Mon cœur se mit à battre la chamade.

— Ne retiens pas ton souffle, dis-je à Ruby. Dans l'eau, ne retiens pas ton souffle.

— O.K.

Pendant que les voitures se garaient près de nous, je fus fière de ma sœur, qui s'abstint de gémir et de pleurer. On entendait des portières s'ouvrir et se refermer. Je me demandai si les villageois avaient apporté des pelles pour nous enterrer ou s'ils avaient l'intention de nous laisser dans les eaux de l'étang, où nous finirions toutes gonflées.

Le barbu qui nous avait emmenées jusque-là avait disparu, mais nous l'entendions aboyer des ordres dans l'obscurité. Quel que soit le supplice que les villageois nous réservaient, c'était lui qui, de toute évidence, dirigeait les opérations. Il compta jusqu'à trois. Retentit alors une symphonie de déclics, ceux des boutons en plastique des lampes de poche que les gens avaient apportées avec eux pour éclairer le chemin jusqu'à Ruby et moi. Exception faite du barbu qui criait des ordres, tout était très paisible et cohérent, voire civilisé.

— *Pičovina,* marmonnai-je.

Jurer me donnait le sentiment d'avoir la situation bien en main. Je sentis Ruby serrer les paupières au fur et à mesure que les faisceaux des lampes de poche se rapprochaient. Elle ne pleura pas, ne gémit même pas. Je ne m'attendais pas à une telle force de sa part (d'où lui venait-elle ?), et je sentis la mienne fléchir dans les mêmes proportions.

Je gardai les yeux grands ouverts. Je voulais faire face aux vingt lampes (selon mon estimation) et distinguer une personne, une seule. Quels que soient les motifs de notre exécution — qu'on nous prenne pour des démons, des sorcières ou des monstres —, je deviendrais la créature en question et je maudirais cette personne pour de bon.

Personne n'ouvrit la bouche. Bientôt, les nuages découvrirent de nouveau la lune, et je remarquai que tous ces visages sombres étaient féminins. Ces femmes, avec leurs visages ronds et inexpressifs, nous fixaient, ma sœur et moi. L'une d'elles, une vieille que j'avais vue sur les marches de l'église, dit quelques mots d'une voix rauque. Le barbu (au son de sa voix, je compris qu'il était derrière nous) lui répondit. (Il la contredisait, me sembla-t-il, mais, en slovaque, les gens ont toujours l'air de se contredire.)

Je serrai ma sœur contre moi, déconcertée de voir les femmes se mettre à la file indienne devant nous. Elles ne nous entraînèrent pas aussitôt vers l'étang, comme je l'avais imaginé. Elles n'étaient pas armées de pierres ni d'autres instruments meurtriers rudimentaires. La première s'approcha et fourra une photo dans ma main en murmurant quelques mots auxquels je ne compris rien. Je ne voyais pas bien la photo et, surtout, je ne comprenais pas pourquoi cette inconnue me l'avait donnée. Puis, sans crier gare et sans demander la permission, la femme tendit la main pour toucher l'endroit par où nous sommes attachées. Nous eûmes un mouvement de recul. Je tremblais de peur et d'indignation.

Ruby était d'un calme effronté.

— Vous n'avez pas le droit de nous toucher comme ça, dit-elle à la femme.

Cette dernière, qui ne parlait manifestement pas notre langue, sembla malgré tout comprendre l'intention. Elle chercha la silhouette du barbu derrière nous et attendit une explication.

Il s'approcha de nous, tellement que je sentis la chaleur de son corps. Son manteau de toile raide effleura mon dos, et il posa la main droite sur l'épaule de Ruby et la gauche sur la mienne. Malgré sa délicatesse, le geste visait à nous empêcher de bouger jusqu'à ce que les autres femmes aient eu leur tour.

— Elle croire que vous être une sorcière, fit une voix à côté de nous.

En nous tournant un peu, nous découvrîmes cousin Jerzy. Tout sourire, il répéta :

— Elle croire que vous être une sorcière.

— Ramène-nous à la maison, Jerzy, dis-je.

— Je vous ramener chez Velika et Zuza, répondit simplement cousin Jerzy, quand les femmes avoir fini.

— Fini quoi ? Qu'est-ce qui se passe ?

Jerzy jeta quelque chose à mes pieds. Mes chaussures.

— Une occasion, répondit-il en souriant. Une occasion qui frapper notre porte.

De façon inepte, il fit « toc-toc » avec sa langue.

— Et moi je répondre à la porte. Bonjour !

— Pourquoi veulent-elles toucher notre tête ? demanda Ruby.

— Pourquoi nous donnent-elles des choses ? demandai-je.

— Elles vouloir la même chose que tout le monde. Chance. Elles croire que vous porter bonheur.

Jerzy trouva un cure-dent dans sa poche et le glissa dans le large espace entre ses incisives.

— Elles croient que nous sommes des sorcières parce que nous sommes conjointes ? Elles croient que nous pouvons leur porter bonheur ?

— Vous arriver à la Sainte-Katarina. Avec deux têtes. Collées ensemble. Bang.

Il tapa dans ses mains.

— La preuve ? Vous porter bonheur à Sonya. Elle vous toucher la tête et bébés ne pas mourir. Même le docteur de Rajnava dire que bébés mourir.

Il haussa les épaules. Sans nécessairement prêter foi à ces superstitions, il jugeait l'argument convaincant.

— Que sommes-nous censées faire ? demandai-je en parcourant des yeux les visages pleins d'attente.

(Les femmes étaient un peu plus d'une vingtaine, mais on aurait dit qu'elles étaient mille.)

— Vous simplement leur porter chance, à ces femmes, répondit cousin Jerzy avec impatience. Pour qu'elles se sentir mieux. Pour qu'elles avoir de l'espoir. Vous comprendre ?

— Comment dit-on « chance » en slovaque ? demanda Ruby.

— Chance ?

Jerzy réfléchit un moment.

— Il y a *št'astie, osud, nahorda* et *úspech*.

J'aurais tant voulu faire autre chose, n'importe quoi, être ailleurs, n'importe où. J'aurais presque préféré que les femmes aient apporté des pelles plutôt que de l'« espoir ». Je n'arrivais pas à desserrer les lèvres, même si Jerzy attendait de toute évidence que je prenne l'initiative. Mais c'est Ruby qui nous fit dresser l'échine. Balayant la foule des yeux, elle prit les choses en main.

— Nous sommes venues à la Sainte-Katarina. Nous sommes venues pour vous porter bonheur à Grozovo. *Dobré št'astie !* cria-t-elle.

Les femmes nous regardèrent. Elles chuchotaient entre elles, méfiantes, de plus en plus mécontentes. Jusque-là ordonnée, la queue se désintégrait. Et les femmes nous confièrent encore des objets : d'autres photos, une montre de poche, une bague, un crapaud en porcelaine, une mèche de cheveux. Sans que nous nous en rendions compte, nous avions été retournées et la foule nous poussait vers l'étang.

— Chante, dis-je à Ruby. Chante quelque chose.

— Tu veux que je chante ?

— Chante !

— Quoi ?

— Quelque chose !

— Comme quoi ?

Les femmes s'immobilisèrent, intriguées par l'échange.

— N'importe quoi. Un chant de Noël.

— Quelque chose de gai ?

— N'importe quoi, je te dis !

— « Petit papa Noël » ?

— Non, pas ça !

La foule était silencieuse lorsque Ruby ouvrit la bouche pour entonner « Sainte nuit », cantique dont les paroles saisissent par leur beauté et leur concision, même si la musique est un tantinet sentimentale. Ruby chanta « Ô nuit de paix, sainte nuit », mieux que jamais auparavant, « Dans le ciel, l'astre luit », et j'eus honte de l'avoir pincée. Si souvent pincée. « Dans les champs tout repose en paiiiix. » Ma sœur si brave. « Le brillant chœur des anges aux bergers apparaît. » Ruby…

Dans un film de Hollywood, les Slovaques, après l'interprétation de « Sainte nuit » par Ruby, seraient rentrées chez elles en larmes et satisfaites de la faveur qu'elles avaient reçue, même si nous ne les avions pas laissées nous toucher. Comme notre situation était plus étrange et plus surréelle que n'importe quel film de Hollywood, les femmes se lassèrent vite de la chanson de Ruby et se tournèrent vers Jerzy et le barbu pour voir comment ils entendaient nous obliger à coopérer.

— Vous devoir les laisser vous toucher, dit Jerzy.

— Non, dis-je.

— Pas question, ajouta Ruby.

— Vous ne pas avoir le choix. Elles payer beaucoup.

— Elles ont payé ? Comment ça, elles ont payé ?

— Vous avoir votre part ! Sûr ! lança Jerzy, manifestement mécontent de s'être trahi.

Nous n'eûmes pas le temps d'exprimer la fureur que nous inspirait l'abominable esprit d'entreprise de Jerzy et de ses associés. Sentant Ruby balayer les femmes du regard, je ne pus que suivre son exemple.

— Je n'y compterais pas, murmura Ruby, au moment où le barbu obligeait les femmes à se remettre à la file indienne.

Il fit signe à la première de s'avancer.

— Je ne pourrai pas, dis-je à voix basse.

— Mais si, dit Ruby. Ferme tes yeux.

J'obéis.

— Dis-toi que ces mains sont des poèmes ou des histoires que tu écriras un jour. Dis-toi que chacune d'elles t'apporte quelque chose au lieu de te priver d'une partie de toi-même.

— Comme quoi ? demandai-je, de mauvaise humeur.

— Des idées.

La sagesse peu commune de ma sœur me réconforta, et je ne me plaignis plus d'avoir à subir le contact des mains de ces inconnues sur ma tête, même si, au souvenir de ces femmes qui croyaient arracher une sorte de grâce aux sorcières conjointes, j'ai un goût de bile dans la bouche.

Lorsqu'elles nous eurent toutes touchées, Jerzy nous tapota l'épaule comme si notre équipe venait de remporter un match décisif. Nous écoutâmes les femmes murmurer entre elles en remontant vers leurs véhicules. Leurs pieds faisaient des bruits de succion dans la boue. Nous les regardâmes s'éloigner avant de suivre cousin Jerzy jusqu'à une voiture garée non loin de là. Je me cognai l'orteil contre un gros objet et faillis perdre pied.

— Avant, vieux pommier ici, expliqua Jerzy. Eux laisser la souche trop haute.

Dans la voiture qui nous ramenait chez cousines Zuza et Velika, j'étais trop épuisée et accablée par ce que nous venions de vivre pour bien réfléchir. En se vantant du succès de l'entreprise, Jerzy suivait la piste en zigzag qui, en pleine forêt, grimpait la colline.

Notre cousin superbe et fanfaron expliqua que les villageoises attribuaient à la « fille aux deux visages » le mérite d'avoir aidé la frêle Sonya Shetlasky à mettre au monde non pas un, mais bien deux bébés pétants de santé. Jerzy et son associé, le mari de la femme enceinte, avaient décidé de tirer avantage de la situation. En échange de notre apparition au clair de lune, chacune des femmes avait versé dix *korunas,* somme que Jerzy et le barbu partageraient avec l'homme glabre.

J'étais outrée. Ils entendaient répartir les profits entre eux, mais ils n'avaient rien prévu pour Ruby et moi. (Je ne voulais pas d'argent, mais leur culot m'estomaquait.) Conscient de mon indignation, Jerzy, magnanime, proposa de retenir nos services pour toute la durée des journées des sorcières : en échange d'une apparition nocturne à l'étang, nous aurions droit à une part des bénéfices. Il suffirait d'annoncer la nouvelle dans les villages avoisinants. Une idée lui vint alors :

les entrepreneurs n'auraient qu'à noliser des autocars au départ des villages voisins, Rajnava et Kalinka.

Il tira une poignée de *korunas* de sa poche et les fourra dans ma main. Il se fichait bien que nous soyons de vraies sorcières ou que nous croyions aux sorcières. Nous avions déjà porté bonheur à Grozovo. Le reste, y compris la vérité, n'avait aucune importance. Il se gara devant la maison de nos cousines et déclara que rien ne nous obligeait à donner notre réponse tout de suite, mais il nous invita à bien réfléchir.

Je contemplai les *korunas* froissées dans ma main. J'avais la curieuse impression de les avoir gagnées.

— Tu devrais t'établir en Amérique, lui fis-je remarquer.

— Moi être slovaque, répondit-il.

Et il n'en dit pas plus.

Nous vîmes le soleil levant découper des rubans roses dans les nuages qui surplombaient l'église posée au sommet de la colline. Le ciel annonçait un jour meilleur. Jerzy et Ruby causèrent cinéma américain. Même si je ne pouvais pas partir, je m'éloignai en pensée et me demandai si tante Lovey et oncle Stash savaient où nous étions allées et ce qui était arrivé à l'étang. Le cas échéant, nous en serions quittes pour une engueulade en règle. (Nous étions trop vieilles pour être punies. Pendant le reste du séjour en Slovaquie, cependant, nous sentions sans cesse la déception de tante Lovey et d'oncle Stash, ce qui était en soi une forme de torture.)

Le jour de notre départ, je glissai les *korunas* que Jerzy m'avait données dans la bible de Zuza et Velika.

Du vol de retour jusqu'à Detroit, je garde peu de souvenirs. À un moment, nous sommes dans une courte file d'attente à l'aéroport de Košice, où personne ne nous fixe ; l'instant d'après, bien installées sur la banquette arrière de l'Impala marron, nous savourons les ténèbres du long tunnel qui nous ramène au Canada. Puis nous nous glissons dans la voie de dépassement de l'autoroute 401 éclairée par la lune, étonnés par l'épaisse couche de neige tombée, selon la radio, au cours des dernières vingt-quatre heures. En novembre, il est inhabituel de voir autant de neige. Je croyais que Leaford, dans l'attente de notre retour, serait au point mort. Mais la vie avait suivi son cours immense et splendide, sans Ruby et moi.

~

C'est Ruby.

Ce sera un court chapitre parce que nous sommes déjà en retard pour le travail. Pendant dix minutes, Rose m'a obligée à rester parfaitement immobile parce qu'elle était en train de mettre le rouge à lèvres que je lui ai offert pour notre anniversaire. Maintenant que sa peau est plus pâle, la couleur lui va mieux, ou encore c'est moi qui m'y habitue. Je suis heureuse qu'elle commence enfin à soigner son apparence. Il était temps. Mais j'ai horreur d'arriver en retard à la bibliothèque.

Aujourd'hui, nous accueillons un groupe d'élèves de septième année, et nous sommes nerveuses. Je l'admets volontiers. Rose s'y refuse. Mais pourquoi, sinon, a-t-elle eu besoin de dix minutes pour appliquer son rouge à lèvres ? D'abord, il s'agit d'élèves d'une école privée pour filles de London, et les filles sont parfois effrayantes. Surtout lorsqu'elles sont en groupe. Et quand elles fréquentent une école privée, elles viennent en général d'une famille riche. L'idée d'affronter une douzaine de fillettes de douze ans issues de familles riches a de quoi vous flanquer la trouille. L'autre considération, c'est que Rose et moi comprenons, même si nous n'en parlons pas, que celles de septième année ont le même âge que Taylor. Pour ce que nous en savons, Taylor pourrait même être parmi elles.

Il y a quelques années, nous avons reçu un groupe d'élèves de quatrième année venu d'Oil Springs, et il y avait parmi eux une fillette qui m'a fait penser à moi. Sa façon de bouger, l'arc de ses sourcils, ses lèvres et ses hautes pommettes me semblaient vaguement familiers, et j'ai soufflé quelques mots à l'oreille de Rose. Nous nous sommes approchées pour mieux l'observer, mais Rose a déclaré tout de go que ce n'était pas sa fille, car elle l'aurait tout de suite senti. Elle aurait reconnu la lueur dans ses yeux. Puis, au lit, ce soir-là, elle a dit : « Ne me fais plus jamais ça. Ne désigne plus jamais de filles qui pourraient être Taylor. »

À l'idée que Rose ait dû souligner que je m'étais montrée cruelle, j'ai eu honte. Je me suis donc moquée de sa susceptibilité à ce sujet : comme nous sommes à peu près certaines que Taylor a été adoptée par une famille du Michigan, elle ne risque pas d'entrer de sitôt à la bibliothèque de Leaford. Je regrette maintenant mes paroles.

Aujourd'hui, Nick nous conduit au travail. Dernièrement, il s'est montré très serviable.

Rose veut que je lui demande pourquoi il a fait de la prison. J'essaie de trouver le courage de lui poser la question.

HEUREUX QUI COMME ULYSSE…

~

Il était plus de deux heures du matin lorsque, à notre retour d'Europe de l'Est, nous nous engageâmes sur la route rurale nº 1. Ruby dormait profondément, mais je consignais pour la postérité, comme le font les écrivains, les événements qui avaient marqué notre séjour à Grozovo, étoffant, extrapolant et corrigeant déjà quelques détails. Sous le ciel haut et semé d'étoiles du comté de Baldoon, dans l'obscurité familière, tante Lovey jeta un coup d'œil vers la maisonnette des Merkel.

— Quelque chose ne va pas, dit-elle.

Puis, comme si elle venait d'entendre un appel à l'aide, elle ajouta :

— Tourne, mon chéri. Allons chez les Merkel.

Oncle Stash braqua. Poussé par l'adrénaline, il s'engagea en serpentant sur la voie qui, après un virage serré, débouchait sur une autre route et l'entrée des Merkel. Il se demandait pourquoi la maisonnette était éclairée comme un sapin de Noël. À la vue de la voiture, Sherman Merkel sortit en courant. Il ne chercha pas à savoir pourquoi nous étions de retour une semaine plus tôt que prévu.

— Elle est là-dedans, pliée en deux. La camionnette refuse de démarrer. J'attends l'ambulance, mais je crois que le conducteur s'est perdu.

Même en plein jour, si on ne connaît pas son chemin, il est parfois difficile de trouver une maison à la campagne. (À présent, il y a un poteau sur lequel est inscrit un numéro permettant d'identifier les occupants en cas d'urgence, mais, il y a dix ans, le conducteur n'avait aucun point de repère.) En pleine nuit, il était pratiquement impossible de trouver une maisonnette comme celle des Merkel, construite loin de la route, à l'abri d'un bosquet d'arbres touffu, et desservie par une allée différente de la nôtre.

— Depuis combien de temps attendez-vous ? demanda tante Lovey en courant vers la maison.

— Une demi-heure. Peut-être plus. Je ne sais pas. J'ai téléphoné trois fois.

Oncle Stash referma la portière et je n'en entendis pas davantage. Depuis l'habitacle, oncle Stash et moi observâmes des ombres aller et venir devant la fenêtre. Nous ne disions rien, mais nous pensions sans doute au hasard providentiel qui avait voulu que nous passions par là au moment opportun.

La porte s'ouvrit, et Mme Merkel, l'air plus pâle, plus mince et plus grande que la dernière fois que je l'avais vue, s'avança d'un pas titubant. Tante Lovey et M. Merkel la soutenaient, et elle tenait une serviette imbibée de sang entre ses jambes arquées.

— J'ai besoin de la voiture, Stash, dit tante Lovey, prenant les commandes. Sherman va conduire. Les filles et toi, vous attendez ici. Dès que Cathy sera installée à l'hôpital, je viendrai vous chercher.

Oncle Stash hocha la tête, céda sa place à M. Merkel et vint vite nous aider à sortir.

— Réveille-toi, Ruby. Nous sommes chez les Merkel.

— Je ne dors plus. Est-ce que Mme Merkel va mourir ?

En me tenant par le bras, oncle Stash nous guida dans la neige profonde jusqu'au perron glissant. Comme nous avions vu Mme Merkel et sa serviette trempée de sang, nous ne fûmes guère surpris de trouver une tache en forme de cercle près des bottes de travail de M. Merkel et une traînée de gouttelettes menant du petit couloir jusqu'à la cuisine, au fond. Suivant la piste, tels des animaux, nous trouvâmes une grosse flaque sur une des chaises. À voir le sang qui s'était infiltré dans les fissures du siège en bois, un enquêteur de la police aurait su dire depuis combien de temps il était là. Devant la chaise maculée, il y avait une tasse de thé. La boisson fumait encore, ce qui laissait supposer qu'on venait de la préparer. Femme à l'esprit pratique, Mme Merkel avait déjà compris, de la façon la plus cruelle, qu'il ne servait strictement à rien de céder à la panique. Elle avait donc demandé à Sherman de lui faire du thé pendant qu'elle se vidait de son sang, assise à la table de cuisine.

Il y eut un mouvement derrière les longs rideaux qui dissimulaient les conserves. Un trottinement. Oncle Stash tendit la main vers le balai rangé à côté du réfrigérateur.

— Espère de *kurva* de merde, dit-il en s'avançant vers les rideaux tremblants.

En ce moment précis, le fait de tuer une souris lui aurait peut-être permis de soulager sa déception, sa culpabilité, sa peur ou Dieu sait quelle autre émotion.

— Tu risques de déchirer ses rideaux ! s'écria Ruby en le voyant lever le balai.

Encore heureux que Ruby ait empêché oncle Stash de taper dessus, car, derrière, il y avait non pas une souris, mais bien un chiot. Un petit corniaud aux grands yeux bruns. Oncle Stash saisit l'animal par la peau de son cou maigre et nerveux.

— Quoi nous faire de toi ? demanda-t-il.

— Il faut l'emmener chez nous ! s'écria Ruby.

— D'accord, dit oncle Stash.

— Il est trop petit pour dormir dans la grange !

— D'accord, dit oncle Stash.

— Il peut dormir dans notre chambre ! gémit Ruby, qui n'avait pas encore compris qu'oncle Stash voulait bien qu'elle emmène l'animal.

Lorsque, des heures plus tard, nous entendîmes la voiture s'engager dans l'allée, nous ne nous levâmes même pas.

— Elle a un fibrome de la taille d'un cantaloup, dit tante Lovey en ouvrant la porte.

Je n'ai pas la prétention de comprendre la nature des rapports qui unissaient oncle Stash, tante Lovey et Mme Merkel. Mais jamais je n'oublierai la compassion dont tante Lovey fit preuve en cet instant. À peine débarrassée de son manteau, elle s'approcha d'oncle Stash, le prit dans ses bras et embrassa ses joues rouges sillonnées de larmes.

— Elle va s'en sortir, dit-elle.

Puis elle ajouta :

— Toi.

Le chiot, qui dormait sur mes genoux, roulé en boule, se réveilla. À la vue de tante Lovey, il sauta par terre et alla se coucher à ses pieds. Elle baissa les yeux.

— Mignon, très mignon, dit-elle sur un ton sarcastique.

— Nous le ramenons à la maison, tante Lovey, dit Ruby.

Tante Lovey fit la moue, mais elle ne dit pas un mot.

Nous arrivâmes à la maison à l'aube d'une journée d'une clarté comme je n'en avais jamais vu : le ciel était haut et bleu, et le soleil, dont la croûte de neige reflétait les rayons, donnait aux champs l'apparence de lacs argentés. J'en voulais aux corneilles de se poser, de piétiner mes illusions. Nous n'étions pas attendus avant une semaine. Aux prises avec une femme dont l'utérus pissait le sang, M. Merkel n'avait ni dégagé l'allée ni pelleté la neige qui obstruait l'entrée. Sous une telle couche de neige, on reconnaissait à peine la ferme. À la lumière des événements récents, nous avions l'impression d'être partis depuis des années et non des jours.

Chaque hiver, la route rurale gelait et se soulevait par endroits, formait au gré de ses mouvements un patchwork de vallons et d'ornières. Oncle Stash franchit ces obstacles, mais il n'arriva pas à entrer dans l'allée, encombrée par la neige. Il s'arrêta donc au milieu de la route, et nous abandonnâmes la voiture, le coffre rempli de valises, les clés sur le contact, au cas où M. Merkel (ou les employés de la voirie) aurait besoin de la déplacer. Nous comprîmes que nous devrions faire le reste du chemin à pied ; il ne nous vint même pas à l'esprit de poser des questions ou de rouspéter. Tante Lovey enfonça le chiot (que ma sœur et moi appelions Miteux) dans son manteau, le serra contre sa poitrine, tel un précieux enfant endormi, et se mit à piétiner la neige vierge.

Nous n'avions pas bien dormi depuis des jours et nous n'avions pas fermé l'œil depuis au moins vingt-quatre heures, mais aucun d'entre nous ne songea à aller se coucher. Tante Lovey s'occupa du chiot, pour qui elle fit chauffer une boîte de soupe remplie de gros morceaux de bœuf en le tenant contre son cou. (La façon qu'avait déjà tante Lovey d'adorer cet animal m'était insupportable. Elle le traitait comme un enfant, ce qui était non seulement incongru, mais franchement gênant. Oui, cette amitié instantanée m'inspira une vive jalousie.) Malgré les supplications de tante Lovey, oncle Stash trouva la pelle et sa tuque et sortit dégager un passage dans la neige. Ruby alluma la télé et moi l'ordinateur pour écrire une lettre à Taylor : je commençai par lui raconter notre voyage en Slovaquie et, en conclusion, lui fis part des regrets que j'éprouvais à l'idée que nous ne nous connaîtrions jamais.

Au cours des jours suivants, il apparut clairement que Miteux n'avait d'yeux que pour tante Lovey, qui ne faisait rien pour combattre un tel attachement et, au contraire, l'encourageait : elle faisait manger l'animal dans son assiette et le laissait dormir sur une serviette au pied de son lit. Du jour au lendemain, tante Lovey se métamorphosa : tiède envers les animaux, elle était devenue adoratrice de Miteux. Quand elle se croyait à l'abri d'oreilles indiscrètes, elle appelait le chiot « bébé ». Je crois même qu'elle le laissait sucer son pouce. Quand oncle Stash se déclara jaloux du chien qui monopolisait l'affection de sa femme, celle-ci rit et déclara :

— C'est seulement pour deux ou trois semaines.

Si Ruby et moi acceptions mal l'attention que tante Lovey portait au chien, ce sont les aboiements de celui-ci qui nous rendaient complètement folles. « Chut, Miteux. CHUT ! » Ces mots, nous les répétâmes sûrement un million de fois. Comme un bébé, Miteux aboyait chaque fois que tante Lovey quittait la pièce. Devant la fenêtre du séjour, il jappait à la vue des corneilles. Quand il avait envie de faire ses besoins, il jappait pour qu'on lui ouvre la porte, puis il pissait par terre pour bien montrer qui était le maître. Vers la fin de la deuxième semaine, nous avions hâte d'être enfin débarrassées de lui, de ravoir tante Lovey juste pour nous, de retrouver un peu de silence et de tranquillité.

J'entendis M. Merkel dire à tante Lovey que sa femme avait exigé que son fibrome soit conservé dans du vinaigre. Je n'osai pas me demander où elle rangerait ce bocal-là. Ruby jugea dégoûtante la volonté de Mme Merkel de garder sa tumeur, mais je comprenais cette fascination. Je me dis que Mme Merkel souhaitait peut-être examiner le fibrome, s'assurer qu'il n'avait ni cheveux, ni dents, ni yeux, qu'il ne s'agissait pas d'un autre enfant qu'on lui volait.

À la suite de l'hystérectomie, il y eut des complications. Le jour où elle devait sortir de l'hôpital, Mme Merkel eut une deuxième hémorragie. Comme c'était l'hiver, il n'y avait pas grand-chose à faire à la ferme, et M. Merkel passait ses journées au chevet de sa femme, lui lisait à haute voix des livres qu'il empruntait à la bibliothèque ou restait assis en silence. Oncle Stash apportait des barquettes de salade de macaronis achetées à l'épicerie, et les deux hommes parlaient des Red Wings et des espoirs suscités par les recrues des Tigers. Tante Lovey fit moins de bénévolat pour pouvoir s'occuper du chien. À l'époque, j'écrivais des poèmes à la pelle. Qui d'autre que tante Lovey aurait promené le satané cabot ? Sherman Merkel nous remercia chaleureusement, Ruby et moi, des soins que nous prodiguions à Miteux, et nous n'avouâmes jamais que c'était en fait tante Lovey qui s'était amourachée de lui.

Au printemps, Mme Merkel, qui avait enfin quitté l'hôpital, était en convalescence chez elle, mais elle n'avait pas la force de s'occuper du chiot débordant d'énergie. Sans doute avait-elle compris qu'il n'était plus à elle. À notre grand dam, Mme Merkel demanda à tante Lovey de le garder encore un peu, et nous avons compris que le chien resterait chez nous indéfiniment, qu'il n'y aurait pas de fin à ses aboiements infernaux.

Ruby me fit observer que c'était nous qui, indirectement, avions sauvé la vie de Cathy Merkel : si, cette nuit-là, nous n'avions pas suivi cousin Jerzy et, du même coup, bouleversé tout le village, oncle Stash aurait peut-être trouvé le chez-lui qu'il cherchait et, par conséquent, n'aurait pas pris prétexte de la tempête de neige pour abréger notre séjour. Nous serions restés en Slovaquie, et Cathy Merkel se serait vidée de son sang dans sa cuisine. Mise au courant, Cathy Merkel serait-elle éperdue de reconnaissance ou encore plus méprisante ? nous demandions-nous. À mon avis, c'était kif-kif.

Indirectement, donc, Ruby et moi avions sauvé la vie de Cathy Merkel. Du moins, je le crois. Dans ce cas, étions-nous aussi responsables de la suite ?

« La suite » commença par une flaque de pipi. Ce ne fut ni la première que nous avons trouvée dans la cuisine (pour nettoyer ce qu'elle appelait les « petits dégâts », tante Lovey avait sous la main de l'ammoniac) ni la dernière. Le printemps était arrivé. Les lilas avaient fleuri avec une semaine d'avance et tante Lovey était sortie cueillir une brassée de fleurs violettes, car c'étaient les préférées d'oncle Stash. Occupée à les disposer dans le vase en verre laiteux dont elle avait hérité de Verveine, tante Lovey n'avait pas fait attention aux jappements de Miteux et n'avait pas remarqué le « petit dégât » qu'il avait fait sur le linoléum. Plus tard, elle cria que le repas était prêt. Oncle Stash, en entrant dans la pièce, glissa sur la flaque d'urine. Il tomba vers l'avant, et non à la renverse, et atterrit en plein sur le genou droit. Quand Ruby et moi franchîmes la porte et trouvâmes oncle Stash par terre en train de hurler de douleur, je distinguai dans l'air le parfum légèrement écœurant des lilas.

La rotule était fracturée, les tendons déchirés, les ligaments endommagés. Oncle Stash ne se remettrait jamais de cette chute. Il ne pouvait plus faire un pas sans une canne et, sur le gazon mouillé, il était pris de vertige. Il n'arrivait plus à gravir trois marches, et encore moins un escalier au complet. Pis, cette blessure à la jambe droite l'empêchait de conduire.

— Prendre la voiture d'un homme et lui couper le *chuj*... Pas de différence, dit-il à tante Lovey, convaincu que Ruby et moi ne pouvions pas l'entendre. Elle être si agréable à conduire, cette Mercury.

(Oncle Stash, qui venait tout juste de terminer la remise à neuf d'une Mercury Marquis, ne s'était servi de la voiture qu'à trois ou quatre reprises.)

Plus tard, Ruby et moi vîmes oncle Stash écrire à cousin Marek sur la longue table en pin de la cuisine. Je lui demandai s'il avait parlé de l'incident causé par le pipi, de son genou et du diagnostic du Dr Ruttle, selon qui oncle Stash ne conduirait plus jamais.

Ruby déclara que la parenté slovaque nous tiendrait probablement responsables de sa malchance. Oncle Stash rit un bon coup, puis, la tête enfouie dans les mains, il refusa de nous regarder, Ruby et moi. J'étais déroutée par sa faiblesse, par son invalidité, mais aussi par son manque d'ambition. C'était l'homme le plus fort et le plus courageux du monde. Au nom de quoi se laissait-il abattre par le simple fait de ne plus pouvoir conduire ?

Ruby lui toucha le bras et dit :

— Tante Lovey a cueilli des asperges pour ce soir.

Oncle Stash leva les yeux. Je me dis que, secoué par l'énormité de notre handicap, il se rendrait compte que le sien était tout à fait supportable. (On voit couramment ce genre de choses à la télé.) Non, pourtant. À la place, il sourit à Ruby et, tolérant sa pitié, dit :

— Toi ne pas comprendre ce que conduire vouloir dire, Ruby. Toi ne pas comprendre.

Avant même qu'on nous en informe, Ruby et moi avions compris qu'il était exclu de passer une saison de plus à la ferme. Bientôt, les marches, le gazon humide et les déplacements seraient trop onéreux pour notre oncle terriblement diminué. Un jour, peu avant notre anniversaire, tante Lovey déclara qu'il était temps d'emménager dans la maison de Leaford. Elle prononça ces mots avec simplicité, mais sur un ton sans appel. J'en eus le souffle coupé. *Emménager dans la maison de Leaford.*

Je savais que Ruby et moi habiterions un jour cette maison en vieilles filles, telles les Zuza et Velika de Chippewa Drive. Jamais je n'avais pensé que tante Lovey et oncle Stash y vivraient avec nous. Jamais je n'avais envisagé une telle éventualité.

— La ville a toutes sortes d'avantages, dit tante Lovey. Vous verrez.

— O.K.

Je n'avais pas eu l'intention de me montrer maussade.

— J'espère que tu ne vas pas te mettre à bouder, Rose. Il n'y a pas que toi dans cette famille.

(Digression. Si nous avions su que nous vivions notre dernière année à la ferme, qu'aurions-nous fait autrement ? Tante Lovey aurait peut-être passé plus de temps à la longue table en pin. Respiré plus souvent et plus à fond le parfum des fleurs. Mangé plus de tomates et d'épis de maïs fraîchement cueillis. Passé plus de temps à se promener parmi les bergamotiers, Miteux à ses pieds, comme la jeune mère qu'elle n'avait jamais été. Et Ruby ? Facile. Elle aurait passé plus de temps à arpenter les champs à la recherche de pointes de flèches et de tubes en os. Oncle Stash aurait pris plus de photos. Sans doute avait-il oublié deux ou trois prises de vue. Des interprétations de la ferme qui lui étaient purement personnelles. Et moi ? J'aurais écouté avec plus d'attention le bourdonnement de la terre, observé de plus près sa rotation. Essayé plus fort de retrouver les ossements de Larry Merkel.)

Il ne fut pas question d'emmener Miteux avec nous. C'était un chasseur: corneilles, voitures, écureuils. C'était un chien de campagne qui n'aurait pas survécu à la vie de Chippewa Drive. Il fut donc rendu à Mme Merkel, et les retrouvailles furent malaisées. On aurait dit un mari infidèle qui revenait auprès de sa femme, l'air penaud. Nous les laissâmes sur le pont qui enjambe le ruisseau, lui jappant, elle agitant la main. Les yeux secs, tante Lovey traversa le champ qui nous séparait de la Mercury. Je m'expliquai son sang-froid par ses longues années d'expérience comme infirmière.

Depuis, nous n'avons pas revu Mme Merkel, avec ou sans chien.

~

La nuit dernière, Rose a fait de la fièvre. Nous ne savons pas pourquoi. Elle a pris des médicaments et comme, ce matin, la fièvre était tombée, nous ne pensons pas que le problème soit lié à son cerveau. Une indigestion, peut-être. Elle a perdu le sens de l'odorat et, ces derniers temps, elle a les fringales les plus étranges. Et elle ne reconnaît plus les aliments gâtés. Depuis quelques semaines, elle a envie de pain aux graines de carvi. Sans doute parce qu'elle travaille sur le récit de notre voyage en Slovaquie.

Je ne la reconnais plus. Elle est tellement bavarde. En général, c'est moi qui papote, mais, dernièrement, j'ai plutôt tendance à garder le silence, et j'ignore comment nous en sommes venues à inverser les rôles. Il faut dire que Nick passe presque tout son temps chez nous à présent, et ils ont beaucoup en commun, Rose et lui. Pour ma part, je n'ai pas vraiment d'atomes crochus avec lui. En fait, je le trouve plutôt énervant, même si je n'arrive pas à m'expliquer pourquoi. Évidemment, je suis jalouse de l'attention que lui porte Rose. Rien de romantique, cependant. Il est vieux et ne correspond pas du tout à l'idéal de ma sœur. De toute façon, je suis presque certaine qu'il a une petite amie à Windsor. Les bottes de cow-boy qu'il met le samedi soir sont un signe qui ne trompe pas.

Rose et Nick parlent bouquins. À entendre Nick, on jurerait qu'il a lu tous les livres. Un séjour en taule fait de vous un littéraire, je suppose. Il a été incarcéré à la prison de Kingston.

J'imagine que tante Lovey et oncle Stash savaient pour quoi. Nonna aussi, sans doute. Elle a dû leur en parler, mais ils ne nous ont rien dit. Oncle Stash et tante Lovey n'ont jamais rencontré Nick. Quand il est venu s'occuper de Nonna, ils étaient déjà morts. Le fils de Nick, Ryan, a fait de la prison à Kingston, lui aussi. Ce n'est pas Nick qui a élevé le garçon, mais il a mal tourné quand même.

Nick et Rose parlent aussi de sport, sujet que je préfère aux livres et aux auteurs. Que les conversations littéraires me semblent prétentieuses ! À propos du sport, ils ont de la passion et des opinions originales.

À certains égards, Nick joue le rôle d'oncle Stash. C'est peut-être ce qui me déplaît tant chez lui. C'est peut-être aussi ce dont je suis jalouse. Nick comble ce manque chez Rose. Mais pas chez moi.

Ils parlent également de Nonna. Parfois, je participe à la discussion. Nonna est sur la liste d'attente de la maison de soins prolongés située près de Rondeau. Érigée sur une falaise, non loin du bord de l'eau, elle ressemble à un manoir. Fenêtres à profusion et vue sur le lac.

Nick est venu hier soir et ils ont parlé de la Série mondiale, comme s'il n'en avait encore jamais été question entre eux. Pour ma part, je n'ai jamais beaucoup aimé le baseball, mais, cette année, j'ai pris plaisir à regarder la Série mondiale à la télé (même si je ne l'avouerais pas à Rose), en particulier le championnat de la Ligue américaine, qui opposait les Yankees et les Red Sox. Les Red Sox n'avaient pas remporté la Série mondiale depuis qu'un fan a maudit l'équipe après la « vente » de Babe Ruth par les propriétaires, il y a longtemps de cela. Oncle Stash aurait beaucoup aimé cette série. Il aurait regardé les matchs avec Rose en buvant de la *pivo* et en donnant de grands coups de poing sur la table. Il aurait secoué la tête, éperdu d'admiration devant le lanceur des Red Sox, qui jouait malgré une fracture à la cheville. Il aurait bondi de son fauteuil en voyant les Red Sox réussir ce qu'aucune autre équipe n'avait accompli jusque-là, c'est-à-dire l'emporter après avoir perdu trois matchs consécutifs. Tout le monde pensait que les Red Sox étaient maudits. Sans même m'intéresser au baseball, je le croyais, moi aussi. Rose y croyait. Oncle Stash aussi.

Après le départ de Nick, je pensais que Rose voudrait écrire, mais elle n'a pas allumé son ordinateur. Elle avait plutôt envie de parler. Elle a voulu savoir quel regard je posais sur ma vie. La voyais-je comme une succession de drames mineurs, de récits à l'intérieur d'une histoire plus vaste, ou comme un long récit continu, soutenu par une intrigue pleine de suspense ? Je n'ai jamais considéré ma vie dans son ensemble. En tout cas, je ne la conçois pas comme une succession de petits récits. Ni comme un suspense, même si, en un sens, elle en est un, j'imagine. Comme celle de tout le monde, en réalité. Je vis ma vie, c'est tout. J'évite de m'appesantir sur le passé. Je ne m'en fais pas pour l'avenir. J'essaie juste d'être en paix avec moi-même à chaque instant qui passe. C'est ainsi que je vis ma vie et c'est ainsi que je la conçois. J'ai veillé toute la nuit pour en arriver à cette conclusion.

Je tente de soutenir Rose dans son travail d'écriture, mais je ne peux pas m'empêcher de me demander qui lira ce livre. Roz, peut-être. Nick. Mais pas Nonna. Même si elle était encore elle-même, Nonna n'aurait aucune envie de lire la vie de Rose. Elle nous a vues grandir. Elle connaît tous les épisodes heureux, je vous prie de me croire. Nonna aimait les romans à l'eau de rose. Je me demande qui était Fiodor. Elle invoque ce nom. Fiodor. Nick pense que c'était un garçon qu'elle a connu dans son village natal, en Italie. Avant que sa famille émigre et qu'elle épouse le père de Nick. (Rose fait comme s'il s'agissait d'une terrible tragédie. Elle imagine Nonna en héroïne d'un grand roman d'amour. Pourquoi faut-il que Fiodor soit son grand amour perdu ? Fiodor est peut-être le garçon qui a tué sa chèvre. Ou celui dont elle nous a parlé et qui avait la particularité d'avaler des spaghettis par le nez.)

Nick a raconté à Rose avoir lu quelque part l'histoire de moines qui créent de magnifiques mosaïques de sable coloré. Dès qu'ils ont terminé, ils laissent le vent effacer leur œuvre. J'ai dit que c'était du temps perdu, mais Nick a répondu que l'art n'est pas un simple produit. C'est une expérience. Encore une réflexion qu'il a lue quelque part, sans doute. Dans le garage de Nonna, Nick fabrique des objets en métal, des sculptures qu'il suspend un peu partout. Il s'agit probablement d'un talent qu'il s'est découvert en prison, mais je n'ai pas l'intention de l'interroger à ce sujet. Ce n'est pas du genre de tout le monde, remarquez, mais il ne cherche même pas à écouler sa production.

Pour le moment, Nick lit les grands philosophes, ce qui m'énerve. Selon lui, ils affirment tous la même chose : il faut travailler fort et faire le bien sans toutefois se préoccuper des résultats. Nous ne déterminons pas le cours des événements. Ce qui, je suppose, n'est pas sans fondement. Il a la tête pleine de citations, si vous voyez ce que je veux dire. On comprend bien pourquoi ils sont amis, Rose et lui.

En tout cas, le tabouret qu'il nous a confectionné est génial et nous facilite énormément la vie. À cause des maux de tête et des insomnies de Rose, nous croyions que nous serions forcées de cesser de travailler à la bibliothèque, mais l'invention de Nick soulage un peu la tension exercée sur son dos. Les enfants seraient déçus si nous n'étions plus là pour leur faire la lecture. Ils ont beau être de petits malappris, je les aime beaucoup.

Hier, M. Merkel est passé à la bibliothèque jeter un coup d'œil à l'offre d'emploi qu'il a punaisée au tableau d'affichage. Il n'en revenait pas de voir qu'aucune des bandelettes de papier sur lesquelles figure son numéro de téléphone n'avait été découpée. Il y a de nombreux chômeurs dans le comté de Baldoon, mais le travail agricole est exigeant et rares sont ceux qui ont envie de s'engager dans ce domaine, en particulier l'hiver, lorsqu'il y a peu de corvées à faire et que les tâches s'effectuent surtout à l'extérieur.

Rose poursuit son récit des événements qui se sont produits en Slovaquie. Ce récit monopolise son attention depuis trois ou quatre semaines. On dirait qu'il la rend zinzin. Désormais, elle écrit lentement. Je me demande si elle arrive à produire une page par jour.

Essentiellement, le voyage en Slovaquie a été très bizarre. Il y a eu de bons moments, mais, franchement, nous aurions dû nous fier à tante Lovey et rester chez nous. Seul, oncle Stash aurait davantage apprécié son séjour. Il aurait peut-être trouvé ce qu'il cherchait au lieu de passer tout son temps à nous défendre, Rose et moi. Pourquoi consacrer quatre semaines au compte rendu d'une succession de malentendus et de manifestations d'hostilité ? Notre vie n'a-t-elle pas été marquée par beaucoup plus de bons et d'heureux moments ?

Rose a l'impression de ne pas avoir bien décrit la peur panique que nous avons ressentie lorsque l'illuminé de Grozovo nous a conduites auprès de la mère des jumeaux. Et après, quand nous avons cru que les vieilles femmes allaient nous noyer dans l'étang. Elle m'a demandé si Jerzy était vraiment aussi sexy que dans son souvenir. Oui. Sexy et effrayant à la fois. Un peu comme Nick.

Rose a aussi peur de ne pas avoir rendu justice à tante Lovey et à oncle Stash. Dès qu'elle aura fini de parler du voyage en Slovaquie, dit-elle, elle reviendra au début du livre afin de trouver une meilleure façon de présenter nos parents. Elle m'a demandé comment je décrirais tante Lovey. Pas sur le plan physique, mais à l'intérieur. J'ai aussitôt songé à un incident qui s'est produit juste après notre emménagement dans la petite maison de Leaford. Un jour, à notre retour de la bibliothèque, Rose et moi avons trouvé tante Lovey dans la cour : elle peignait le matelas de notre lit à l'aide d'un rouleau et d'un pot de peinture à l'eau bleue. Suant à grosses gouttes, frottant son dos douloureux d'une main, elle appliquait cette affreuse couleur bleue sur les taches d'urine, de sang et de vomi. En la voyant, Rose et moi avons éclaté de rire, même si, à vrai dire, je me faisais un peu de souci. Commençait-elle à souffrir de la maladie d'Alzheimer comme Nonna, à côté ? Nous lui avons demandé ce qu'elle faisait. Elle a répondu que Sears avait livré notre matelas neuf le jour même et qu'il était hors de question que tout Leaford voie de telles taches d'urine, de vomi et de salive quand on mettrait le vieux au rebut. À mon avis, on a là tout le portrait de tante Lovey.

J'ai beaucoup plus de difficulté à isoler un seul souvenir d'oncle Stash. Je l'ai toujours trouvé beau. Même quand il a pris de l'âge et perdu ses cheveux. Un jour, il nous a emmenées au parc. Il était en train de prendre des photos d'écorce ou de je ne sais trop quoi quand quelqu'un a lancé : « Salut, Stan. » Nous avons compris qu'il s'agissait d'un des employés de Vanderhagen's, car tous les bouchers l'appelaient ainsi. Le détail insolite, c'est qu'oncle Stash a caché son appareil avant de se retourner et qu'il n'a recommencé à prendre des photos de l'arbre qu'après le départ de l'homme. Je me souviens que, quand nous étions petites, oncle Stash profitait des soirées slovaques pour nous parler de son enfance là-bas. Un jour, à la Saint-Ondrej, cousine Velika et lui, par superstition, ont versé du plomb en fusion dans de l'eau glacée. Le plomb se solidifie rapidement et votre avenir est décidé par la forme qu'il prend. En général, seules se prêtaient à ce rituel les filles du village, qui reconnaissaient dans le plomb refroidi le visage de celui qu'elles allaient épouser. Velika voulait savoir si elle se marierait avec Boris Domenovsky ou avec Evo Puca. Oncle Stash l'a taquinée parce qu'il savait qu'elle voulait que le plomb reproduise les traits d'Evo. Elle versait lentement le plomb liquide à l'aide d'une louche quand oncle Stash, par inadvertance, lui a heurté le bras. Deux grosses boulettes de plomb sont tombées dans l'eau au lieu d'une seule. C'était, ont-ils compris, très mauvais signe. Cousine Velika et oncle Stash ont débattu de la signification des deux boulettes. Présageaient-elles de son avenir à elle ou de son avenir à lui ? Pas plus tard que le lendemain, les deux frères aînés d'oncle Stash sont morts dans l'effondrement d'un puits de mine. Habituellement, oncle Stash était le premier à se moquer des superstitions. Lorsque tante Lovey et moi parlions de perception extrasensorielle, de fantômes ou de vies antérieures, Rose et lui roulaient les yeux. Quand il racontait l'histoire des deux boulettes de plomb en fusion, par contre, oncle Stash ne riait pas du tout. Il y croyait dur comme fer. De la même façon qu'il croyait à la malédiction des Red Sox.

~

Facile pour Nick d'affirmer qu'il importe peu que mon histoire soit lue ou non.

— Ce qui compte, Rosie, c'est que tu l'aies écrite, dit-il. Contente-toi de ça.

Mais ça ne me suffit pas. Je veux que ces mots rassemblés se transforment en visions de Ruby et de moi. Je veux qu'on se souvienne de nous comme d'amies d'autrefois.

— L'immortalité ?

Oui[1].

Imaginez-moi, donnez-moi la vie.

Ruby ne se passionne pas pour le baseball, même si nous venons de vivre une page d'histoire. Hollywood n'aurait pas pu imaginer une meilleure conclusion à la saison, mais Ruby ne l'a suivie que d'un œil distrait. Pourtant, elle ne s'est pas plainte des nombreuses soirées que nous avons passées à regarder les matchs en compagnie de Nick. Depuis quelque temps, ma sœur et moi sommes très conciliantes l'une envers l'autre. Si seulement nous avions su vivre chaque jour de notre vie comme si c'était le dernier. (Ruby ne dit rien contre le baseball et je ne dis rien contre les œufs pochés. Sacrée concession, en vérité !)

---

1. En français dans le texte. (*N.d.t.*)

Nos Tigers n'ont pas connu une de leurs meilleures saisons, mais c'est une jeune équipe très prometteuse. Cette année, je me suis désintéressée du baseball jusqu'au championnat de la Ligue américaine. Disons que j'avais la tête ailleurs. La Série mondiale a toutefois ravivé ma passion. Je me rends compte que je croyais vraiment à la malédiction des Red Sox. (Prononcez les mots « Bill Buckner » devant des amateurs de sport et vous constaterez à leur mine qu'ils y croyaient, eux aussi.) D'où est donc venu ce renversement de situation ? Pourquoi la malédiction a-t-elle été levée ? Comment ? Nous ne le saurons jamais.

En regardant le baseball avec Nick, j'ai compris à quel point oncle Stash me manque. Il aurait tellement aimé être témoin de cette victoire extraordinaire aux côtés de Nick, de Ruby et de moi. (En fait, Nick n'aurait pas été présent. Je crois qu'oncle Stash l'aurait pris en grippe et aurait refusé de lui ouvrir sa porte. Il ne lui aurait pas permis de s'approcher de ses filles.)

L'euphorie. Voilà le sentiment que m'a inspiré la victoire des Red Sox. C'est une expérience incomparable. Plus encore quand on la partage avec d'autres. Peu de personnes éprouvent une telle sensation. Les athlètes la connaissent, évidemment. En particulier les vainqueurs. Les fans aussi. C'est d'ailleurs pour cette raison que nous marchons à fond. L'euphorie ! Lorsque les Red Sox l'ont emporté, j'ai eu un avant-goût du paradis. Le paradis, c'est le séjour de la vieille maison de ferme avec sa moquette orange et son téléviseur grand écran, et oncle Stash, en maillot de corps, qui boit de la *pivo,* tire sur sa pipe et acclame Johnny Damon et Big Pappy. L'euphorie.

Après le match, une fois Nick parti, un événement étrange et remarquable s'est produit. Nous étions au lit, j'avais fermé les yeux et j'étais sur le point de sombrer dans le sommeil quand Ruby a dit : « Ernie Harwell ». (Ernie Harwell, qui a été la voix des Tigers de Detroit pendant quarante-deux ans, a pris sa retraite il y a quelques années à peine. Ce qu'il y a de particulier, c'est que, pendant toute la soirée, j'avais tenté de me souvenir de son nom. Pas moyen de poser la question à Nick, qui m'aurait prise pour une demeurée — ou, pis encore, aurait mis mon trou de mémoire sur le compte de l'anévrisme et se serait fait du souci. Je n'ai donc rien dit, mais ce détail m'a tracassée toute la soirée. Dans ma tête, j'entendais distinctement la voix reconnaissable entre toutes de l'homme. Je voyais aussi son visage — même s'il était la *voix radiophonique* des Tigers, ses traits étaient gravés dans ma mémoire —, mais je n'arrivais pas à me rappeler son nom.) Ruby a entendu la question que je me posais intérieurement et elle a même réussi à sortir le nom d'Ernie Harwell d'un recoin de mon cerveau (auquel je ne parvenais pas à accéder) ou s'en est souvenue toute seule, ce qui est encore plus remarquable.

Au début de chacune des saisons des Tigers, Ernie Harwell récitait « Song of the Turtle », un poème de Paula Gunn Allen. À voix basse, oncle Stash répétait avec lui, mais en déformant quelques mots. Mon oncle et moi avons écouté autant de matchs à la radio que nous en avons regardé à la télévision. Ernie Harwell me fait penser aux moments que j'ai passés dans le garage en compagnie d'oncle Stash. Huile. Acier. Jurons slovaques adressés à des voitures nord-américaines. Ruby se lamentait, car elle n'aimait ni les voitures ni le baseball. Quand Ernie Harwell a pris sa retraite, j'ai pleuré oncle Stash une deuxième fois.

Un hiver, oncle Stash promit de nous emmener au centre commercial White Oaks, à London, où Pierre Berton dédicaçait son dernier livre. En route, il commença à neiger. J'ai horreur d'être en voiture quand il neige. Ruby, gavée de Gravol, dormait comme une souche. Un camion se mit à nous coller au train.

— Toi cesser de me lécher le cul, espèce d'enfant de *kurva.*

(« *Kurva* » veut dire « putain », mot qu'oncle Stash appliquait indifféremment aux conducteurs des deux sexes. Il y avait les *kurva* qui lui coupaient le chemin, les *kurva* qui le prenaient de vitesse aux feux de circulation, les *kurva* qui lui léchaient le cul.)

— Il falloir faire demi-tour, dit-il.

Au carrefour suivant, oncle Stash tourna et, sous la neige, nous roulâmes vers Thamesville, où nous avions l'intention d'attendre une accalmie avant de rentrer à Leaford. Devant mon silence, il crut que j'étais désespérée à l'idée de ne pas pouvoir faire signer mon exemplaire du dernier livre de Pierre Berton.

— Ma petite Rosie d'amour, dit-il en me lançant un regard dans le rétroviseur.

Et aucune musique n'aurait pu être plus douce à mon oreille : il réservait ses « ma petite Rosie d'amour » aux moments où nous étions seuls (c'est-à-dire quand Ruby dormait — ou faisait semblant de dormir). Quand il prononçait ces mots, il y avait dans ses doux yeux bruns une expression qui me laissait croire que j'étais sa favorite.

— Il ne pas falloir être triste à cause de la signature, dit-il.

— Je sais, répondis-je.

Pour un peu, je lui aurais crié de surveiller la route.

— Quand j'être jeune à Windsor... commença-t-il.

J'adorais l'entendre raconter des histoires de son passé, mais, en même temps, j'avais peur de la route glacée de Thamesville et d'une mort précoce.

— Ça tombe dru, dis-je.

Oncle Stash regarda les flocons, petits projectiles qui explosaient sur le pare-brise.

— Je mettre les pneus d'hiver la semaine dernière, dit-il. Nous ne pas avoir d'accident, ma Rose. Toi ne pas avoir peur.

Hypnotisée par les flocons qui tombaient au premier plan et les feux rouges arrière audelà, j'écoutai oncle Stash entamer son histoire, inédite pour moi, sa voix s'amenuisant de loin en loin, comme s'il avait oublié qu'il la racontait à voix haute, pour mon bénéfice.

— Le premier été que je passer au Canada, j'aller à Detroit avec les garçons de l'immeuble de M. Lipsky. Joseph, Miro, Dusan et Stevie. Cinq en tout. Nous aller au stade des Tigers pour voir les Tigers jouer contre les Yankees. Nous partir tôt parce que les joueurs signer des autographes, ce jour-là, et que nous en vouloir. N'importe laquelle. Hoot Evers, Eddie Lake, Joe Ginsberg, Billy Pierce, Dizzy Trout. Nous ne pas rêver d'en avoir dix. Seulement un. Alors nous arriver au stade. Nous entrer. Le stade être immense. Nous être très excités. Nous aller où les gens attendre pour les autographes. La queue être très longue. Nous attendre. Attendre. Devant nous, il y avoir un garçon, un peu plus jeune que nous. Lui nous entendre, Miro et moi, parler slovaque. Le garçon être un *kokot* stupide. « Vous rentrer chez vous, sales Boches, lui dire. Vous avoir perdu la guerre. » Stevie ou Dusan expliquer que nous être slovaques, pas allemands, mais les gens nous regarder. Et deux autres garçons nous traiter de Boches. Nous arriver à l'avant de la queue, alors moi dire aux autres que ça ne faire rien. Nous vouloir un autographe. Nous vouloir regarder le match. Nous ne pas être là pour nous battre. O.K. Alors nous avancer avec les balles que nous vouloir faire signer. Mais les garçons répéter que nous être des Boches et Dusan commencer à crier. Il les insulter, mais en slovaque, et eux ne pas comprendre. Puis je voir. Je voir les joueurs. Un d'eux murmurer à l'oreille de l'autre et eux partir dans le couloir pour aller dans l'abri. Nous ne pas savoir pourquoi eux partir. Aucune importance savoir. Nous ne pas avoir d'autographe.

Son récit terminé, oncle Stash haussa les épaules. Il ne me demanda pas quelle en était la morale, et j'en fus soulagée. (Nos héros nous déçoivent toujours ? Au stade, il ne faut pas parler slovaque parmi les *kokot*?)

Il se tourna de nouveau vers la route dangereuse.

— Tante Lovey s'inquiéter, dit-il. Nous être en retard.

Nous surveillâmes la route. J'entendis Ruby ronronner à côté de moi.

— Les autographes ne pas valoir de l'*hovno,* dit oncle Stash.

Ce n'était pas rigoureusement exact. Et quel genre de morale me prêchait-il là ? J'attendis la suite. Elle ne tarda pas.

— Ce jour-là, au stade, nous quand même vouloir voir le match, Rose. Nous trouver nos places. Le garçon qui nous traiter de Boches être loin. Super match. Très excitant. Et Miro aller chercher de la *pivo* parce que lui avoir une barbe noire et lui avoir l'air plus vieux que nous. L'homme qui vendre la bière être slovaque. Lui donner quatre fois la *pivo,* GRATUITEMENT, quand son patron regarder ailleurs.

— Ah bon ?

— Ma Rosie, dit oncle Stash en riant, des fois, on ne pas avoir d'autographe, mais, à la place, on avoir…

Comme il attendait, je me lançai :

— … de la bière gratuite ?

— O.K., conclut-il en riant. O.K.

Oncle Stash mit sa cassette de Ray Price dans le lecteur et soupira, épuisé et édifié.

Ruby m'a demandé de recopier quelques vers de Robert Graves. J'ai mis du temps à les déterrer, pour ainsi dire[1]. Ruby prétend que les vers portent sur l'archéologie. Je crois qu'ils ont trait à l'écriture. En l'occurrence, nous avons toutes les deux raison, et j'ai horreur de ça.

Ressusciter les morts
N'a rien de magique.
Il y a peu de vrais morts :
Soufflez sur les braises d'un homme mort
Et une flamme vive prendra naissance.

---

1. Jeu de mots sur « *graves* », qui veut dire « tombes ». (*N.d.t.*)

~

La première année dans la maison de Chippewa Drive fut difficile, mais elle ne représenta pas un défi aussi grand ni aussi grave que la deuxième. Le premier automne, en voyant les voisins écraser sous les roues de leurs voitures intermédiaires les feuilles mortes tombées sans bruit durant la nuit, j'eus la nostalgie du carré de citrouilles de la route rurale n° 1, du vrombissement du tracteur, de l'odeur fétide du ruisseau qui séparait la maisonnette des Merkel de notre maison de ferme. Oncle Stash maugréait contre la ville et rêvait de retourner à la ferme. (C'était seulement son genou, un tout petit rouage dans un corps extraordinaire, mais, lorsqu'il cessa de fonctionner, oncle Stash se métamorphosa. Même sa crise cardiaque ne l'avait pas autant transformé.) Ses photos prirent une teinte plus sombre. Nous avons des piles et des piles de clichés pris par lui au cours de cette première année en ville. De toute évidence, les corneilles l'obsédaient plus que jamais. On les voyait en plein vol, en noir et blanc. Alignées sur un fil électrique. Se pavanant sur une montagne de sacs-poubelles dans le parc au bas de la rue. L'une d'elles fixe l'objectif de travers, comme pour se payer la tête du photographe. Quand oncle Stash ne prenait pas les oiseaux en photo, il s'employait à les anéantir. Boitant, lourdement appuyé sur sa canne, il lançait des pierres aux corneilles à la façon d'un joueur de baseball, jusqu'au jour où il parvint à se fabriquer un lance-pierres à l'aide d'un des vieux soutiens-gorge de tante Lovey. Il ne toucha jamais un oiseau. Pas un seul. Et je me demande s'il était aussi déterminé qu'il en avait l'air. En silence, les voisins l'observaient en secouant la tête. Ils haïssaient les corneilles, eux aussi, mais oncle Stash était d'une incorrection sauvage.

Dans Chippewa Drive, Ruby, à force de regarder la télé, finit par s'ennuyer et devint ennuyeuse. Lorsque le câble tomba en panne, un jour, elle fut au désespoir. Tante Lovey lui suggéra de lire un livre à la place, mais Ruby prit les photos d'oncle Stash sur une tablette et les regarda. Elle examinait une des piles les plus récentes de la « période corneilles » d'oncle Stash (ainsi que ma sœur et moi avions baptisé son parti pris) quand elle en trouva une sur laquelle on voyait une grosse corneille juchée sur un poteau juste derrière tante Lovey, d'où l'illusion que le volatile trônait sur sa tête. Nous la montrâmes à oncle Stash, qui rit pour la première fois depuis son accident, car il n'avait pas remarqué l'incongruité du cadrage. Il se dit qu'il allait en faire une carte de vœux pour l'anniversaire de tante Lovey.

— Quels mots nous pouvoir écrire, Rose? demanda-t-il.

— Je ne sais pas.

— C'est toi qui être l'écrivain. Toi écrire quelque chose, O.K. ?

— Quelque chose de drôle?

— Oui. La photo être drôle.

Je restai assise pendant une heure, la photo idiote sous les yeux. Je finis par accoucher de : « Joyeux anniversaire, tête de linotte. Quel poids plume tu fais ! » Tante Lovey fit semblant de goûter la plaisanterie et, après avoir émis un rire forcé, quitta la pièce en vitesse. Oncle Stash me tint responsable du fiasco. Il affirma que j'aurais dû savoir qu'elle préférerait quelque chose de romantique et de personnel. Je pense que je savais que la carte lui déplairait, mais que j'étais fâchée d'avoir perdu la maison de mon enfance. Dépossédée, j'avais besoin d'un bouc émissaire.

De nous tous, tante Lovey fut la seule à ne pas avoir le temps de s'ennuyer de la ferme. Elle faisait de nombreux voyages le long de la route creusée d'ornières afin d'aller jeter un coup d'œil au grenier, par crainte des chauves-souris, et à la cave, par crainte des ratons laveurs, de vérifier les pièges à souris et surtout — comme nous le savions tous — de voir Miteux. Un jour qu'oncle Stash l'avait accompagnée dans ses courses, il nous avait raconté, à son retour, que Miteux, ayant vu la Mercury s'engager dans l'allée, avait traversé le champ en bondissant et s'était rué sur tante Lovey. Avec ses pattes boueuses, il avait taché son manteau fraîchement nettoyé, mais elle ne l'avait pas réprimandé et n'avait même pas semblé s'en formaliser. Pendant les visites de tante Lovey, Mme Merkel restait invisible, même si elle savait sûrement que le chien gambadait avec elle au-delà du champ de maïs.

Si seul l'aspect matériel de la ferme m'avait manqué, j'aurais pu accompagner tante

Lovey lorsqu'elle s'y rendait pour passer un moment avec le chien. Pour moi, Ruby aurait enduré le trajet en voiture. Mais je ne pouvais récupérer ce que j'avais laissé dans la vieille maison de ferme orange au moyen d'une simple visite. Oncle Stash et la Slovaquie m'en avaient donné l'exemple.

Pendant notre première année dans Chippewa Drive, Ruby et moi observâmes l'Halloween depuis la fenêtre du salon. Devant notre petite maison proprette, les enfants entraînaient leurs mères, effrayés par ce que leurs camarades leur avaient raconté sur « les filles », adultes à présent, mais toujours monstrueuses et récemment établies dans leur rue. Tante Lovey invoqua une quelconque explication, la lumière du perron qui n'était pas assez forte, mais je savais que nous mettrions du temps à nous faire accepter par les voisins. Oncle Stash, dont la glissade sur la flaque d'urine avait épuisé les réserves de patience, éteignit carrément les lumières : ainsi, plus besoin de nous demander pourquoi les enfants boudaient notre porte. Ruby mangea toutes les tablettes de chocolat qui nous restaient et se rendit malade.

Pour surmonter la déception que je ressentais à l'idée de ne pas aller à l'université, j'écrivais des nouvelles. En fait, je travaillais à un recueil d'histoires inspirées de celles que racontait tante Lovey à propos des excentricités de sa mère. Il avait simplement pour titre *Verveine* et j'entendais l'offrir à tante Lovey pour son anniversaire, mais la structure et l'enchevêtrement de la fiction et de la réalité me donnaient du fil à retordre, et j'avais le sentiment d'imiter la voix de tante Lovey au lieu de chercher la mienne. Dans des accès de doute, je détruisis des pages entières. J'essayai de ne pas imputer à ma sœur la responsabilité de mon impatience.

Devinant ma frustration, tante Lovey copia pour moi une maxime de Ralph Waldo Emerson, dénicha un vieux cadre et l'accrocha près de l'endroit où je rangeais mon ordinateur. J'étais trop contrariée pour la remercier. La maxime est toujours à la même place : « N'allez pas là où le chemin peut mener. Allez là où il n'y a pas de chemin et laissez une trace. »

Évidemment, vivre dans la maison de Chippewa Drive me faisait penser à Frankie Foyle. Même si sa chambre au sous-sol avait été démolie et que tante Lovey avait fait disparaître jusqu'aux plus infimes reliquats de la présence des anciens locataires, je cherchais des vestiges, comme Ruby le faisait dans les champs. Un stylo au bout mâchouillé qui avait roulé dans le grillage de la chaudière. Une épingle à linge à l'odeur maléfique, d'un type que tante Lovey n'utilisait pas. Un fragment de savonnette glissé derrière le meuble-lavabo. Je voulais tenir un objet ayant appartenu à Frankie Foyle et sentir les vibrations dont parlait Ruby. Je voulais un objet tangible qui me convaincrait de l'existence de ma fille.

La nuit dernière, incapable de trouver le sommeil, je me suis demandé comment décrire les sentiments que m'inspirait ma décision de renoncer à Taylor. Si, encore aujourd'hui, j'ai la certitude d'avoir fait ce qu'il fallait, je découvre un vide lorsque je me tourne vers ma gauche et je suis triste à l'idée de ce que j'ai perdu. Je me demande si notre mère biologique a ressenti la même chose et si elle a été plongée, comme moi, dans le doute et l'apitoiement sur son propre sort. J'ai dit à Ruby vouloir rencontrer Taylor, et il est vrai qu'une partie de moi en meurt d'envie, mais une autre (la partie raisonnable ? la partie altruiste ? la partie maternelle ?) se rend compte qu'en reprisant un trou dans la trame de ma vie, j'en ouvrirais un dans celle de ma fille, à supposer qu'il ne soit pas déjà là. (Qu'il serait cruel de l'abandonner une deuxième fois !)

Au cours des années ayant suivi sa naissance, jamais je n'aurais pensé entrer en contact avec Taylor. J'aurais seulement voulu la regarder. Si j'avais pu voir son visage à une fenêtre ou son profil sur une photo, j'aurais été satisfaite. Au cours de la première année que nous avons passée dans la maison de Chippewa Drive, je songeai souvent à elle. Au détour des couloirs étroits, des souvenirs d'elle me prenaient par surprise. C'est alors que je commençai à écrire chaque jour, comme un écrivain digne de ce nom, et mes tentatives de transformer en poésie ma condition on ne peut plus humaine me procurèrent un certain réconfort.

Si je pouvais passer des journées entières à lire ou à écrire et, le soir venu, me sentir fourbue et comblée, Ruby, emmurée dans la nouvelle maison, se sentait toute petite. À l'approche de Noël, tante Lovey diagnostiqua une dépression saisonnière et déclara que nous devrions passer du temps à la fenêtre, comme les tomates qu'elle s'efforçait de faire mûrir. Ruby déclara que la saison ne la déprimait pas ; en revanche, le petit sapin de Noël que nous avions acheté à l'épicerie et posé sur une table lui plombait le moral. Un jour, elle l'avait jeté par terre, comme un enfant de deux ans, parce qu'elle avait laissé brûler des biscuits de Noël. Cette année-là, Ruby ne chanta pas. Ni « Sainte nuit » ni « Petit papa Noël ». Je crois qu'il fallait qu'elle haïsse Noël dans la nouvelle maison. Je crois qu'il fallait qu'elle proteste ainsi contre le changement. À l'époque, cependant, j'écrivais, et je refusai de rapetisser aussi.

Avec le temps, Ruby se lassa de la lassitude et m'entraîna dans diverses excursions aux environs de Leaford. L'autonomie, ainsi que nous l'avons constaté, était le principal avantage de la vie en ville. Nous avions fini par grandir, sans l'effort herculéen que nous avions imaginé. Nous pouvions nous déplacer toutes seules. Nous pouvions aller à la bibliothèque à pied et prendre l'autobus jusqu'au centre commercial. En l'absence de nos parents, les autres nous traitaient différemment. Les caissières des magasins et les employés de la bibliothèque commencèrent à s'adresser à Ruby et à moi personnellement, et elles semblèrent même afficher leur préférence pour l'une ou l'autre, au lieu de se tourner vers tante Lovey ou oncle Stash pour faire traduire ce que nous disions, et je constatai que je devenais d'un commerce plus agréable. Ruby et moi assumions certaines responsabilités vis-à-vis de Nonna : nous allions chercher ses médicaments à la pharmacie et dressions la liste des articles que tante Lovey devait acheter pour elle à l'épicerie, les mardis après-midi. Nous avons évoqué la possibilité de chercher du travail.

L'univers de tante Lovey et oncle Stash rétrécissait, tandis que Ruby et moi poussions à la limite nos vies conjointes. Tante Lovey cessa de faire du bénévolat à l'hôpital et, usée par les soins qu'elle prodiguait à oncle Stash, prit l'habitude d'aller tous les jours à la ferme. Elle ne se donnait plus la peine d'invoquer comme prétexte les chauves-souris ou la présence d'éventuels squatteurs autour de la longue table en pin. À son retour, elle lançait en fronçant les sourcils :

— Je me demande si on s'occupe de cet animal. Franchement, le pauvre Miteux me donne l'impression de manquer d'affection.

Un jour, oncle Stash dit à la blague :

— C'est moi qui être en manque d'affection.

Et il fut de nouveau lui-même, comme par miracle. (Au printemps, un an après sa blessure au genou, il avait trouvé le moyen de surmonter son handicap et il avait même recommencé à prendre des photos — et pas uniquement de corneilles.)

Tante Lovey vérifiait le mûrissement des fraises de jour en jour, voire d'heure en heure. Elle tenait à prendre Cathy Merkel de vitesse. À son retour, elle annonçait :

— Celles du haut ont commencé à changer de couleur. Cette année, elles vont être petites, rouges et sucrées.

Un soir de la fin juin, tante Lovey rentra enfin avec des empreintes de pattes sur son pantalon et un récipient rempli de fraises mûres. Elle avait attendu le crépuscule pour les cueillir. Le soleil de la journée avait en quelque sorte été leur dernier festin.

— Les fraises sont prêtes, lança-t-elle.

— Demain, nous allons faire des courses à Chatham, lui rappelai-je.

— Demain, rectifia-t-elle, nous allons à la cueillette.

— Mais nous avons besoin de vêtements, dit Ruby. Pour les entrevues.

— Nous cueillerons les fraises d'abord et nous irons à Chatham ensuite.

Depuis toujours, nous cueillions en famille les petits fruits de la ferme Tremblay, et nous n'avions raté la récolte de fraises qu'une seule fois, l'année où, petites, nous avions passé un mois dans un hôpital de Toronto. Cathy Merkel s'était chargée des confitures. Pendant le reste de l'année, tante Lovey s'était plainte du fait qu'elles n'étaient pas assez sucrées. Il était hors de question qu'elle laisse une telle catastrophe se produire de nouveau.

Comme Ruby ne pouvait pas prendre du Gravol et passer l'après-midi dans le champ chauffé par le soleil, elle affronta le trajet en voiture sur la route sinueuse qui longeait la rivière jusqu'à la route rurale n° 1, la vitre baissée et la musique à tue-tête en guise de distraction. Nous étions partis depuis seulement un an, mais, en cet après-midi brûlant de la fin du printemps, je me rendis compte, à ma courte honte, que je n'avais pas exagéré la beauté du comté de Baldoon ; au contraire, j'avais minimisé le vert aveuglant des hautes herbes, diminué les fermes et les silos magnifiques, rapetissé les érables, les pins et les sycomores, omis de célébrer les champs à leur juste valeur.

Le paysage offrait en soi un merveilleux spectacle, et je me sentis toute bête de ne pas lui avoir rendu justice. En revanche, je n'avais pas sous-estimé la vieille maison de ferme orange. Elle semblait en plus mauvais état que dans mon souvenir. Délabrée. Je ne crois pas aux fantômes, mais, quand nous nous engageâmes dans l'allée de gravier, j'aurais pu croire que la maison était hantée. Je me rappelle avoir détourné les yeux pour éviter que l'image ne s'ancre dans mon esprit. Sans doute Miteux avait-il pressenti l'approche de la Mercury : au moment où nous sortions de la voiture, il surgit en bondissant pour venir nous accueillir — plus exactement pour accueillir tante Lovey, qui lui donna des morceaux de dinde tirés d'un sac qu'elle avait glissé dans la poche de son blouson. Oncle Stash rit et prit quelques photos de Miteux. Tête ahurie. Moustaches sales. Contrairement à moi, tante Lovey et oncle Stash ne le jugeaient responsable de rien.

Celui-ci, après avoir déclaré que son genou le faisait souffrir, fut dispensé de la corvée de cueillette. Ayant apporté son appareil photo et six rouleaux de pellicule, il semblait impatient de rattraper le temps perdu. Il montra la grange voisine, les cultures naissantes et, au loin, la maisonnette des Merkel.

— Toi, Rose, regarder les arbres et le cadre du champ, là, dit-il. Toi voir la *géométrie.* Toi voir la *poésie.*

Miteux resta avec tante Lovey tout l'après-midi. Pendant ce temps-là, nous cueillions les petits fruits chauffés par le soleil qui finiraient dans les confitures bien sucrées de tante Lovey. (Comme nous ne pouvons pas rester accroupies ni penchées pendant de longues périodes, je m'assois par terre et Ruby se tient en équilibre sur ses pieds bots. Je tire sur la branche et arrache les fruits, que Ruby trie avant de les laisser tomber dans le récipient.) Je me rappelle avoir été frappée par la surabondance d'insectes. Les avais-je oubliés ? Avaient-ils été si intimement mêlés à la trame de mon existence que je n'avais pas compris qu'ils donnaient vie à la terre ? En seulement deux fraisiers, je dénombrai quatre abeilles, un coléoptère, une douzaine d'araignées, une sauterelle et un millier de minuscules fourmis. (Pas d'anthonomes ni de tétranyques, dont la présence aurait été mauvais signe.)

Oncle Stash trottinait aux alentours, photographiait la beauté et la dévastation du printemps. Je tiquais en le voyant braquer son appareil sur la vieille ferme orange. À quoi bon photographier ce qui était déjà mort ?

Et tante Lovey travaillait sans relâche, penchée, à cheval sur les arbustes chargés de fruits, les jambes campées de part et d'autre, comme elle l'avait fait toute sa vie, ses doigts noueux cueillant à toute vitesse les petits fruits bien fermes. Elle ne les déposait dans le panier que quand elle avait les mains pleines. Miteux jappait après les insectes ou observait la scène en agitant la queue, dans l'attente d'une marque d'affection. Parfois, l'animal, las d'observer, d'agiter la queue et d'attendre, se ruait sur tante Lovey et, dans un débordement d'enthousiasme franchement dégoûtant, lui léchait le visage, le nez et les lèvres. Je me demandais si Cathy Merkel était jalouse de l'amour de Miteux pour une autre femme. (Tante Lovey considérait-elle cet amour comme une forme de dédommagement ?) Les coups de langue et les aboiements du chien nous agaçaient, Ruby et moi. C'était l'une des raisons pour lesquelles le cabot ne nous manquait pas. Nous suivions les plants de fraises, cueillions, mangions, criions :

— Chut, Miteux ! Assez !

Nous ne sommes pas entrées dans la maison. Même pas pour faire pipi. Ni Ruby ni moi ne voulions voir le papier peint décollé, entendre le vent siffler dans les pièces vides, sentir l'odeur de souris mortes depuis longtemps. (Sans parler des fantômes, au cas où je me serais trompée sur leur compte.) J'étais impatiente de quitter la ferme. Une fois les arbustes dépouillés de leurs fruits, je suppliai tante Lovey :

— Allons vite à Chatham, maintenant.

Nous nous dirigions vers la Mercury quand oncle Stash remarqua quelque chose dans la couleur du ciel et dit vouloir rester pour prendre des photos au crépuscule. (Jamais je ne pensai qu'il avait l'intention d'aller voir Mme Merkel. J'étais sûre que cet attachementlà avait disparu.) Ruby et moi avions besoin de vêtements à porter à de futures entrevues, comme caissière dans une pharmacie et adjointe administrative, notamment. (Nous avions l'intention non pas de partager un emploi, mais plutôt d'occuper à temps partiel des postes différents.) Nous passerions prendre oncle Stash à notre retour, quelques heures plus tard.

Oncle Stash posa les cartons de fraises fraîchement cueillies sur la banquette avant plutôt que dans le coffre où, quelques jours plus tôt, de l'huile s'était renversée. Au moment où nous montions dans la voiture, il nous proposa d'inviter Nonna à un barbecue. Bifteck et côtes de porc. Et poisson blanc pour Ruby. Puisque nous allions à Chatham de toute façon, tante Lovey décida que nous nous arrêterions à la boulangerie Oakwood pour acheter des petits pains au fromage et des *cannoli.* Miteux sauta sur tante Lovey pour lui lécher le visage une dernière fois. Ruby et moi imitâmes des bruits de vomissement. Inexplicablement, tante Lovey éclata de rire. Nous nous amusions ferme. L'année avait été difficile, mais c'était le printemps, les petits fruits abondaient et nous avions tous évolué.

Après nous avoir aidées à boucler nos ceintures sur la banquette arrière, tante Lovey repoussa doucement Miteux du bout du pied et s'installa au volant. Elle parvint à refermer la portière, mais Miteux alla se camper devant la calandre de la Mercury et se mit à japper. On aurait juré qu'il disait :

— Ne pars pas ! Ne pars pas !

Devant tant de persévérance, tante Lovey rit, mais Ruby et moi étions impatientes. Tante Lovey mit le contact et rinça le moteur. Rien n'y fit. Le chien continua d'aboyer en refusant de s'éloigner.

Au lieu de se montrer contrariée par le chien contrariant, tante Lovey sourit, défit sa ceinture de sécurité et se dirigea vers oncle Stash qui, en boitant, vint la rejoindre à mi-chemin. À tour de rôle, Ruby et moi les observâmes dans le rétroviseur. Ils riaient. Impossible de deviner les causes d'une telle hilarité. Ils riaient ferme, la main sur l'épaule l'un de l'autre, comme de bons amis du même sexe. Miteux se mit à aboyer deux fois plus fort, et ils rirent à gorge déployée. Puis tante Lovey embrassa oncle Stash sur la bouche avant de lui remettre le sac de morceaux de dinde qu'elle gardait dans sa poche. Faible et volage, Miteux, qui n'était qu'un chien après tout, se laissa séduire par la nourriture.

Tante Lovey riait encore lorsqu'elle remonta dans la voiture et elle riait toujours lorsqu'elle s'engagea dans la route rurale n° 1. Elle nous décrivit la scène qu'elle voyait dans le rétroviseur :

— Oncle Stash agite la main. Miteux vient de sauter pour attraper la dinde. Aïe ! Ce sont les bijoux de famille d'oncle Stash, ça ! Tout va bien. Non, pourtant. Si, en fin de compte. Il s'en sortira.

Elle soupira sans se détourner.

— Quel cabotin, celui-là.

Sa voix était douce et lointaine. Dans le rétroviseur, je vis les yeux d'une jeune femme aux cheveux clairs, le visage couvert de taches de son, superbe dans sa robe de satin blanc avec ses cent boutons de nacre dans le dos, qui franchissait en flottant les trente mètres de la nef de l'église de la Sainte-Croix pour épouser son beau Slovaque. Je ne crois pas avoir jamais aimé tante Lovey plus qu'en ce moment-là. Et je ne crois pas qu'il s'agisse d'une pure invention.

Tante Lovey détacha les yeux d'oncle Stash et se concentra de nouveau sur la route, où deux grosses corneilles picoraient une charogne. Machinalement, tante Lovey braqua pour les éviter. Elle s'enfonça dans une ornière et perdit la maîtrise du véhicule. La Mercury s'envola et atterrit violemment, le capot en premier, dans le fossé. Ruby et moi étions retenues par le harnais qu'oncle Stash avait conçu expressément pour nous et vissé à l'armature. Un vol plané. Puis plus rien. Tout était arrivé très vite. Après, Ruby et moi ne nous sommes pas dit un mot. Dans les heures et les jours suivants, nous ne nous sommes rien dit non plus. En fait, nous avons été très longtemps sans desserrer les lèvres. Jusqu'à ce jour, Ruby et moi n'avons jamais parlé de l'accident, des détails de ce qui s'est produit ou non. Je me dis que Ruby avait les yeux fermés et qu'elle n'a pas vu tante Lovey heurter le pare-brise et se casser le cou, s'écraser contre le volant comme le sonneur contre la cloche. Quelques secondes, et tout était terminé. Tante Lovey était parfaitement immobile. Comme Ruby. Comme moi.

Les paniers de fraises empilés sur la banquette s'étaient renversés, et les fruits jonchaient le tableau de bord. Leur odeur se mêlait à celle de l'essence et à celle du fossé. Au début, l'air était si figé et si paisible que je crus être devenue sourde. Mais les grillons et les cigales, que nous avions grossièrement interrompus, reprirent leurs conversations. Et les abeilles se remirent à bourdonner. Du coin de l'œil, je vis un rat musqué, attiré par le parfum des fruits, renifler la vitre puis s'enfuir en nous voyant, Ruby et moi.

Je fus sidérée par le peu de temps qu'oncle Stash mit à franchir la distance qui le séparait de nous, malgré sa mauvaise jambe. Et impressionnée de voir qu'il n'avait pas sa canne lorsqu'il ouvrit la portière. Oncle Stash ne repoussa pas les fraises et n'y fit pas allusion, même s'il les vit et les sentit sûrement en se hissant sur la banquette avant. Il nous regarda sur la banquette arrière, Ruby et moi, puis il se tourna vers tante Lovey.

L'une de nous, j'ignore laquelle, dit :

— Nous, ça va.

Il avait du mal à reprendre son souffle.

— Bien, les filles. Bien.

Puis, posant doucement la main sur le dos de tante Lovey, il murmura :

— Mais toi. Toi ne pas aller, mon amour. Non ? Non ?

Oncle Stash caressa le dos de tante Lovey comme un père rongé par l'inquiétude l'aurait fait avec son enfant malade.

— Ma Lovey. Oh, ma Lovey.

Il décolla la tête de tante Lovey du pare-brise.

J'ignore s'il se torturait, s'il cherchait à se donner du courage ou s'il voulait se convaincre qu'il ne rêvait pas en se forçant à jeter un coup d'œil au visage ravagé de sa bien-aimée. L'accident, qui n'avait duré que quelques secondes, s'était produit à vitesse réduite. Pourtant, le nez de tante Lovey était fracturé d'horrible façon, les os de sa joue émiettés, ses narines obstruées par du sang. Une de ses oreilles laissait fuir un liquide clair.

Oncle Stash émit un son. Un son indescriptible. Ce n'était pas un cri, c'était moins qu'un cri, c'était un son à peine audible, mais si chargé d'horreur et de chagrin que j'aurais voulu me boucher les oreilles pour ne plus l'entendre. Il revint, revint encore. Je me rendis alors compte qu'il émanait de moi.

— Chut, dit oncle Stash. Ça aller, Rosie. Les filles. Chut.

Même si je ne croyais pas à de tels phénomènes, j'eus l'impression de voir une onde de chaleur ou une colonne de fumée s'élever du cadavre de tante Lovey et planer au-dessus d'oncle Stash avant de se dissiper. Je m'imaginai que c'était l'âme de tante Lovey qui s'était brièvement attardée pour dire : « Je vous aime. Au revoir. »

Je crus sentir des lèvres effleurer ma joue.

Je serrai Ruby dans mon bras, et elle se cramponna à moi, ni tremblante, ni triste, ni effrayée. Rien à voir avec ce que vous imaginez peut-être. Nous étions calmes et lucides. Nous étions fortes. Au loin, dans l'allée des Merkel, un camion démarra.

— Sherman venir, murmura oncle Stash à l'intention du corps brisé de tante Lovey. Lui venir. Tout aller bien. Lui venir.

Oncle Stash se tourna vers Ruby et moi. Il avait la voix douce, ferme.

— Lui s'occuper de la ferme. Vous comprendre ?

Ruby et moi réfléchîmes un moment : de toute évidence, les paroles d'oncle Stash avaient un sens caché.

— Oui, répondîmes-nous d'une même voix.

— Oui, dit oncle Stash.

Et, à l'intention de tante Lovey cette fois, il répéta :

— Oui.

Ruby et moi vîmes oncle Stash disposer le cadavre de tante Lovey sur le siège taché de fraises. À quelques reprises, il tenta de redresser sa tête ballante. Quand il y réussit enfin, il pressa sa joue contre celle de sa femme. Pas d'espace, pas une lueur entre le crâne de tante Lovey et celui d'oncle Stash. Je songeais à leur soudure à eux quand Miteux jappa pour la première fois depuis l'accident. Nous entendîmes le camion de Sherman Merkel voler au-dessus des ornières et s'immobiliser sur les lieux de l'accident.

Je garde en mémoire un vague souvenir : Ruby et moi sommes plantées dans la boue devant la Mercury, tandis que tante Lovey et oncle Stash sont toujours dans l'habitacle et que Sherman Merkel, sur un ton raisonnable, tente de persuader oncle Stash de sortir. La voiture semblait en bon état — le pare-chocs avant était en bouillie, le châssis légèrement gauchi, rien de plus. D'où la surprise de Sherman Merkel : il ne s'attendait pas à trouver un cadavre à l'intérieur.

Au cours des jours suivants, je regrettai que Sherman Merkel ait tiré oncle Stash de la voiture accidentée. Malgré leur union imparfaite, leurs langues, leurs cultures et leurs intérêts divergents, oncle Stash et tante Lovey avaient en commun une veine vitale qui n'aurait pas dû être sectionnée. Après l'enterrement, oncle Stash parla très peu. Il refusa de manger. Il fixait le mur de la chambre sombre, en attente. S'il était resté dans les bras de tante Lovey après l'accident, je crois qu'il aurait réussi à se laisser mourir sur-le-champ. En l'occurrence, il mit une semaine pour y arriver. Certains comprendront que Ruby et moi fûmes soulagées de le trouver parti un matin. Qu'il est cruel pour un homme de survivre à son âme !

~

C'est Ruby.

Chaque fois, je sens le besoin de m'excuser de ne pas avoir écrit plus souvent. Ou plus longuement. Ou mieux. Les vrais écrivains en font-ils autant ?

En principe, ce n'est même pas mon livre. Mais si les éditeurs le refusent parce que mes chapitres sont trop mal foutus, je me sentirai coupable.

Encore huit semaines avant Noël, mais il y avait déjà un arbre dans le bureau du Dr Singh. Un vrai. Il embaumait le pin. Il m'a fait penser aux Noëls à la ferme. Depuis notre déménagement, Rose et moi nous sommes passées de sapin de Noël. Nous n'avons pas assez de place pour un arbre de taille respectable, et je déteste le petit modèle artificiel que nous avons rangé quelque part dans un placard. À quoi bon ?

Nous avons terminé nos emplettes de Noël. Le mois dernier, Nick nous a emmenées à Ridgetown, et nous avons acheté des livres pour ceux et celles qui figuraient sur notre liste. Nous y avons écrit des messages personnels. Des mots d'adieu, je suppose. Une fois venu le tour de Nonna et de Roz, je me suis sentie un peu sentimentale, mais je crois ne rien avoir écrit de stupide ni d'embarrassant.

Le Dr Singh a eu le souffle coupé par le tabouret que Nick a conçu pour nous. Je jure devant Dieu que Nick Todino a rougi quand Rose a commencé à parler au Dr Singh des objets en métal que Nick fabrique dans le garage de Nonna, même si elle n'a rien vu de sa production des dernières semaines.

J'adore Toronto. Après notre rendez-vous d'hier, Nick nous a fait parcourir Yonge Street. Les lumières étaient magiques. À l'hôtel Royal York, dans Front Street, on tournait un film. Il y avait un père Noël bien gras, un tas de jeunes figurants et deux magnifiques acteurs en amour, et ils dansaient au son d'une musique Motown. La neige a commencé à tomber, une neige artificielle produite par un appareil géant accompagné d'une grue et d'un ventilateur, mais c'était beau quand même. Il suffisait de cadrer avec ses doigts, d'oblitérer les projecteurs, la caméra et le réalisateur au crâne chauve pour avoir l'impression que c'était presque vrai. Je suis sûre que ce sera une scène touchante.

Nick s'est garé pour nous permettre d'observer le tournage pendant un moment. C'était gentil de sa part, surtout qu'il donnait l'impression de s'ennuyer à mourir. Évidemment, Rose ne voyait rien, mais elle ne s'est pas plainte pour autant. Je lui ai décrit la scène, et elle a feint l'enthousiasme, mais elle est moins douée que moi pour la comédie. (J'aurais peut-être dû tenter ma chance comme chanteuse et actrice dans des comédies musicales.)

Le Dr Singh ne peut rien contre la cécité de Rose, ce que nous savions déjà, mais Rose ne m'a pas reproché d'avoir demandé à Nick de nous conduire à son cabinet. J'espérais un miracle, je suppose. Elle aussi, peut-être.

Avec son optimisme forcé, Rose m'a fait penser à tante Lovey. Ma sœur distingue des formes, la lumière et le noir. À force de taper sur le clavier de son ordinateur, elle a mémorisé l'emplacement des touches. Elle peut finir son livre. Elle y tient tellement.

Depuis quelque temps, la lumière importune Rose. Surtout celle des lampes. Nick a remplacé toutes nos ampoules par d'autres de plus faible intensité, mais elles sont encore trop éblouissantes pour Rose. La télé lui donne d'horribles maux de tête. Depuis un certain temps, elle reste donc éteinte. (Pas de hockey cette année en raison du lock-out, mais je parie que Rose aurait trouvé le moyen de tolérer la télé si ses Red Wings avaient joué.) Le soir, nous n'allumons pas de lumières du tout. Uniquement des chandelles. Rose dit que nous vivons comme nos cousines, les vieilles filles slovaques. Quand Nick vient le soir (il insiste pour nous border comme des bébés), il plaisante au sujet des chandelles, demande à Rose si elle a l'intention de créer une ambiance romantique.

Rose écrit chaque jour, des heures à la fois, moins vite depuis que sa vue a commencé à baisser. Elle a longtemps gardé secrète sa perte de vision. Pour moi, en tout cas.

Nous parlons beaucoup du passé. Et nous rions énormément. Nous sommes un peu hébétées, comme lorsque, sous l'effet d'une très grande fatigue, on trouve tout tordant. Comme lorsque nous étions petites et incapables de dormir, et que tante Lovey montait l'escalier d'un pas lourd, très fâchée de nous trouver éveillées, ce qui ne nous empêchait pas de pouffer dès qu'elle avait quitté la pièce. Depuis quelque temps, Rose est la meilleure amie dont je puisse rêver. J'ignore si c'est un effet de sa cécité ou des changements que l'imminence de la mort a provoqués en nous.

La semaine dernière, Nick nous a emmenées au musée d'archéologie de London. Si vous y allez et que vous avez l'impression d'être perdu dans la banlieue, ne vous faites pas de souci, vous êtes au bon endroit. Le musée se trouve au bout d'un lotissement des années 1980, où il semble totalement déplacé. Mais c'est là exactement que, cinq cents ans plus tôt, des autochtones se sont établis et ont créé un village. Comme ça, la vie continue et se nourrit du passé. Dans le parking, il n'y avait aucune autre voiture, ce qui nous a procuré un vif soulagement : ainsi, nous pourrions passer du temps en compagnie d'Errol sans susciter la curiosité des groupes scolaires ni avoir à répondre à mille questions. (Je ne veux pas être vache. Seulement, nous ne sommes pas toujours d'humeur à être le centre d'attention.)

La partie extérieure du musée, c'est-à-dire la maison longue (ma section préférée), est fermée pour la saison. Normalement, Errol Osler nous prête la clé. Dès notre entrée, nous avons appris qu'il était en voyage en Chine. Un étudiant diplômé était sur place, mais il ignorait où se trouvait la clé. C'est du moins ce qu'il a affirmé. À en croire la plaque qu'il portait sur la poitrine, l'étudiant diplômé en question s'appelait Gideon, un prénom qui sort de l'ordinaire. Nick lui a demandé d'où il le tenait. On sentait que le type faisait des efforts pour rester poli. Au début, il a déclaré qu'il lui venait de son père, qui était fou, puis il a ri de sa plaisanterie, qui n'en était pas vraiment une. Sa mère l'avait nommé d'après son grand-père, rien de plus, mais on l'interroge sans cesse à ce sujet, ce qui lui tape sur les nerfs. Je le comprenais parfaitement. Nick, cependant, semblait vexé. Du même âge que Rose et moi, Gideon est à peine un peu plus grand que nous ; il est très délicat, comme une fille.

Plus tard, Rose a dit de lui qu'il était un « soupçon » d'homme, description qui m'a semblé juste mais insultante. Vous en connaissez beaucoup des hommes qui accepteraient d'être qualifiés de « soupçon » ? Je n'avais pas compris qu'elle ne le voyait pas vraiment. Pour elle, il n'était qu'une sorte de masse noire indistincte. Je lui ai demandé comment, suivant la même logique, elle surnommerait Nick. Elle a pris une inspiration et j'ai cru qu'elle allait dire quelque chose, du genre « Nick est un roc », mais elle n'a rien dit du tout. J'ai attendu et elle s'est remise à son ordinateur. Je pense qu'elle a de petites crises. Le Dr Singh nous a prévenues de cette possibilité.

L'étudiant diplômé nous connaissait de réputation, Rose et moi, car il a grandi à Glencoe, petite ville où le train s'arrête encore, à peu près à mi-chemin entre London et Chatham. Gideon s'est même adressé à nous en utilisant les bons prénoms, ce qui n'est pas très difficile dans la mesure où je n'ai pas l'air d'une Rose et que ma sœur n'a pas l'air d'une Ruby, mais tout de même. Il a dit quelques mots au sujet du tabouret fabriqué par Nick, et celui-ci les a pris de travers.

Puis Gideon a mis Nick en colère en déclarant qu'il aurait dû se garer en oblique. Dans le parking, il y a un énorme écriteau qui dit que les visiteurs doivent se garer en oblique, mais, comme il n'y avait personne d'autre, Nick n'a pas jugé utile de le faire. Nick a répondu qu'il refusait de garer sa saloperie de voiture en oblique dans une saloperie de parking désert. Puis il a appelé Gideon « professeur », ce qui, je crois, n'a guère plu à ce dernier.

Jouant les pacificatrices, j'ai demandé à Gideon si nous pouvions aller dans la maison longue, qu'Errol nous permettait toujours de visiter pendant la saison morte. C'est là que l'étudiant a dit ne pas savoir où était la clé. Mais Nick ne l'a pas cru. Comme Nick commençait à s'énerver, Rose a engagé la conversation avec Gideon et lui a posé des questions, et il se trouve que Gideon est apparenté à un historien du comté de Baldoon, qu'il est lui-même écrivain et qu'il prépare un livre sur les Indiens neutres de la rivière Thames.

Pas mal comme coïncidence.

Rose n'est pas du genre à lâcher des étourderies. C'est plutôt ma spécialité. En général, elle se maîtrise mieux. Cette fois-là, cependant, elle a avoué qu'elle écrivait son autobiographie et qu'elle avait rêvé de rencontrer un autre écrivain. Rose et ce parfait inconnu, dont elle ne distinguait pas le visage, se sont donc mis à parler écriture, ce qui, comme vous l'imaginez sans mal, était d'un ennui mortel. J'ai échangé un regard complice avec Nick. Drôle, dans la mesure où lui et moi n'avons justement pas ce genre de complicité. Et pourtant… Son regard m'a appris qu'il s'embêtait, lui aussi. Et qu'il était jaloux. Je suis sûre de ne pas avoir mal interprété son expression.

Après avoir longuement discuté de ce qu'ils avaient en commun — le fait de ne pas connaître d'autres auteurs, par exemple — et avoir convenu qu'il était difficile de travailler en vase clos, Rose et Gideon n'ont plus eu grand-chose à se dire. J'ai alors pris le relais et parlé à Gideon de la ferme, du camp indien, des découvertes que j'avais faites dans les champs et de la collection du musée de Leaford dont il avait entendu parler mais qu'il n'avait jamais vue parce qu'il avait passé les dernières années en Nouvelle-Écosse. Au cours de ses propres fouilles, il n'a trouvé que des silex, des épingles en arête de poisson et des fragments de poterie. Pas de pipe en forme d'oiseau. Pas de tube en os. Il m'écoutait comme si j'étais une sommité et, du coup, j'ai eu envie d'en être une. Peut-être ne suis-je pas si paresseuse sur le plan intellectuel, en fin de compte. Si je me sens seule, c'est peut-être parce que je ne connais personne qui ait les mêmes intérêts que moi. Nick, Rose, Gideon et moi avons donc parcouru ensemble le grand musée désert, Rosie et moi avec le tabouret. Nick et Rose chuchotaient des propos inaudibles, tandis que Gideon et moi discutions à la manière d'universitaires. J'avais l'impression de mesurer plus de trois mètres.

De retour à la maison, après le départ de Nick, Rose a lancé une plaisanterie à propos de notre sortie à quatre et nous avons ri comme des folles en poussant des grognements sonores. Mais, comme chaque fois, j'ai eu peur que l'anévrisme se rompe. Nous avons continué de rire quand même. Il y avait longtemps, très longtemps que nous n'avions pas ri autant. Depuis l'incident de l'écureuil, peut-être.

C'était bon. Au bout d'un moment, j'ai cessé de me faire du souci au sujet de l'anévrisme. En fait, j'ai même espéré qu'il se romprait.

La semaine dernière encore, j'ignorais que Rose n'avait rien vu des pièces exposées au musée d'archéologie. Elle ne m'avait pas avoué sa cécité. Sans mettre de gants, je lui ai demandé si elle en avait parlé à Nick avant de s'en ouvrir à moi. Elle a répondu que non, mais je ne suis pas certaine de la croire. Depuis quelques semaines, Nick reste après que je me suis endormie. Rose affirme qu'ils ne font que parler.

Au musée, Rose s'est sentie fatiguée. Alors Nick nous a fait entrer dans une pièce et a installé des chaises pour nous. Gideon est allé chercher de l'eau dans la salle des employés. Je ne peux jurer de rien, mais j'ai cru voir Nick prendre la main gauche de ma sœur. J'ai senti le visage de Rose s'empourprer. Et les battements de son cœur se sont accélérés. Je lui ai posé la question et elle prétend que Nick ne lui a pas pris la main. Et qu'il n'y a rien entre eux. Maintenant que j'y pense, il lui est arrivé plus d'une fois de rougir au cours des dernières semaines. Et j'ai senti son cœur s'affoler à l'approche de Nick.

Peu avant notre départ, Gideon nous a donné à chacune une pierre spirituelle (on en vend à la boutique de cadeaux). Pour moi, une baleine, symbole de courage ; pour Rose, un bélier, symbole de sagesse. (Je me trompe peut-être.) Puis Gideon, nerveux comme s'il m'invitait à sortir avec lui, m'a demandé si j'accepterais de lui montrer la vieille ferme sur la route rurale n° 1 et les endroits où j'ai fait mes découvertes. Je lui ai dit que je tenterais de convaincre la dame de la société historique d'ouvrir le musée de Leaford. Qui sait ?

Rose croit que je lui ai répondu avec trop d'empressement. Il arrivera en autocar la semaine prochaine. Nick a maugréé, mais il ira quand même chercher Gideon à la gare de Chatham. Nous nous rendrons ensemble à la ferme.

Si nous mourons trop près des fêtes de fin d'année, nous risquons de gâcher le Noël d'un peu tout le monde.

Si elle savait ce que je viens d'écrire, Rose me tuerait.

~

J'ai écrit beaucoup de poèmes dans ma vie. J'avais l'impression qu'il y en avait un ou deux de bons parmi eux. Je n'en suis plus si sûre. Il y a longtemps, j'ai écrit un poème à propos d'un baiser. Ce n'était pas un de mes meilleurs. Pas un seul vers de la première version n'a survécu. Le poème ne se trouve plus dans le disque dur de mon ordinateur. Je l'ai modifié. Effacé. Récrit à fond, effacé de nouveau. Puis une nouvelle version, et encore une autre, et encore une autre, larguée dans quelque lieu inaccessible. Je croyais le poème disparu pour toujours, mais il est revenu, comme une éruption cutanée, récrit de ma main sur un bloc de papier jaune posé près de mon poignet. Au fil des ans, j'ai retourné le poème dans ma tête, jusqu'à en faire un ennemi à soumettre. Cette lutte, me semble-t-il, s'explique par mon obsession pour les baisers, moi qu'on n'a jamais embrassée. Peut-être ma vénération pour ce geste a-t-elle créé trop de pression. Peut-être un baiser n'est-il qu'un baiser, comme le dit la chanson.

Ce soir, une fois Ruby endormie, j'ai demandé à Nick de m'embrasser.

Si vous m'aviez dit la veille ou même une seconde plus tôt que je demanderais à Nick Todino de m'embrasser, je vous aurais traité de fou. Et voilà que la question, jaillie de ma bouche, flottait dans l'air.

— Tu veux bien m'embrasser, Nick?

Je ne lui ai pas laissé le temps de répondre. Il fallait d'abord que je lui explique que ma requête était purement motivée par l'art. Je voulais faire l'expérience du baiser, sentir une bouche contre la mienne, afin de reprendre mon poème et de l'obliger à capituler. J'ai expliqué à Nick que c'était une faveur que je lui demandais en amie. J'ai ajouté que je ne m'attendais pas à un baiser romantique, passionné ni même sexuel, que je n'y tenais pas nécessairement. (Vous et moi savons que ce n'est pas strictement la vérité.)

Nick n'a pas répondu. J'ai pris conscience de ma méprise, et mon cœur s'est mis à battre lourdement. Nick refuserait de m'embrasser. Au nom de quoi avais-je pu imaginer le contraire? J'avais tout gâché. (Évidemment, j'avais en tête des échos de la voix de Ruby demandant à Frankie Foyle de l'embrasser, et le parallèle m'a franchement dégoûtée.)

J'ai voulu prendre la main de Nick, mais il l'a retirée. Il n'a toutefois pas quitté la pièce, ce qui m'a semblé bizarre. Ruby dormait à côté de moi. Au moins, elle ne m'avait pas entendue, n'avait pas été témoin de mon humiliation.

— Nick, ai-je risqué.

Il n'a rien dit.

— Nick?

Il a attendu encore un moment, puis il s'est levé et s'est dirigé vers la porte. Je l'ai entendu appuyer sur le commutateur. Involontairement, j'ai frissonné. Dans l'obscurité, j'étais crispée, les sens en éveil. Encore une pause, puis des pas. Au lieu de s'éloigner dans le couloir, comme je l'avais cru, ils revenaient vers le lit. J'avais peur que Nick m'engueule. Ou qu'il me tue, en proie à la rage psychotique que ma requête inconvenante avait déclenchée. (J'ignore toujours pour quel motif il a fait de la prison!)

— Nick, ai-je commencé une fois de plus.

Mais il a fait «chut» et a doucement posé sa main sur la mienne. Je n'ai plus rien dit. Je ne voulais surtout pas détruire l'image d'une autre qu'il composait dans sa tête, à supposer qu'il décide de se pencher pour m'embrasser. Il s'est incliné et j'ai senti le courant d'air qu'il a fait en s'approchant de Ruby pour s'assurer qu'elle dormait. Il est revenu vers mon visage, s'est attardé un moment. J'ignore si ses yeux étaient ouverts. Je me dis qu'ils ne l'étaient pas.

Aucun rapport avec le baiser de mon poème, rien à voir avec ce que j'avais imaginé. Le baiser n'a été ni constellé d'étoiles ni doux au goût. Nick goûtait plutôt le sel. Il sentait la viande. Le jambon. Et j'ai senti non pas de la chaleur, mais du feu, rien de moins, là où ses lèvres ont touché les miennes, trente-sept fois en tout, mon menton, ma joue douce qu'il a effleurée du nez, la naissance de mes cheveux, sous mon oreille. Il a laissé des cicatrices brûlantes partout où il m'a embrassée. Des cicatrices dont je peux encore aujourd'hui suivre le relief du bout des doigts. J'ignore pour qui Nick m'a prise (je savais bien qu'il ne m'embrassait pas, moi), mais j'étais sûrement belle et très sexy.

J'avais de longs cheveux soyeux, des seins qui se soulevaient et une bouche somptueuse, car il me désirait (quelle que soit celle que j'étais dans son fantasme). Indéniablement.

Il m'a embrassée, encore et encore, lèvres tièdes contre lèvres tièdes, langues emmêlées, lèvre inférieure suçotée, lèvre supérieure léchée, pas d'allées et venues pelviennes, pas de cercles concentriques et, pourtant, après d'aussi sublimes bécotages, j'ai été en proie à un tremblement des plus surprenants. (Adolescente, j'ai lu quelque part que les Français qualifient l'orgasme de *petite mort*[1]. J'ai interrogé tante Lovey à ce sujet en me disant que, en tant qu'infirmière, grande lectrice et descendante des Français, elle comprendrait la métaphore dans ses moindres nuances, mais elle s'est hérissée : « En tout cas, ce n'est pas comme ça que les Canadiens français l'appellent. ») J'ai eu envie d'en parler à Nick, mais j'avais peur d'interrompre le cours de sa rêverie et j'avais encore envie de sa bouche sur la mienne.

C'est comme des convulsions, des contractions, un éternuement, avait dit une fille dans l'autobus scolaire. Nick m'a caressé le bras, puis il m'a embrassée encore, et encore. Ruby a gémi dans son sommeil, et Nick s'est arrêté brusquement, puis il s'est redressé, comme s'il avait été pris en flagrant délit au milieu d'un acte très, très répréhensible. Ruby ne s'est pas réveillée. Mais Nick ne m'a plus embrassée. Incapable de le regarder dans les

---

1. En français dans le texte. (*N.d.t.*)

yeux, j'ai remercié l'obscurité, qui l'empêchait de voir les miens. Il est sorti sans dire un mot. Ébranlée par ma petite mort, j'ai eu du mal à reprendre mon souffle.

Les mélos s'écrivent sûrement la nuit, lorsque la lune et les étoiles se liguent pour obliger l'imagination à aller plus loin, plus haut, plus vite, à cogner plus fort, à tenir plus longtemps. *Ouais, poupée.* Ce n'est pas trop. Ce n'est jamais trop. Vous vous imaginez peut-être que le fantasme qui m'est resté après le départ de Nick était de nature sexuelle, mais c'est faux. Il était aussi narcissique qu'un fantasme sexuel, aussi motivé par l'ego, mais Nick Todino n'y figurait même pas. « Mélo » est peut-être un mot trop faible pour décrire un fantasme dans lequel Ruby et moi ne mourons pas. À la place, l'anévrisme disparaît comme par miracle et nous passons à la télé américaine pour promouvoir mon autobiographie, improbable best-seller. À la faveur d'un spectaculaire coup de théâtre, nous sommes réunies, à la télévision nationale, avec ma fille adoptée *et* notre mère perdue. Après notre prestation, ma fille, notre mère, Ruby et moi décidons d'acheter une maison sous le soleil de la Californie, où nous vivons dans l'harmonie, malgré le trop-plein d'œstrogène.

(Je sais, je sais. C'est tiré par les cheveux, même pour un fantasme.)

Mettez ça sur le compte de la lune.

Quel hommage au *fromage*[1].

Demain matin, nous irons à la ferme en compagnie d'un dénommé Gideon, un soupçon d'homme que nous avons rencontré au musée d'archéologie. Je suis certaine que Ruby vous a déjà longuement parlé de lui. Gideon lui a demandé s'il pouvait la citer dans le livre qu'il consacre aux Indiens neutres de la région de Chatham et si elle l'autorisait à utiliser quelques-uns de ses plans et de ses croquis. Elle a failli faire sous elle. Lorsque je lui ai demandé si je pouvais la citer dans mon livre à moi, sa réaction a été nettement plus tiède. J'ai été jalouse. Vous vous rendez compte ?

Comme j'avais très envie de discuter avec un autre écrivain, j'ai été ravie de faire la connaissance de Gideon, qui a publié quelques articles et a pendant un certain temps signé une chronique dans l'hebdomadaire de Chatham. (Il a dit nous avoir déjà vues à la bibliothèque de Leaford, mais je ne me souviens pas de lui.) Nous avons commencé à parler de l'écriture, et je me suis sentie comme en Slovaquie, lorsque j'ai compris que cousin Jerzy parlait anglais. On me comprenait. À l'instar de compatriotes dans une contrée éloignée, nous sommes vite devenus bons amis, là, dans la boutique de cadeaux, et nous avons engagé un franc dialogue sur nos travaux respectifs. Le but de Gideon est d'éveiller chez ses lecteurs une passion pour l'histoire. J'ai senti sa ferveur pour son sujet et son découragement devant les difficultés

---

1. En français dans le texte. (*N.d.t.*)

liées à la reproduction d'événements vécus. Il a dit avoir des doutes sur le ton et la structure du livre. Il a ajouté être à la recherche d'une façon d'entrer dans le récit. Et dire que je suis, moi, en quête d'une porte de sortie.

Nick nous conduira à la ferme. À la pensée de le voir, je suis nerveuse et excitée. Je regrette de l'avoir embrassé. Ou d'avoir arrêté de l'embrasser. À quoi pense-t-il ? Est-il malade de dégoût ? Viendra-t-il seulement, ce matin ? À supposer que oui, je me dis qu'il y a des avantages à ne pas pouvoir lire l'expression des autres.

Ruby et moi ne pourrons pas accompagner Gideon dans les sillons afin de lui montrer les endroits précis, non pas que je m'en souvienne, remarquez. (À présent, nous avons besoin du tabouret même pour aller aux toilettes. Mon équilibre est précaire. Ruby vous a sans doute dit que nous avons quitté notre emploi à la bibliothèque la semaine dernière, que Roz a fondu en larmes et que Lutie a dû la raccompagner chez elle.) S'il a des questions, nous serons là pour y répondre. La dame de la société historique, qui a été très malade, a enfin téléphoné pour dire que nous pouvions entrer dans le musée.

Tout ce temps-là, la clé était sous le paillasson.

~

Je me fais l'effet d'être une écolière qui écrit dans son journal intime : « Aujourd'hui, nous sommes allées à la ferme et nous nous sommes assises à l'avant de la voiture. Pendant tout le trajet, Nick m'a tenu la main. Je pensais que Ruby verrait tout, mais non. Et si elle nous avait vus, après tout ? Je me demande s'il m'embrassera de nouveau ce soir, une fois Ruby endormie. Devrais-je lui poser la question ? M'embrassera-t-il encore si je ne le lui demande pas ? Il arrive dans une heure ! Que faire ? Oh, mon Dieu ! »

L'automne a été doux. Le traître soleil s'est invité en septembre et a purgé le monde de ses couleurs, de la même façon qu'il avait décoloré un carré de la moquette orange brûlé du séjour. Les feuilles se sont accrochées au moins trois semaines de trop. Cette année, les érables sont devenus gris plutôt qu'écarlates. Et les chênes ont pris la couleur du mastic. Les saules, celle du béton. Et le bouleau est moucheté de gris, comme une pierre. M'ont manqué l'ocre incendiaire, le safran éclatant et l'orange explosif. Les feuilles se sont teintées de gris, au même titre que les voitures, les rues, mon moi gris et ma sœur grise dans le miroir gris à l'image floue.

À présent, les tons de gris ont à leur tour disparu. Je ne vois plus que les dimensions du noir. J'ai perdu la vue depuis quelques semaines, mais, au début, je n'en ai parlé à personne. Même pas à Nick. Je n'ai pas joué les martyrs. Même si ce n'est pas dans ma nature, j'ai fait preuve d'optimisme dans l'espoir d'un sursis. Comme celui dont bénéficient les feuilles. En l'occurrence, une pression s'exerce sur mes nerfs optiques, ce qui s'explique par mon anévrisme. Ou pas.

Aujourd'hui, j'ai senti pour la première fois que le fond de l'air était frais. Lorsque j'ai ouvert la porte, un vent du nord-est m'a assaillie. Ruby a posé la main sur mon épaule, de peur que je perde pied et tombe.

— Fait froid, ai-je dit.

Chapitre clos.

Au son de sa voix, je n'ai pas su si Nick regrettait les événements de la veille.

— Tu vas avoir besoin de gants.

Voilà tout ce qu'il a dit. Il nous a guidées vers la voiture. Avant de frapper à la porte, il avait laissé le moteur tourner pendant dix bonnes minutes. Même s'il me hait et qu'il hait ce qui s'est produit entre nous, je suis tout excitée à l'idée de me trouver à côté de lui. Et je me moque bien d'avoir l'air minable.

Ruby était enthousiaste à l'idée de faire voir la ferme à Gideon. Peut-être même trouverait-il quelque chose en se promenant dans les champs ou au bord du ruisseau, croyait-elle. Si elle en avait eu la possibilité, elle aurait planté un objet ancien dans son champ de vision, comme elle avait coutume de le faire pour moi. Que Dieu bénisse son petit cœur en sucre.

Sur la banquette arrière, Nick a empilé des couvertures, des chaises pliantes, des thermos remplis de chocolat chaud et de thé de même qu'une glacière pleine de sandwichs. Il n'y avait plus de place que pour une personne.

— Le professeur n'aura qu'à se mettre là, a-t-il décrété.

Puis, coïncidence bizarre, nous sommes montées dans la voiture et Ray Price fredonnait. Ray Price. Pourquoi Ray Price ? Si Nick avait lu mon livre ou que je lui avais parlé de l'attachement d'oncle Stash pour Ray Price, j'aurais jugé une telle attention romantique. Mais je n'ai rien dit à Nick à ce sujet, et je suis sûre que Ruby ne lui en a pas parlé non plus. Inondée de chaleur, je me suis souvenue de l'arrosoir dont tante Lovey se servait pour laver les cheveux de Ruby et les miens quand nous étions petites. J'ai senti la présence parfaite de tante Lovey et d'oncle Stash à côté de moi, comme de l'amour. Peut-être allaient-ils nous accompagner à la ferme, me suis-je dit, à moins que ce soit Dieu.

À la gare de Chatham, Nick a voulu que nous attendions dans la voiture, mais Ruby a insisté pour que nous nous rendions sur le quai, comme des gens « civilisés ». Lorsque Gideon est sorti de l'autocar, j'ai senti Ruby se raidir.

— Il se passe quelque chose, a murmuré Ruby.

— Quoi ?

— Il a l'air fâché ou souffrant, a-t-elle répondu.

— C'est sûrement à cause du bâton qu'il a dans le cul, a dit Nick.

— Sois gentil, Nick, l'ai-je supplié.

Ruby avait vu juste. Gideon avait mal. Et il était fâché. Tandis que nous roulions sur la route sinueuse qui longe la rivière, il nous a expliqué, depuis la banquette arrière sur laquelle les couvertures étaient empilées, que, le matin même, il s'était tordu la cheville en courant répondre à la porte. Sa propriétaire lui avait remis un avis d'expulsion. L'appartement était un taudis, s'est-il plaint, et il avait de la chance d'en être débarrassé, mais, en raison de l'échéance prochaine de son livre et de son incapacité à le finir, il se demandait, non sans une certaine note de désespoir, où il allait vivre. Puis il a parlé des traces de moisissure noire sur les carreaux de la salle de bains et s'est demandé si les spores avaient endommagé son cerveau, d'où la confusion mentale qui l'empêchait d'écrire. (Et moi qui n'y avais pas pensé ! C'est la faute aux spores !)

Ensuite, ma sœur m'a prise par surprise en demandant à Nick de faire un détour par Big Bear Line. En voiture, elle est plutôt du genre à faire des histoires pour éviter de parcourir ne fût-ce que quelques centimètres de trop. Puis j'ai compris qu'elle ne voulait pas passer par les lieux de l'accident. Je lui ai été reconnaissante de sa prévoyance. Moi, j'ai perdu la mienne.

Je ne voyais pas défiler le paysage, mais je l'imaginais et, malgré les vitres remontées, je le sentais — la saison morte dans la riche terre noire, plus odorante au fur et à mesure que nous nous rapprochions de la ferme, mais, derrière l'odeur de la mort, la douceur du printemps et le parfum vert de l'été, puis l'automne et l'hiver de retour, et la fusion des saisons qui se succèdent et se succéderont de toute éternité, le tout réuni dans la terre et l'air qui nous entouraient.

Enfin, à la forme des ornières, j'ai compris que nous étions sur la route rurale nº 1. Nick a posé sur la mienne sa main lourde et tiède. Lorsque nous nous sommes engagés dans l'allée du musée de Leaford, je me suis sentie comme une nouvelle mariée. J'ai imaginé que mon alliance était faite d'or blanc antique.

J'ai été soulagée de ne pas distinguer la vieille maison de ferme orange de l'autre côté de la route, en biais par rapport au musée. J'ai remarqué que Ruby ne regardait pas de ce côté, elle non plus. Je frémis à l'idée de ce que l'endroit est devenu et je préfère en conserver une image qui n'est ni celle d'aujourd'hui, ni celle de notre dernière visite, ni même celle d'il y a dix ans, une image qui date de bien avant nous, d'avant la longue table en pin et l'épidémie de tuberculose meurtrière. Je me plais à imaginer la maison de ferme dans sa toute première incarnation, avec, en arrière-plan, les arbres qui n'avaient pas été rasés pour les cultures, Rosaire et Abey qui mangent des pêches sur la véranda.

— M. Merkel est là ? ai-je demandé.

Le musée de Leaford trône sur un petit monticule. De là, on aperçoit la ferme et aussi la maison des Merkel.

Ruby marqua une pause.

— Je ne vois personne. Mais j'ai l'impression que la camionnette est là.

Gideon a décrété qu'il souhaitait voir la collection de Ruby au musée de Leaford avant de s'aventurer dans les champs traversés par le vent avec le plan qu'elle avait tracé.

Sortir le tabouret du coffre et nous y installer n'a pas été une mince affaire, et nous avons eu besoin de beaucoup d'aide pour parcourir le sentier inégal conduisant au porche du musée. Devant la porte, Nick s'est penché pour prendre la clé et nous sommes entrés.

J'ai senti la poussière, inhalé une bouffée du passé et senti s'emballer le cœur de Ruby.

— Mon Dieu, a-t-elle soufflé. Mon Dieu.

— Tu as trouvé tout ça ? a demandé Gideon, incrédule. Sans équipement ? Sans excavations ?

J'ai senti Ruby rougir.

— Tu as trouvé tout ça ?

Ruby a pris son temps. Des yeux, elle a parcouru les vitrines.

— Ouais, a-t-elle dit, elle-même étonnée. J'ai trouvé tout ça.

Nous n'avions pas mis les pieds au musée depuis la mort de tante Lovey et d'oncle Stash. Tout comme j'avais un peu oublié la splendeur de la campagne, je crois, Ruby avait oublié la forte impression que faisaient les objets, qui s'étendaient sur tout un mur, telles les pages d'un livre racontant une histoire extraordinaire.

— C'est une collection impressionnante, a lancé Nick.

Je me suis rengorgée. Je venais de comprendre que, tout ce temps, Ruby avait escaladé sa propre montagne et qu'elle avait depuis longtemps atteint le sommet.

— Sacré héritage. Sacré cadeau.

J'ai senti Ruby rougir.

— Ouais, je suppose, a-t-elle dit.

Bavard dans l'auto, Gideon examinait désormais en silence la collection d'objets indiens disposés sur du velours prune dans les larges vitrines. Je ne distinguais pas leur contenu, mais j'ai laissé Ruby montrer aux visiteurs le vaste assortiment de pièces qu'elle avait découvertes : les pilons et les mortiers, les manches de haches incurvés, les meules, les perles de *wampums*. Gideon passait d'un objet au suivant en respirant fort. Entre deux inspirations, il semblait murmurer : « Dis donc ».

— Tu veux que je décrive les objets, Rosie ? a demandé Ruby en se gardant bien d'avoir l'air apitoyé.

— Non, ai-je répondu.

Nick s'était détaché de nous. Sur l'autre mur, il examinait un agrandissement de Ruby et moi à trois ans, et l'écriteau qui disait : « Rose et Ruby Darlen, jumelles réunies par la tête nées le jour de la tornade — le 30 juillet 1974 — à l'hôpital St. Jude's de Leaford. Rose et Ruby comptent parmi les cas les plus rares de jumeaux conjoints, soit les craniopages. Ayant une veine essentielle commune, elles ne pourront jamais être séparées. Malgré leur situation, les filles mènent une vie normale et productive, ici même, à Leaford. Photo prise par Stash Darlen, l'oncle des filles. »

Comme Ruby et Gideon, qui s'égaraient de leur côté, et Nick, perdu dans la contemplation de la photo, je me suis laissée dériver, ainsi que les gens le font parfois, vers un lieu plus méditatif de mon esprit, libéré des lois de la gravité. Cette errance m'a emmenée de l'autre côté de la route, jusqu'à la vieille maison de ferme orange où, comme je l'ai fait dans ces pages, je me suis souvenue de ma vie avec ma sœur soudée à ma tête. J'ai traversé le pont qui enjambe le ruisseau, où je nous ai vues, Ruby et moi, assises au bord, mes jambes ballantes oscillant légèrement. Deux sœurs attendant l'entrée en scène d'un héron. En me déplaçant un peu vers la droite, j'ai aussi aperçu ma fille spectrale, assise dos à moi, ses longues jambes pendant au bord du pont, élégante malgré sa mauvaise posture d'adolescente. « Au revoir », ai-je murmuré. Elle a regardé par-dessus son épaule et m'a souri. Je me suis enfoncée un peu plus loin dans les champs. Pas un mouvement, hormis celui des souris à mes pieds, tandis que je tournais en rond, perdue au milieu des plants de maïs. J'étais, je l'avoue, à la recherche de ma mère. Puis, sortie des champs, de retour au bord du ruisseau, où nous avons été baptisées et où nous avons failli nous noyer, j'ai baissé les yeux et vu dans la vase le camion rouge de Larry. Spontanément, j'ai senti le besoin de le sortir de là. J'ai senti l'afflux d'eau tiède sur ma tête en me demandant si je risquais de perdre connaissance pour de vrai. J'ai agité les bras, les ai tendus vers Nick.

Mais Nick n'était pas là.

— Houla ! a crié Gideon, ployant sous notre poids combiné.

Au contraire de Nick, qui veillait sur nous depuis des mois, Gideon n'avait pas l'habitude de nos dimensions.

— Désolée, avons-nous dit d'une même voix, Ruby et moi.

Nick est vite venu à la rescousse. Il a délesté le soupçon d'homme de sa charge en demandant :

— Qu'est-ce que tu fous, Rose, merde ?

— Un simple étourdissement. C'est fini, ai-je menti.

— Il vaudrait peut-être mieux rentrer.

— Non, Ruby et moi avons-nous entonné en chœur avec Gideon.

C'était très drôle.

La sensation de vertige m'est restée, et c'est pourquoi, en voyant son visage à la fenêtre, je n'ai pas cru le témoignage de mes yeux. J'étais certaine de voir une image issue de mon imagination. Le visage de Cathy Merkel, flou et en couleur.

— Madame Merkel? ai-je dit à mi-voix.

— Quoi? a demandé Ruby.

Nick s'est tourné vers l'endroit où je regardais. Il n'y avait personne à la fenêtre.

— Je crois que je vois, Nick, ai-je dit.

Mais, au moment même où je prononçais les mots, une enveloppe grise, comme une vague, comme un nuage voilant le soleil, a de nouveau envahi mon champ de vision.

En entendant sa voix, j'ai cru halluciner encore une fois. À la fin, on se lasse de la désorientation. (Pauvre Nonna.) Et il est terrible d'être aveugle.

J'ignore si c'est Ruby, Nick ou Gideon qui l'a vue en premier. Les hommes ne l'auraient pas reconnue. En tout cas, ils n'auraient pas su son nom.

— Madame Merkel?

Pas de réponse.

— Madame Merkel? ai-je demandé.

Je *sentais* sa présence. Là, j'ai su que j'avais un sixième sens. C'était comme si je l'entendais ou que je la voyais. (Je m'interroge toujours sur l'image que j'ai eue d'elle à la fenêtre. Une construction de mon cerveau comprimé? Ai-je recouvré la vue l'espace d'un instant? Le phénomène pourrait-il se répéter?)

— Je n'ai pas reconnu la voiture, a commencé Mme Merkel d'une voix caverneuse dans la vaste salle paisible. La dame de la société historique m'a demandé de garder un œil sur le musée. Alors je me suis dit qu'il valait mieux venir voir.

— C'est la voiture de Nick, ai-je expliqué.

— Nick, c'est moi, a dit Nick.

Je l'ai senti tendre la main et Mme Merkel s'est raclé la gorge. Je savais qu'un tel geste la plongerait dans l'inconfort. Mme Merkel saluait tout le monde de la même façon, les femmes comme les hommes, y compris oncle Stash et son mari, sans un sourire ni un mot, au moyen d'un subtil fléchissement du menton et d'un nivellement des yeux.

— Je vous présente Gideon, madame Merkel, a dit Ruby. C'est un ami de London. Il s'intéresse aux objets indiens.

— Bonjour, madame, a dit Gideon, même si j'imagine qu'il n'a pas vraiment détaché le regard des vitrines poussiéreuses remplies de pièces rares. Regardez-moi les motifs taillés dans ce tube en os, l'ai-je entendu murmurer.

Ruby et moi n'avions jamais serré notre voisine dans nos bras et nous ne nous attendions pas à commencer ce jour-là. Nous ne nous attendions pas non plus à ce qu'elle fasse allusion à notre anévrisme et à notre mort imminente. Et nous ne nous attendions absolument pas à ce que Cathy Merkel se mette à pleurer, comme Sherman Merkel l'avait fait dans le coin des enfants à la bibliothèque de Leaford.

— Elle a commencé quand elle avait environ sept ans, a dit Mme Merkel sur un ton neutre et non sur celui d'une mère débordante de fierté.

Ça aussi, c'était inattendu.

— Mon mari disait qu'elle voyait des choses qui lui échappaient, a poursuivi Mme Merkel. Des choses que personne d'autre n'aurait pu voir. Comme si elle avait une baguette de sourcier.

J'ai senti ma sœur rougir.

— C'est vrai, ai-je confirmé.

— Il suffit de bien regarder, a dit Ruby.

Elle tremblait. De fierté peut-être.

— Sherman installe une nouvelle remise à peu près à l'endroit où tu as trouvé les marmites ou je ne sais pas trop, et il va devoir creuser, a dit Mme Merkel.

— Ah bon, a fait Ruby.

— La semaine prochaine.

— Ah bon, a répété Ruby.

J'ai senti et entendu les lattes du plancher grincer. Gideon, qui s'était approché, a fait passer son poids d'une jambe sur l'autre.

— Est-ce que je pourrais vous aider, madame ? Est-ce que je pourrais aider votre mari à creuser ?

Il y a eu un long silence au cours duquel Mme Merkel a semblé juger l'homme de petite taille.

— Je suppose que oui. Et toi, Ruby ? Tu veux venir voir M. Merkel creuser ?

— Bien sûr.

Gideon, se rendant compte que son empressement avait pu sembler rébarbatif, a déclaré sur un ton nonchalant :

— La vérité, madame, c'est que je suis un professionnel. En cas de découvertes d'importance historique, je pourrais…

— Madame Merkel, a-t-elle dit. Appelez-moi madame Merkel.

— Je pourrais être utile à votre mari, madame Merkel. Je peux vous donner mon numéro de téléphone et vous n'aurez qu'à m'appeler à London. Je peux aussi le laisser à Ruby et Rose. Appelez-les et elles communiqueront avec moi.

J'ai senti Nick s'agiter à côté de moi. Il n'aimait pas Gideon. On aurait dit qu'il l'avait flairé, comme une proie. Nick ne pouvait pas le voir comme une menace. Ni comme un rival. Nick ne pouvait pas être jaloux de Gideon. Peu importe ce que je pouvais m'imaginer à propos du baiser qu'il m'avait donné. Et pourtant, lorsque Ruby, dans un trait de génie, s'est rappelé que Sherman Merkel cherchait un ouvrier agricole et que Gideon venait tout juste de perdre son appartement, Nick s'est éclairci la gorge à côté de moi, comme s'il retenait ses protestations.

Gideon était si impatient de rencontrer Sherman Merkel et d'obtenir le poste d'ouvrier agricole (sans parler de l'accès aux champs riches en objets d'importance historique) qu'il a suggéré d'aller le voir tout de suite. De toute façon, Ruby et moi devions rentrer nous reposer. Et Mme Merkel a dit qu'elle n'y voyait pas d'inconvénient. J'avais peur que Ruby se sente abandonnée, mais, en route vers la voiture, elle m'a semblé normale.

Mme Merkel et Gideon, qui nous avaient accompagnés, se sont arrêtés pour nous dire au revoir.

— Tu viendras ? a demandé Gideon à Ruby.

— Absolument, a-t-elle répondu gaiement.

— Tu ne vas pas te lancer dans un marathon d'écriture et la retenir à la maison, n'est-ce pas, Rose ? a dit Gideon sur un ton taquin. C'est promis ?

— Un marathon d'écriture ?

Mme Merkel semblait plus curieuse que surprise.

— Rose écrit son autobiographie, a expliqué Gideon.

— Ah bon ?

Mme Merkel s'est rapprochée.

— Combien de pages as-tu écrites, Rose ? m'a demandé Gideon à brûle-pourpoint.

— Je ne sais pas, ai-je répondu. J'ai cessé de compter après quatre cents. (Fieffée menteuse !)

— Tu dois avoir presque terminé, a-t-il dit.

Sa logique m'échappait.

Malgré les vaillants efforts que je déployais pour fixer l'endroit où je croyais la trouver, Mme Merkel a probablement compris que je ne voyais plus, mais elle n'a pas fait de commentaires.

— J'aimerais beaucoup lire le livre quand il sera terminé, a-t-elle dit.

Je n'aurais su dire si elle se montrait sarcastique ou encourageante.

— Je vous enverrai une copie du manuscrit. (Cette fois, ce n'était pas un mensonge.)

Je ne m'attendais pas à ce que Mme Merkel me sourie, m'embrasse ni même me touche de quelque façon que ce soit. Et elle n'en a rien fait. Cependant, elle s'est penchée et a chuchoté à mon oreille :

— Je vais vous aider. Vous pouvez me demander n'importe quoi. Je vais vous aider, Ruby et toi.

Elle avait la voix si tendre que j'ai douté de mon ouïe.

— Merci, ai-je répondu.

— N'importe quoi, a-t-elle répété.

— Merci.

Mme Merkel nous a quittés et, après un moment, j'ai entendu Gideon qui, d'une voix qui s'estompait peu à peu, racontait à notre ancienne voisine qu'il avait grandi sur une ferme de Glencoe et qu'il était enfant unique. Tandis que nous attendions que Nick ait rangé le tabouret dans le coffre et qu'il vienne nous aider à nous installer à l'avant, des rires ont retenti. Ruby et moi nous sommes serrées l'une contre l'autre. Même si nous n'avions jamais entendu ce son, nous avons compris que c'était le rire de Cathy Merkel. Pendant les heures que nous avions passées en sa compagnie, Gideon n'avait absolument rien dit de drôle. Jamais je n'aurais pu deviner par quel moyen il avait déridé cette pauvre femme.

Nick a mis le contact et, après s'être assuré que Ruby ne pouvait rien voir, m'a pris la main gauche.

— Tu es sûre de ne pas vouloir voir la vieille maison, Rosie ?

— Non, avons-nous répondu à l'unisson, Ruby et moi.

Nous avons roulé en silence, Nick serrant ma main dans la sienne.

Ruby s'est endormie.

— Tu veux bien continuer, Nick ? Tu veux bien continuer de rouler pendant un bout de temps ?

Il ne m'a pas demandé où je voulais aller. Il a simplement suivi la route qui longe la rivière, celle que les Indiens appelaient Eskinippsi, celle qui s'incurve et, de boucle en boucle, donne l'impression de tourner sur elle-même. Nous avons franchi le pont dans un sens. Puis dans l'autre. Et nous avons recommencé, comme l'aiguille dans le sillon d'un vinyle. Nous avons roulé jusqu'au coucher du soleil, et j'ai eu peur que Ruby prenne froid.

— C'est l'heure de rentrer, ai-je dit.

— Je sais, a répondu Nick.

Il a pris la route qui conduit à Leaford.

— Tu viens ce soir ? lui ai-je demandé.

Il a grogné pour dire que oui et nous avons roulé en silence, son poing se resserrant sur ma main au fur et à mesure que nous approchions de la maison.

~

C'est Ruby.

Ouf. Par où commencer ? Ou finir ?

Aujourd'hui, nous sommes allées à la ferme en compagnie de Gideon et de Nick. Nous avons visité le musée de Leaford où, pendant toutes ces années, la clé était sous le paillasson ! Nous ne sommes pas restés aussi longtemps que prévu. Rose s'est sentie fatiguée et nous avons dû rentrer. Nick avait apporté des couvertures, de la nourriture et tout, mais, que voulez-vous, c'est la vie. C'est vraiment la vie. On ne reste pas toujours dans un lieu aussi longtemps que prévu. Heureusement, Nick était prêt à toutes les éventualités. J'espère juste que la nourriture ne sera pas perdue.

J'ai été un peu gênée et un peu fière des histoires qu'ils ont tous faites à propos de mes découvertes. J'avais oublié que les objets étaient si nombreux, si précieux et si bien préservés.

La semaine dernière, déjà, Gideon m'a regardée comme si j'étais une sommité. Aujourd'hui, il m'a regardée comme si j'étais un génie. En examinant les objets — je ne me rappelais plus que la société historique les avait exposés sur un joli tissu violet —, j'ai vu ma vie défiler en vitesse devant mes yeux.

Je me suis souvenue de la ferme, des champs que j'arpentais au printemps, de tante Lovey qui disait : « Ne laissez pas Mme Merkel vous voir — vous lui feriez penser à Larry. » J'ai parlé à Gideon de la possibilité de faire de notre vieille maison de ferme orange le nouveau musée de Leaford. L'idée l'a emballé.

Et puis — je suppose que ce n'est ni bizarre ni fortuit, vu qu'elle habite de l'autre côté de la route —, Mme Merkel est entrée dans le musée. Selon Rose, il est normal qu'elle réapparaisse à la fin de notre vie puisqu'elle y était au début. Tout revient, a ajouté Rose, certaines choses de façon plus évidente.

Rose a dit que le livre était terminé.

J'écris donc pour dire adieu.

Elle a dit qu'un récit devait être comme la vie, c'est-à-dire trop court, peu importe la durée de l'existence. Rapiécé, en somme, en non achevé, la fin renvoyant au commencement. Comme il s'agit d'une histoire vraie, nous ne pouvons d'ailleurs pas la boucler. Rose et moi comprenons que nous ne saurons sans doute jamais la vérité sur notre mère. Est-elle vivante ? Est-elle morte ? Comment s'appelle-t-elle ? Et nous ne retrouverons sans doute jamais la fille de Rose, Taylor, et nous ne verrons jamais son visage en photo. C'est la réalité. Un simple aspect de notre récit, comme dit Rose.

Il s'avère que Rose est parvenue à la fin et donc que le livre est achevé, et non le contraire. Elle affirme avoir tout dit. Et elle a raconté toutes les histoires qu'elle voulait raconter. Elle a le sentiment d'être rassasiée. Parfois, c'est la cuillère dans la bouche qu'on comprend qu'on ne peut pas avaler une bouchée de plus.

Elle n'a pas beaucoup parlé des années que nous avons passées dans la maison de Chippewa Drive. Et — je le sais parce que je lui ai posé la question — elle a omis certaines anecdotes savoureuses qui nous sont arrivées au travail. À propos de Verveine aussi. Elle a dit que, en entreprenant le livre, elle n'avait jamais songé à la fin, mais je n'en crois pas un mot. Je pense qu'elle écrit le chapitre final depuis le début. Le livre ne s'intitule plus *Autobiographie d'une jumelle conjointe.* Elle dit que le récit ne se limite pas à ce que ce titre laisse entendre, ni même à notre histoire personnelle, mais elle n'a encore rien trouvé de mieux. Nous avons ri en nous souvenant de ce qu'avait un jour dit tante Lovey : si jamais Rose écrivait l'histoire de sa vie avec moi, elle n'aurait qu'à l'intituler *Double casse-tête*.

Nous avons parlé de ce que nous voulions faire du temps qu'il nous reste. Si ma collection d'objets doit être déplacée dans un autre musée, Gideon estime que je devrais être là lorsqu'ils seront emballés, ce que j'aimerais beaucoup, si c'était possible. J'aimerais tenir ces objets dans mes mains, fermer les yeux et m'imaginer il y a cinq cents ans, en train de moudre du maïs ou de fumer ma pipe à tête de tortue. Je crois aux vibrations qui se dégagent des objets. Rose croit aux mots qu'elle écrit sur la page.

Il y a une chose dont Rose ne vous a pas parlé, pour la simple et bonne raison qu'elle n'est pas au courant. En voyant Mme Merkel au musée de Leaford, aujourd'hui, j'ai eu une bizarre impression de déjà-vu : je nous ai vus, Rose et moi, Nick et Gideon, M. et Mme Merkel, en train de fêter le Nouvel An chez eux. À cette idée, j'ai failli éclater de rire, mais je me suis plutôt surprise à trembler. Il y a des phénomènes beaucoup plus étranges. Rose et moi, par exemple.

Maintenant que son livre est terminé, Rose dit qu'elle va le ranger dans une boîte. Elle dit qu'elle ne veut plus y penser. Elle dit qu'elle s'en fiche, mais je parie qu'elle va talonner Nick pour qu'il le lise, à moins qu'elle harcèle plutôt Roz ou Whiffer. (Je me demande s'il est toujours en contact avec l'ami d'un ami qui connaît un éditeur à New York.) J'ai du mal à imaginer qu'un auteur consacrerait tant d'heures à noircir du papier sans se soucier de savoir si on lira on non le fruit de ses efforts.

Rose affirme qu'elle veut seulement passer du temps avec Nick. Peut-être revenir sur quelques-uns de ses vieux poèmes d'amour.

J'ai du mal à croire que je suis tout émue d'écrire ces derniers mots.

Jamais je n'aurais pensé que votre présence serait un jour aussi tangible, mais j'ai été marquée par ce que Rose a dit : écrire, c'est parler à un ami. Vous comprenez ?

Nous ne nous en allons pas tout de suite. Mais nous ne vous reverrons pas d'ici notre départ.

Vous allez me manquer.

Vous allez me manquer, et ce ne sont pas des paroles en l'air.

~

Ma sœur Ruby a toujours eu froid, surtout aux pieds et aux mains (c'est un problème de circulation appelé phénomène de Raynaud), tandis que j'ai toujours eu chaud et détesté porter des vêtements trop épais ou rester assise près du foyer. Quand nous étions petites, Ruby et moi, elle mettait ses mains délicates sous mon chemisier, sur la peau de mon dos et, parfois, sur celle de mon ventre. Elle pressait ses pieds bots contre mes cuisses. En riant comme une folle, elle disait pour me taquiner :

— Je te prends ta chaleur, Rose, toute ta chaleur.

Je ne lui en ai jamais voulu et je ne me suis jamais plainte parce que, pendant qu'elle me piquait ma chaleur, je lui piquais sa fraîcheur.

En terminant, je veux donner raison à Nick. J'ai écrit le livre et je suis prête à m'en contenter. Ce soir, j'imprime le tout pour la première fois. Je n'ai pas l'intention de me relire. Je vais plutôt ranger les pages dans une boîte et laisser aux dieux le soin de décider de leur sort. Si jamais ces mots, ces phrases, ces paragraphes et ces pages accumulés venaient à tomber sous les yeux d'un lecteur, le présent chapitre est pour lui. Pour vous. C'est le deuxième chapitre que j'écris aujourd'hui. Et c'est aussi le dernier que j'écrirai.

Je sens le besoin de demander pardon pour mes métaphores d'escalade tout en vous implorant d'en supporter une dernière. Car, mes amis, le sommet est en vue. Il se profile, échancré, festonné de blanc contre le ciel d'azur. Il y a là d'autres personnes. Toutes ne sont pas écrivains.

Chacun dit : « Ne regardez pas en bas. » Moi, j'ai regardé en bas pour voir d'où je suis partie, mesurer la distance que j'ai parcourue. Je croyais laisser un seul sillon dans la neige et j'en ai plutôt tracé un millier, semés de débris, les fragments de moi que j'ai laissés derrière. Et des outils que j'ignorais avoir en ma possession. Ma hache coincée entre le marteau et l'enclume, là où je suis moi-même longtemps restée prisonnière. Mes gants dans une crevasse, tout en bas, dans la petite grotte où j'ai établi mon campement. Une botte de ce côté, presque couverte par la neige tombée durant la nuit. Un tube de rouge à lèvres luisant sous le soleil (il appartient sans doute à Ruby). Mon histoire, celle de Ruby et de moi, celle de tante Lovey et d'oncle Stash, celle des Merkel et des autres. Difficile de s'en détacher.

Difficile de s'en détacher.

C'est la nuit. Il fait froid. À cause de l'air qui monte de la bouche d'aération, la chambre semble exposée aux quatre vents plutôt que chaude. Du pied, je tire une couverture supplémentaire sur les jambes de Ruby. Nick est venu et reparti, et j'ai le visage en feu, à moins que ce soit la fièvre. Il m'a *embrassée.* Il m'a embrassée, *moi.* Avec les lumières allumées. En me regardant droit dans les yeux. Nous ne nous sommes pas fait de déclarations d'amour. Nous ne nous sommes rien promis au-delà du moment présent. Nous nous sommes juste embrassés. Et il ne m'a pas donné un baiser sec et chaste. C'était un baiser mouillé, chaud, avec la langue. Il faudrait que je grave les mots sur l'écorce d'un arbre : « Nick a embrassé Rose. » Je ne me sens pas repue, cependant. J'en veux encore.

Après le départ de Nick, Ruby et moi avons parlé. En ce moment, elle écrit sur son bloc de papier jaune. À propos d'aujourd'hui ? Du musée de Leaford ? De Gideon ? Dit-elle au revoir ? En général, j'arrive à lire dans ses pensées. Mais pas ce soir. Ça vaut mieux. En principe — on croirait entendre ma sœur —, nous nous sommes mises d'accord sur les modalités de nos derniers chapitres respectifs. À propos du reste de nos vies, nous sommes d'accord.

Il y a très longtemps, à l'époque où oncle Stash construisait notre abri d'autobus en métal, je lui ai demandé, impatiente, quand il aurait fini. Il a ri.

— Le gens ne pas finir, Rose. Eux arrêter. Finir, ça veut dire : « Bon. Tout être parfait. Moi ne jamais rien changer. » Arrêter, ça veut dire : « Bon. Tout ne pas être parfait. Mais moi avoir autre chose à faire. »

Vous tenez ce livre, notre histoire, entre vos mains (laissez-moi imaginer qu'il s'agit d'un livre relié à la jaquette colorée), et il y a beaucoup plus de pages à gauche qu'à droite. Comme vous, j'ai fait cette expérience des milliers de fois. L'écrivain, à l'instar du lecteur, sait que, aussi inéluctablement que le sable s'égrène dans le sablier et les secondes au chronomètre, l'histoire est terminée.

J'ai repensé au premier chapitre de ce livre, que je n'avais pas relu depuis mon dernier accès de doute. Je le modifierai peut-être pour qu'il se lise comme suit : « Je n'ai jamais regardé ma sœur dans les yeux, mais j'ai eu un aperçu de son âme. Je n'ai jamais porté de chapeau, mais on m'a embrassée comme *ça*. Je n'ai jamais levé mes deux bras en même temps, mais la lune m'a ensorcelée tout de même. Le sommeil, c'est pour les ratés. L'autobus me va parfaitement. S'il est vrai que je n'ai jamais grimpé à un arbre, j'ai escaladé une montagne, et c'est un sacré exploit. »

Si je changeais autre chose, ce serait pour dire que je donnerais non pas mille vies, mais un million de vies, voire l'éternité, pour mener la vie qui a été la mienne. Je m'appelle Rose Darlen et je viens du comté de Baldoon. Je suis la sœur bien-aimée de Ruby. Nous sommes les plus vieilles jumelles craniopages survivantes du monde. Tante Lovey et oncle Stash avaient raison. Nous avons eu de la chance, Ruby et moi, d'être « les filles ».

Et soudain, je me rends compte qu'il est là, sous mes yeux, le titre que je cherche depuis si longtemps.

La fin, qui me ramène au début.

Les Filles.

REMERCIEMENTS

~

Je tiens à remercier ma réviseure, Diane Martin, mon éditrice, Louise Dennys, mon agente de publicité, Sharon Klein, et toute la talentueuse équipe de Knopf Canada/ Random House pour son enthousiasme et son dévouement.

Merci à Michael Pietsch, mon éditeur chez Little Brown and Company à New York. Je remercie tout particulièrement Judy Clain de m'avoir orientée dans cette voie.

Je tiens aussi à remercier mon agente, Denise Bukowski, qui a lu les premières versions du livre et m'a donné confiance en moi en plus de me prodiguer des conseils.

Merci à mon mari, à mes enfants, à mes parents, à mes frères et à leurs familles, à la famille Rowland et à celle de mon mari. Merci notamment à Dennis et Barb Loyer de même qu'à Wilfred et Trudy Loyer d'avoir partagé leurs histoires avec moi.

J'ai consulté de nombreux ouvrages pour écrire ce roman et je souhaite en mentionner quelques-uns qui m'ont été particulièrement utiles : *Conjoined Twins: An Historical, Biological and Ethical Issues Encyclopedia,* de Christine Quigley ; *The Two-Headed Boy and Other Medical Marvels,* de Jan Bondeson ; *One of Us: Conjoined Twins and the Future of Normal,* d'Alice Domurat Dreger ; *Entwined Lives: Twins and What They Tell Us About Human Behaviour, Psychological Profiles of*

Conjoined Twins, de J. David Smith ; *Millie-Christine: Fearfully and Wonderfully Made,* de Joanne Martell.

Merci enfin aux habitants du sud de l'Ontario, aimables hôtes qui continuent de me passer les caprices de mon imagination.

DÉJÀ PARUS CHEZ ALTO

Nicolas DICKNER
Nikolski

Clint HUTZULAK
Point mort

Tom GILLING
Miles et Isabel
ou La belle envolée

Serge LAMOTHE
Le Procès de Kafka
(théâtre)

Thomas WHARTON
Un jardin de papier

Patrick BRISEBOIS
Catéchèse

Paul QUARRINGTON
L'œil de Claire

Alexandre BOURBAKI
Traité de balistique

Sophie BEAUCHEMIN
Une basse noblesse

Serge LAMOTHE
Tarquimpol

C S RICHARDSON
La fin de l'alphabet

Christine EDDIE
Les carnets de Douglas

Rawi HAGE
Parfum de poussière

Sébastien CHABOT
Le chant des mouches

Marina LEWYCKA
Une brève histoire du
tracteur en Ukraine

Thomas WHARTON
Logogryphe

Howard MCCORD
L'homme qui marchait
sur la Lune

Dominique FORTIER
Du bon usage
des étoiles

Alissa YORK
Effigie

Max FÉRANDON
Monsieur Ho

Alexandre BOURBAKI
Grande plaine IV

Lori LANSENS
Les Filles

Nicolas DICKNER
Tarmac

Toni JORDAN
Addition

Rawi HAGE
Le cafard

Martine DESJARDINS
Maleficium

Anne MICHAELS
Le tombeau d'hiver

Dominique FORTIER
Les larmes
de saint Laurent

Marina LEWYCKA
Deux caravanes

Sarah WATERS
L'Indésirable

Hélène VACHON
Attraction terrestre

Steven GALLOWAY
Le soldat de verre

Catherine LEROUX
La marche en forêt

Lori LANSENS
Un si joli visage

Déjà parus chez Alto
dans la collection CODA

Nicolas DICKNER
Nikolski

Thomas WHARTON
Un jardin de papier

Christine EDDIE
Les carnets de Douglas

Rawi HAGE
Parfum de poussière

Dominique FORTIER
Du bon usage des étoiles

C S RICHARDSON
La fin de l'alphabet

Nicolas DICKNER
Tarmac

Lori LANSENS
Les Filles

Margaret LAURENCE
Le cycle de Manawaka
L'ange de pierre
Une divine plaisanterie
Ta maison est en feu
Un oiseau dans la maison
Les Devins

Correction : Julie Robert
Composition : Isabelle Tousignant
Conception graphique : Hugues Skene et Antoine Tanguay

Éditions Alto
280, rue Saint-Joseph Est, bureau 1
Québec (Québec) G1K 3A9
www.editionsalto.com

ACHEVÉ D'IMPRIMER
CHEZ TRANSCONTINENTAL GAGNÉ
LOUISEVILLE (QUÉBEC)
EN FÉVRIER 2011
POUR LE COMPTE DES ÉDITIONS ALTO

Dépôt légal, 1er trimestre 2011
Bibliothèque et Archives nationales du Québec